国家重点基础研究发展规划(973)项目

"黄河流域水资源演化规律与可再生性维持机理"(G19990436)系列专著

黄河流域典型水文分区产流研究

赵卫民　王庆斋　刘晓伟　等著

黄河水利出版社

内 容 提 要

本书以常规方法为主,选取黄河流域干旱区片沙区、湿润区石山林区、过渡区河源区、石山林区、强侵蚀区、甚强侵蚀区 8 处代表流域:黄河源区(上游唐乃亥以上流域),皇甫川沙圪堵以上,无定河支流小理河,汾川河,泾河支流合水川,渭河支流黑河,沁河,伊洛河,进行产流机制研究,分析产流影响因子和驱动力因子及其空间和时间变异,得出了大量基本概念和有益的结论,建立了一批经验公式,揭示了水文情态变化的物理成因,对部分不正确的观点或认识进行了辨析。

本书可供治黄科技人员、其他部门水文水资源研究人员以及大专院校师生阅读和参考。

图书在版编目(CIP)数据

黄河流域典型水文分区产流研究/赵卫民等著.—郑州:
黄河水利出版社,2006.12
ISBN 7 - 80734 - 169 - 6

Ⅰ.黄… Ⅱ.赵… Ⅲ.黄河流域 - 产流 - 研究
Ⅳ.P344.22

中国版本图书馆 CIP 数据核字(2006)第 156900 号

组稿编辑:岳德军　手机:13838122133　E-mail:dejunyue@163.com

出　版　社:黄河水利出版社
地址:河南省郑州市金水路 11 号　　邮政编码:450003
发行单位:黄河水利出版社
发行部电话:0371 - 66026940　　传真:0371 - 66022620
E-mail:hhslcbs@126.com
承印单位:河南省瑞光印务股份有限公司
开本:787 mm×1 092 mm　1/16
印张:15.25
字数:352 千字　　　　　　　　印数:1—1 000
版次:2006 年 12 月第 1 版　　　印次:2006 年 12 月第 1 次印刷
书号:ISBN 7 - 80734 - 169 - 6/P·61　　　　　定价:38.00 元

前　言

"黄河流域水资源演化规律与可再生性机理研究"是国家重点基础研究发展规划(973)项目。该项目以解决黄河水资源短缺问题提供理论基础为目标,以水资源演化与再生为核心,下设8个研究课题,其中第一课题为"黄河流域水循环动力学机制研究与模拟","黄河流域典型水文分区产流研究"是第一课题的重要组成部分,本书在该研究成果的基础上整理而成。

作为黄河"973"项目第一课题的重要专题之一,本研究在黄河流域选择8处代表流域进行产流机制研究,分析产流影响因子和驱动力因子,并分析其空间和时间变异选择。这8处流域(支流)是:黄河源区(上游唐乃亥以上流域),皇甫川沙圪堵以上,无定河支流小理河,汾川河,泾河支流合水川,渭河支流黑河,沁河,伊洛河流域。典型河流的选取主要依据龚庆胜和马秀峰所作的黄河流域水文分区,包括干旱区片沙区、湿润区石山林区、过渡区河源区、石山林区、强侵蚀区、甚强侵蚀区,流域面积尺度范围为 $10^2 \sim 10^5 \text{ km}^2$。选择流域的另一个标准是有较好的水文资料。

本次研究以常规方法为主,基本不涉及高深的理论。研究的主要目标是:①研究不同空间尺度和时间尺度上径流对降雨的响应,分析产汇流影响因子和驱动力因子;②水文情态的演变特征或演变规律;③探索产汇流规律及水文情态在空间及时间上的变异;④通过研究发现新现象、揭示新规律。通过研究,取得了如下成果和结论:

(1)20世纪黄河源区(唐乃亥以上)降雨、径流无显著变化,气温有升高趋势,升高的速率为每年 0.005 1℃,即在 1960~1997 的 37 年内上升了 0.188 7℃。气候因素对黄河源区年径流变化的影响程度为90%,人类活动等为10%。但90年代人类活动等因素(非气候因素)影响上升为33%,这种变化主要表现在玛曲以上区域。对降雨和径流距平的变化分析表明,20世纪黄河源区径流对降雨的响应基本正常。平均而言,径流距平约为降雨距平的2倍,其差异受土壤缺水程度制约。在1956~2000年的45年间,距平差值差别较大(差值绝对值在20%以上)的有11年,最大为1983年,径流距平与降雨距平的差值达到44%。按年代平均分析这种差异的程度更大。20世纪50年代和90年代为负距平期,60~80年代为正距平期。50年代降雨距平为 -5.2%,径流距平为 -20.6%;80年代降雨距平为 2.9%,径流距平为 17.3%;90年代降雨距平为 -2%,径流距平为 -14.4%。可以看出,从长系列来看,20世纪河源区降雨径流关系基本一致,90年代的问题并不十分突出。在径流贡献方面,黄河源区径流主要来源为吉迈至玛曲区间,以33.7%的面积产生了55.7%的径流,而源头区(玛多以上)以17.2%的面积仅产生3.4%的径流,对黄河源区径流总量影响十分微弱。

(2)皇甫川流域(沙圪堵以上)多年降雨、水面蒸发、径流、产沙量等均有下降趋势,但下降程度不同;6~9月集中了全年98%的产沙量、88%的径流量和77%的降雨量;年径流可由降雨表述的程度为80%,其中90年代降雨径流关系的点据明显偏左,即相同降雨产生的径流减少,年径流系数有逐年下降趋势;年产沙量可由年径流量表述的程度在90%以上,自60年代到90年代相同径流量产生的沙量有增加的趋势;次洪降雨径流关系不显著,雨强是影响次洪的主要因素。

(3)汾川河流域多年降雨、径流均有较明显的减小趋势,降雨的减小幅度大于径流;汾川河年径流量可由年降雨量表述的程度为80%,降雨径流关系较为稳定,无明显变化;对次洪而言,相同降雨量产生的洪水变化较大,主要取决于雨强。

(4)无定河支流小理河多年降雨、径流、产沙均有逐年减少的趋势,且减小程度基本一致;年径流量可由年降雨量表述的程度为66%,表明人类活动等因素对降雨径流关系的影响较大;相对而言,相同降雨90年代产生的径流量略大于其他年代;小理河年产沙量可由年径流量表述的程度为90%以上;相同径流量,90年代产沙量高于70年代和80年代。

(5)泾河支流合水川多年降雨、径流、产沙均有逐年减少的趋势,但程度有所不同;年径流量可由年降雨量表述的程度为74%,降雨径流关系较为稳定;年产沙量可由年径流量表述的程度为80%;相对而言,相同径流量90年代产生的沙量较大。

(6)渭河支流黑河流域多年降雨、径流有逐年减少的趋势;年径流量可由年降雨量表述的程度为90%以上,年径流系数为0.36;次洪径流量可由降雨量表述的程度为80%;次洪峰量关系密切,相关程度为85%;次降雨小于16mm时不产流。

(7)沁河飞岭至五龙口区间多年降雨、径流有较明显减少的趋势;年径流系数逐年减小的趋势显著;年径流量可由年降雨量表述的程度为80%;次洪洪量可由降雨量表述的程度为90%;年内发生洪水的次数逐年减少。

(8)伊洛河多年降雨、水面蒸发、径流均有逐年减小的趋势;年径流量可由年降雨量表述的程度由50年代的93%下降为90年代的69%,平均值为78%,相同降雨量所产生的径流量逐年减少的趋势较明显;年、次洪径流系数逐年减小的趋势较明显;产生较大洪水的降雨阈值为100mm;汛初尖瘦洪水的出现表明超渗产流方式的存在;人类活动影响逐年增大。

(9)20世纪50年代以后,黄河流域年降雨、径流、产沙普遍呈现减少趋势,产沙量减少程度最大,其次是径流、降雨。这种减少程度的不同符合水文规律;水面蒸发有降低趋势;径流系数普遍减小;年内洪水次数减少;降雨、径流、产沙仍集中于汛期,但前二者的集中程度有所降低。

(10)典型流域分析表明,黄河流域年径流量可由年降雨量表述的程度一般在80%以上,在受人类活动影响较大的地区或时期,如无定河、三花间等,年径流量可由年降雨量表述的程度为60%~70%;中游主要产沙区如皇甫川、无定河、合水川等,年产沙量可由年径流量表述的程度在80%~90%以上;相对而言,相同的降雨、径流,90年代相应产生的径流量、沙量减少。

(11)在年降雨量大、植被覆盖较好的地区,如渭河支流黑河、三花间等,次洪的降雨径流关系相对较好,表明这些区域以蓄满产流为主,而在无法建立次洪降雨径流关系的地区,降雨强度是次洪峰、量的主要控制因素,表明这里的产流方式为超渗产流。

(12)研究表明,黄河流域20世纪水文情态变化总体正常,降雨变化是引起水流、泥沙变化的最主要驱动力因子,绝大多数变化均有其物理成因,规律变异性程度较小。

本书共分为9章。第1章由赵卫民、王庆斋执笔,主要介绍了项目背景、前人研究基础及本次研究取得的主要成果和结论;第2章由赵卫民、刘九玉、戴东执笔,对河源区径流空间变化、水文特征长期演变规律、年径流系列产流机制、降雨径流变化一致性进行了分析,并考虑前期降雨、蒸散发等因素建立了降雨径流经验公式,对蒸发模型进行了改进,探讨了径流距平与降雨距平不一致的理论根据,并着重对20世纪90年代水文规律变异的说法进行了辨析;第3章由陶新执笔,对皇甫川沙圪堵以上流域进行了分析,着重研究了区域降雨的空间关系、产流产沙的主要驱动力因子,进行了水沙关系拟合,并得出了许多重要结论;第4章由许珂艳执笔,对无定河支流小理河流域空间变化、水面蒸发、径流、输沙、暴雨洪水、水沙关系、次洪降雨径流关系进行了研究,建立了若干经验公式;第5章由马俊执笔,对汾川河进行了研究,建立了各年代的降雨径流经验关系;第6章由刘龙庆执笔,对马莲河支流合水川进行了分析研究,着重对区域降雨点面关系、输沙量与含沙量关系、降雨径流关系、水沙关系进行了研究,并建立了相应的经验公式;第7章由刘九玉、戴东执笔,对渭河支流黑河流域进行了研究,着重分析了次洪的降雨径流关系及峰量关系,给出了降雨产生径流的阈值;第8章由蒋昕晖、金双彦执笔,对沁河的水文特征演变、径流系数变化、洪水频率、峰量关系、次洪降雨径流关系进行了研究,给出了许多经验公式;第9章由刘晓伟执笔,研究了伊洛河流域的水文特征演变及产汇流机制,着重研究了蒸发、径流系数、次洪径流成分、产流驱动力因子、降雨径流关系、洪量关系等,并给出了产生较大洪水的降雨阈值。

本次研究虽取得了一系列成果和结论,但由于黄河"973"项目整体偏重于水资源演变规律研究,本研究也留下了不少缺憾。首先本次对大时间尺度问题研究较多,而对次洪研究不够充分;其次汇流方面的研究成果较少;最后综合归纳工作力度不够。但无论如何,本书仍有较大的参考价值。本书第一次有针对性地对黄河流域不同水文分区的产汇流特征进行了分析研究,得出了大量基本概念和有益的结论,找到了不同区域的产流驱动力因子,建立了一批经验公式,揭示了水文情态变化的物理成因,对部分不正确的观点或认识进行了辨析。资料丰富翔实也是本书的重要特点之一。

作为黄河问题的一个基础层面,黄河流域产汇流规律研究的重要性不言而喻。无论是黄河防洪、水资源管理利用、水土保持、水资源保护等问题及其对策的研究,还是相应措施及手段的规划论证,水工程的建设、运行、调度决策等均离不开其基本支撑。相信本书的出版将对相关工作有所裨益。

作 者

2006 年 10 月

目　录

第1章 概 述

1.1 背景

"黄河流域水资源演化规律与可再生性机理研究"是国家重点基础研究发展规划(973)项目。该项目以解决黄河水资源短缺问题提供理论基础为目标,以水资源演化与再生为核心,下设8个研究课题,包括:①黄河流域水循环动力学机制研究与模拟;②黄河流域水资源演变规律及二元演化模型;③黄河断流对河流系统功能的影响;④黄河水沙过程变异及河道萎缩的小水大灾效应;⑤黄河流域水资源可再生性理论与评价;⑥黄河流域地下水可再生能力变化规律;⑦黄河水资源可再生性维持机理;⑧黄河流域的多维临界调控模式。

"黄河流域典型水文分区产流研究"是上述第一课题"黄河流域水循环动力学机制研究与模拟"的重要组成部分。作为黄河"973"项目第一课题的核心专题之一,本研究在黄河流域选择8处代表流域(典型水文分区),进行产流机制研究,分析产流影响因子和驱动力因子,并分析其空间和时间变异。选择的流域面积尺度范围为 $10^2 \sim 10^5 \, \text{km}^2$,时间尺度采取次洪、日、月、年、年代(十年)结合的模式。资料系列为建站以来全部系列。

根据龚庆胜和马秀峰所作的流域分区,本次研究选择几个流域作为代表进行研究。代表流域基本特征见表1.1,分布见图1.1。选取的代表流域从不同的角度体现了黄河流域的基本特征。

表 1.1　代表流域基本特征

序号	水系	河名	控制站	分区	面积 (km^2)
1	黄河	黄河	唐乃亥	过渡区河源区	122 000
2	皇甫川	纳林川	沙圪堵	干旱区片沙区	1 351
3	无定河	小理河	李家河	过渡区甚强侵蚀区	807
4	黄河	汾川河	新市河	过渡区土石山林区	1 662
5	泾河	合水川	板桥	过渡区土石山林区+强侵蚀区	807
6	渭河	黑河	黑峪口	湿润区石山林区	1 481
7	洛河	洛河	卢氏	过渡区土石山林区	4 623
8	沁河	沁河	武陟	过渡区土石山林区	13 532

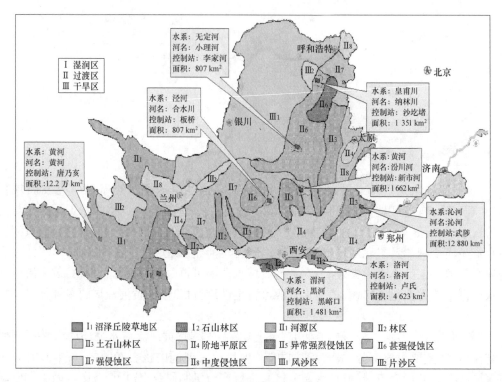

图 1.1 代表流域分布图

1.2 前期研究成果综述

作为黄河问题的一个基础层面,黄河流域产汇流规律研究的重要性不言而喻。无论在黄河重大问题及其对策的研究,还是主要措施及手段的规划论证,亦或水利工程的建设、运行、防洪、抗旱、调度决策等均离不开其基本支撑。

黄河水文问题极富代表性和典型性。黄河流经青海、四川、甘肃、宁夏、内蒙古、山西、陕西、河南、山东 9 个省(市、自治区),跨越了青藏高原、黄土高原和华北平原 3 级阶地和湿润、半湿润、半干旱、干旱 4 个气候区,流域内地貌、地形、地质、土壤、植被、生态等类型齐全,而以大陆性季风气候、干旱、半干旱、黄土、风沙等为主的自然特征更使其成为我国北方地区的典型代表。

1.2.1 黄河流域水文水资源分区

据《黄河水文志》记载,1956 年黄河水利委员会(简称黄委)水文站网规划小组孙九韶等人根据流域水文气象资料和分析计算成果以及自然地理分布特征,以水量平衡为原则,考虑降水、蒸发、径流等因素,自然景观相似的地区,基于同一面积级别的河流具有相似的水文规律的假定,将黄河流域划分为河源湖泊区、甘青高原丰水区、河套灌溉区、鄂尔多斯沙漠区、干旱区、半干旱区(分为泾河黄土丘陵区、塬区、六盘山区和渭河黄土丘陵区 4 个副区)、湿润区(分为洛河石山林区、洛河黄土丘陵区、沁河石山区和渭河上游山区 4 个副区)、大青山南坡水区、晋陕暴雨侵蚀区(分为风沙草原区、陕北黄土丘陵区、晋陕峡谷区、晋西黄土丘陵区、吕梁山区和晋南高塬沟壑区6个副区)、渭汾河丰雨少流区和大汶河东平湖区(分为山区及丘陵区和湖泊区2个副区)等11个水文分区。

1962年黄委水文处研究室在《黄河流域降水、径流、泥沙情况的分析报告》中,对黄河流域各水文区进行了重新划分和命名,将1956年所分的11个区合并为6个大区,即河源湖泊区和甘青高原丰水区合并为青藏高原丰水区,河套灌溉区、鄂尔多斯沙漠区、干旱区、大青山南坡水区合并为宁蒙干旱灌溉区,半干旱区和晋陕暴雨侵蚀区合并为陕甘黄土暴雨侵蚀区,汾渭丰雨少流区更名为汾渭地堑少流区,湿润区更名为晋、豫、陕山地丰水区,大汶河东平湖区更名为黄河下游区。

进行上述水文分区的基本目的是为水文站网布设及调整服务,而后者则以满足治黄和流域内工农业生产建设需要为目标。但毋庸置疑,1962年的水文分区直接反映了"1961、1962年水文经费严重短缺而大量裁撤水文站"的状况。

20世纪70年代后期,杨振业认为水文自然地理区划具有综合性及空间上的不重复性,不能依据某一个要素或一种现象去拟定水文分区,必须以全部水文现象所表现的集体效应作为区划的标准,同时要遵循"从主、从众、从源"的原则。杨振业提出用干旱指数(年雨量除年蒸发量)为主要指标划分大区,用地形、地貌、土壤、植被等下垫面因素相似与相异的程度划分子区。

20世纪80年代,龚庆胜和马秀峰应用主成分聚类分区法进行黄河流域水文分区,他们认为降雨量、水面蒸发量、径流深、输沙模数、平均气温等5个水文因子的综合效应显著。龚庆胜和马秀峰用主成分聚类分析法将黄河流域划分为湿润区、过渡区、干旱区3个主区。湿润区又划分为沼泽丘陵草地区和石山林区2个子区,过渡区又划分为河源、土石山林区、低丘阶地平原区、异常强烈侵蚀区、甚强侵蚀区、强侵蚀区、中度侵蚀区7个子区,干旱区又划分为风沙区和片沙区2个子区。陕西、甘肃等省也用主成分聚类法进行了水文分区。

1986年黄委水文局在进行黄河流域水资源评价时,进行了流域地表水资源和地下水资源分区。地表水资源按上、中、下游及水文地理特性,分为3个一级亚区、14个二级区和1个闭流区。黄河上游亚区包括洮河、湟水、兰州以上干流区间、兰州至河口镇4个二级区,黄河中游亚区包括河口镇至龙门、汾河、泾河、北洛河、渭河、龙门至三门峡干流区间、伊洛河、沁河、三门峡至花园口干流区间9个二级分区,黄河下游亚区包含花园口至河口1个二级分区。黄河闭流区作为一个单独的二级分区。分区的原则是:①基本上能反映水资源条件的地区差别;②尽可能保持河流水系的完整性,自然地理条件相同的小河合并;③有利于进行地表水资源的估算和供需平衡分析❶。在进行地下水资源评价时,为选择正确的计算方法,进行了地下水资源评价区的划分。首先根据流域地形地貌特征划分为平原区和山丘区,称为一级计算分区。平原区又根据次级地形地貌特征及地下水类型划分为一般平原区(银川平原、内蒙古河套平原、关中平原、太行山前冲积平原、黄淮海平原、鄂尔多斯高平原)和沙漠区(库布齐沙漠、毛乌素沙地);山丘区根据次级地形地貌特征、含水层岩性及地下水类型划分为一般山丘区、岩溶山区、黄土高原丘陵沟壑区、黄土高

---

❶ 黄河水利委员会水文局,黄河流域片水资源评价,1986年,第30页。

原台塬阶地区、山间盆地平原区(太原盆地、临汾盆地、运城盆地)、山间河谷平原区(三门峡以上河谷平原、伊洛河谷平原),称为二级计算分区❶。

着眼于某一地理特征或地理现象进行的分区是另一种类型的分区。这种分区可视为特定的水文分区。黄委水文局在《黄河流域片水资源评价》中列出了黄河流域的地貌类型,分别为山地、高原和平原盆地,其中山地地貌又分为湿润石山林(秦岭、太子山、六盘山等)、高寒石山林(祁连山、积石山等)、土石山林(六盘山坡、吕梁山坡等)、干旱土石山林(阴山、贺兰山等),高原地貌又分为青海高原草原(甘南、若尔盖等)、黄土台塬(洛川、西峰、天水等)、黄土林(子午岭、六盘山东等)、黄土丘陵(晋陕区间、陇东陇中、汾河等)、干旱黄土丘陵(祖厉河、清水河等)、干旱沙漠(库布齐沙漠、毛乌素沙地等),平原盆地地貌又分为半湿润平原盆地(黄河下游、汾渭河等)和干旱平原(后洮、银川等)❷。中国科学院地理所黄秉维,于1954年按侵蚀形态(水力侵蚀、风力侵蚀、重力侵蚀)、侵蚀程度(严重、一般、轻微)、侵蚀因素(地形、降雨、土壤、植被、人口密度、耕垦指数等),将黄河龙羊峡至桃花峪的60多万平方公里区域划分为黄土高原沟壑区、黄土丘陵沟壑区、黄土阶地区、冲积平原区、高地草原区、干燥草原区、石质山岭区、风沙区和林区等9个土壤侵蚀类型区,其中黄土丘陵沟壑区又分为5个副区。高治定等根据实测和调查暴雨,参照暴雨发生季节、暴雨类型和气象成因以及大地形、山岭障碍等将黄河流域分为青藏高原、黄土高原、吕梁山崤山以东3个暴雨区,其中黄土高原暴雨区又分为3个暴雨副区❸。黄委水文局将洪水主要来源分为兰州以上、河口镇至龙门区间、龙门至三门峡区间、三门峡至花园口区间和大汶河流域5个区域❹。刘万铨将黄土高原的植被分为落叶阔林区、森林草原区、草原区、风沙草原区。这种分区不胜枚举。这些专项分区无疑对黄河特定问题的解决起到了极为重要的作用。

1963~1965年,曾尝试采用年降水和径流关系以及暴雨径流的产汇流参数、多年平均径流模数、流域平均河网密度等单项因素进行分区。用众多单项因素进行分区,存在着难以综合的弊端,但为满足特定目标而进行单项因素分区对深入研究特定水文问题仍是极为有益的。

尚未见到以黄河流域产汇流机制或水循环动力机制为核心的流域分区。而在产流机制或相关问题分析研究中常用的方法是将区域与地形地貌分类进行组合。韩曼华在分析黄河上游产汇流特性时,将黄河上游分为湖泊(鄂陵湖、扎陵湖湖群区)、沼泽地(若尔盖草原沼泽地)和雪山(阿尼玛卿雪山)❺。易元俊在分析黄河中游河口镇至三门峡区间产汇流条件时用到的是黄土区、石山区、石山林区、黄土丘陵林区、冲积平原区、盖沙区、风沙区的分区类型,其来源为1966年黄委规划办公室《黄河中游洪水特性分析报告》❻。易元俊在研究三门峡至花园口区间产汇流条件时用到的是石山区、丘陵区和平原区。黄委水文局在"黄河流域概况"(黄河水利委员会水文局,1989,《黄河流域实用水文预报方案》)中

❶ 黄河水利委员会水文局,黄河流域片水资源评价,1986年,第46~47页。
❷ 黄河水利委员会水文局,黄河流域片水资源评价,1986年,第28页。
❸ 黄河水利委员会勘测规划设计研究院,黄河流域暴雨洪水特性分析,1989年,第13页。
❹ 黄河水利委员会水文局,黄河流域实用水文预报方案,1989年,第6页。
❺ 黄河水利委员会勘测规划设计研究院,黄河流域暴雨洪水特性分析,1989年,第50页。
❻ 黄河水利委员会勘测规划设计研究院,黄河暴雨洪水特性分析,1989年,第65页。

引用了气候分区(青藏高原季风区、温带和副热带季风区及湿润带、半湿润带、半干旱带和干旱带),而在讨论洪水来源时采用了地貌特征的分类体系(石山区、黄土区、风沙区、平原草原)。但不难看出,采用主成分聚类分析法或其他有效方法,抓住产汇流机制的主要环节,完全可以进行相应的水文分区,从而对流域水文水资源演变规律研究、水文模型推广、水文预报起到极大的推动作用。本次研究采用龚庆胜、马秀峰所作的分区。

1.2.2 产流模式

在我国水文界,产流模式一般以湿润地区和干旱半干旱地区来标识,分别冠以蓄满产流模式和超渗产流模式。普遍的认识是,黄河流域既有超渗产流,也有蓄满产流,但以超渗产流为主。对具体流域(区间)或具体洪水而言,许多人认为是混合式产流,即超渗产流与蓄满产流相伴而生。

从 20 世纪 60 年代,原华东水利学院赵人俊等人开始使用蓄满产流和超渗产流两个概念,并以许多实际资料验证说明我国湿润地区以蓄满产流为主,黄土高原地区以超渗产流为主,而在某些半干旱地区则两者都显得重要。南京水文研究所华士乾等则认为:"降雨强度大于入渗强度,是产流的先决条件,超渗产流是普遍规律,无论干旱地区与湿润地区均不例外。"对此,赵人俊认为华士乾等所述仅是产生地表径流的条件,而非普遍规律。赵人俊同时指出,超渗与否决定地表径流,蓄满与否决定地下径流❶。南京水文研究所洪水分析组在"产流模型探讨"(1979.7)中指出,单元产流理论就是土壤水分在土壤中运动的入渗理论,水文学中称为超渗理论,其理论基础为扩散方程,可据以导出 Philip 型与 Horton 型入渗曲线,其他类型的入渗曲线亦可仿此推出。因此,认为存在蓄满产流与超渗产流两种产流方式值得商榷。洪水分析组对蓄满产流模型、辽宁水文总站模型、大伙房模型、Stanford IV 模型进行了分析,认为这些模型均受控于下渗曲线,只是曲线的形式有所不同,或流域下渗能力(蓄水容量)、流域分配曲线不同。

对北方地区特别是黄河流域产流模式的讨论主要集中在产流模式的辨识、归类及解释。王芝桂认为,如果把下渗容量也看做是随土壤湿度变化而变化,即入渗曲线并非静止的,则在干旱半干旱地区可将超渗产流和蓄满产流两种模式统一起来。辽宁大伙房水库认为,表层极薄土层属蓄满产流,下层属超渗产流。盛季达在《湟水中下游地区产流方式初探》中认为,在湟水中下游这样的半干旱地区,也是以蓄满产流为主,少部分暴雨为超渗产流。但这种蓄满产流不同于南方湿润地区的蓄满产流,而是一种"表层蓄满"。盛季达进一步解释指出,像湟水中游这样的半干旱地区,包气带很厚,一场再大的降雨也不可能使整个包气带饱和,而只能使包气带的表层达到饱和状态,即在最大初损量被满足时产流。产流后下渗的雨量继续向表层以下的土壤中渗透,增加表层以下土壤的含水量,而不是全部产生径流。陆浑水库管理处的李伟则认为伊河上游的陆浑流域属于蓄满产流模式。河海大学水文系和黄委兰州水文总站在进行黄河龙羊峡入库洪水预报方案研究时,在没有进行产流模式论证的情况下,直接采用了三水源新安江模型,其中包含的假设是产流为蓄满模式,当然模型的最终拟合及运用结果间接论证了该地区的产流模式。黄委上游水文水资源局(即原兰州水文总站)还将新安江模型移植到洮河流域。黄委水文局水情

---

❶ 赵人俊,庄一翎,关于产流概念的说明,1981 年。

处则在"黄河三门峡至花园口区间流域模型简介"中介绍了所用到的降雨径流相关模型、霍顿下渗模型、包夫顿下渗模型、新安江模型、坦克模型等。从所用模型这一侧面可以了解到其对黄河三花间产流模式的认识:下渗与蓄满兼存。山西党耀军等认为,山西省半干旱地区两种产流方式并存,超渗坡面流是否出现取决于雨强与下渗能力双方的相对关系,同时流域普遍存在产流临界雨强,即一定土湿态势条件下产生超渗坡面流所需的最小雨强。壤中流时有时无,时大时小。

黄河水利科学研究院戴明英等认为,风沙区以地下径流为主,无定河北部风沙区的海流兔河,多年平均径流量中几乎没有地下径流,南部丘陵沟壑区地下径流占年径流的40%～50%,皇甫川的砒砂岩丘陵沟壑区地下径流占年径流的20%。戴明英虽然未进行产流模式的论述,但给出的径流成分指标则对产流模式的研究有指导意义。

在黄河流域,凡水土流失严重地区,都是超渗产流区;凡是水土流失轻微地区都是蓄满产流区。介于二者之间的过渡地区,则超渗产流与蓄满产流两种模式并存。

1.2.3　蒸散发

黄河流域主要采用三种型号的仪器观测蒸发,即 E601 蒸发器、80cm 口径盆式蒸发器(简称 $\phi80$)和 20cm 口径小型蒸发器(简称 $\phi20$)。由于黄河的结冰期可长达 5 个月,蒸发观测常采用不同的仪器。冰期(11 月～翌年 3 月)使用 $\phi20$ 蒸发器,非冰期使用 $\phi80$ 或 E601 蒸发器。根据实验站多年比测结果,E601 蒸发器与大水体的折算系数比较稳定,为统一起见,一般常用 E601 型蒸发器资料,并将 $\phi80$ 和 $\phi20$ 的资料转换为 E601 蒸发器资料。《黄河流域片水资源评价》提供了换算系数(黄委水文局,1995,黄河干流水面净蒸发量计算)。支俊峰认为,全流域冰期 $\phi20$ 与 E601 蒸发器折算系数为 0.62,较为稳定,而非冰期和不稳定冰期的折算系数变化较大。支俊峰对黄河流域 7 个站的资料进行了分析,结果见表 1.2。《黄河流域片水资源评价》提供了流域各省区实用的水面蒸发折算系数,并与全国其他流域对比观测成果进行了对照分析,认为基本合理,见表 1.3[1]。

《黄河流域片水资源评价》给出了各种型号蒸发器观测的水面蒸发值的换算公式[2]:

冰期与非冰期用两种型号观测时

$$Z_{E601} = \alpha Z_{\phi20冰} + \beta Z_{\phi80非}$$

冰期与非冰期用一种型号观测时

$$Z_{E601} = \gamma Z_{\phi20冰}$$

钱云平等用 E601 蒸发器进行了清水、浑水及静水、动水水面蒸发的对比实验,结果表明无论是清水还是浑水,动水蒸发比静水蒸发大,平均增大 1.5～2.4mm/d,扣除动水器引起的水温升高所导致的水汽压力差增大对蒸发的影响,动水蒸发比静水蒸发大 1～1.9mm/d,相对增大 16%～59%。如果考虑含沙量影响,清水的动水日平均蒸发量偏大 1.46mm,平均相对偏大 30.9%;含沙量为 10kg/m³ 时,偏大不十分明显;含沙量为 30kg/m³ 时,偏大 39%;含沙量为 50kg/m³ 时,偏大 59%;含沙量为 100kg/m³ 时,偏大 55%。

---

❶　黄河水利委员会水文局,黄河流域片水资源评价,1986 年,第 25 页。
❷　黄河水利委员会水文局,黄河流域片水资源评价,1986 年,第 25 页。

表 1.2 支俊峰 φ20 对 E601 蒸发器蒸发资料折算值

站名	非冰期平均	不稳定冰期			稳定封冻期	年平均
		封冻前	封冻后	平均		
三湖河口	0.56	0.71	0.51	0.61	0.63	0.57
民和	0.59	0.53	0.64	0.62	0.75	0.60
青铜峡	0.59	0.65	0.54	0.58	0.61	0.58
咸阳	0.61	0.72	0.59	0.64	0.61	0.62
河津	0.66	0.74	0.68	0.73	0.63	0.66
三门峡	0.60	0.71	0.65	0.67	0.61	0.60
巴家嘴	0.64	0.76	0.58	0.71	0.60	0.64

表 1.3 黄河流域省区各种蒸发器蒸发资料折算值

省区	φ80 折算为 E601	φ20 折算为 E601		
		冰期	非冰期	年
青海		0.62	0.67	0.65
甘肃	0.82	0.62	0.65	0.65
宁夏	0.83	0.62	0.63	0.63
内蒙古		0.62	0.62	0.62
陕西	0.81	0.62	0.62	0.62
山西		0.62	0.62	0.62
河南	0.83	0.62	0.62	0.62
山东	0.82	0.62	0.62	0.62

　　李万义对影响水面蒸发精度的因素进行了分析,认为蒸发场遮挡率、气候环境及植被、加水深度、换水温度、蒸发器材料、蒸发器颜色、降雨、降雪等对蒸发观测均有影响,如锈蚀成黑色的 E601 蒸发器观测的蒸发量偏大 18%(中国科学院新疆地理研究所成果)。

　　蒸发器的观测值反映的是小水体的蒸发能力,尚需换算成大水体的蒸发能力。目前世界气象组织仪器和观测方法委员会提出以 $20m^2$ 蒸发池作为水面蒸发的临时国际标准,并认为 $20m^2$ 蒸发池是目前已有蒸发器中性能最好的蒸发器。巴彦高勒蒸发实验站通过 6 年的同步观测实验,认为选取 0.83 为平均情况下的折算系数较为合理,而《黄河流域片水资源评价》以黄河中游三门峡的资料进行分析,研究结果表明,非冰期 E601 与大水体水面蒸发($20m^2$ 大型蒸发池,下同)的平均折换系数为 0.91,月折换系数在 0.84～1.06 之间变化。在《黄河历年水文基本资料审编》中取流域平均 0.80。《黄河流域片水资源评价》中还给出了三门峡站 φ80 和 φ20 蒸发器对大水体的蒸发折换系数,分别为 0.75 和 0.47。《黄河水文志》给出了黄河三门峡地区 E601 和 φ80 蒸发器资料对大水体水面蒸发的年月折算系数。1997 年李万义对巴彦高勒蒸发实验站的 10 年资料进行了分析,认为气温和地温对蒸发器折算系数有明显的影响,年平均相对湿度与年折算系数有很好的线性关系,E601 与 ϕ20 对大水体水面蒸发的年折算系数 R_{A1} 和 R_{B1} 可分别表示为:

$$R_{A1} = 0.0154U + 0.046 \tag{1.1}$$

$$R_{B1} = 0.0057U + 0.220 \tag{1.2}$$

式中:U 为年平均相对湿度,%。

黄委自 1956 年起先后设立了三门峡、三盛公、巴彦高勒蒸发实验站,进行大型水面蒸发观测实验。其中三门峡蒸发实验站 1956～1967 年先后在两地设场观测。1958 年苏联列宁格勒设计院提出了水面蒸发计算公式:

$$E = n(e_0 - e_{200})(A + BW_{200}) \tag{1.3}$$

式中:E 为蒸发量;n 为日或月数;e 为水汽压;W 为风速;下标 0 与 200 分别为距水面的高度,cm;A、B 为系数,$A = 0.14$,$B = 0.29$。

1959 年 2 月,三门峡水文站在《三门峡流量站水面蒸发实验分析报告》中给出了利用饱和水汽压差计算蒸发量的计算公式:

$$E = 0.10(0.88W_{200} + 1)(e_0 - e_{200}) \tag{1.4}$$

同时也给出了利用百叶箱温度查算的饱和差(d)推求蒸发池蒸发量 E_0 的计算公式:

$$E_0 = 0.09d(0.933W_{200} + 1) \tag{1.5}$$

1959 年 9 月,三门峡库区站总工程师崔浚濯等在《水面蒸发实验报告》中,利用查依科夫和伊万洛夫公式的结构形式,给出了三门峡月蒸发量计算公式:

$$E = 0.027(15 + t)^2(100 - \theta) \tag{1.6}$$

或

$$E = 0.26(1 + 0.72W_{200})(e_0 - e_{200}) \tag{1.7}$$

式中:E 为月蒸发量,mm;t 为百叶箱内月平均温度,℃;θ 为百叶箱内月平均相对湿度,%;W_{200} 为 200cm 高处的平均风速,m/s;e_0 为水面温度下饱和水汽压力,hPa;e_{200} 为 200cm 高处的空气水汽压力,hPa;$(e_0 - e_{200})$ 为月平均饱和差,hPa。

式(1.6)与式(1.7)的平均误差分别为 11.8% 和 15.4%。

1981 年原华东水利学院李纪人在《流域蒸散发计算方法的探讨》一文中指出,大水体蒸发虽然可以作为蒸发能力的参考指标,但并不是真正的蒸发能力。利用北京气象局的地面有效辐射资料(1964～1968 年)及官厅蒸发站 100m^2 蒸发池的实测资料(1964～1970 年),李纪人对彭曼公式进行修正并建立了相应的计算诺模图,并应用于黄河流域伊河的东湾站。在应用中又根据郑州市的辐射资料再次进行了修改,得出如下关系:

$$E_1 = -\frac{1.95 \times 10^{-9}\Delta}{\Delta + 0.49}T_a^4(0.47 - 0.077\sqrt{l_d})(0.2 + 0.8\frac{n}{N}) \tag{1.8}$$

$$E_2 = \frac{0.0156}{\Delta + 0.49}R_a(0.17 + 0.54\frac{n}{N}) \tag{1.9}$$

$$E_3 = \frac{0.098}{\Delta + 0.49}l_a(1 - h)(1 + 0.385u) \tag{1.10}$$

$$E_0 = E_1 + E_2 + E_3 \tag{1.11}$$

式中:E_0 为蒸发能力;Δ 为饱和水汽压力曲线在 $T = T_a$ 处的斜率;T_a 为温度(绝对温

度）；n/N 为日照百分率；l_a 为相应于大气温度的饱和水汽压；l_d 为空气水汽压；$h = l_d/l_a$；u 为 2m 高处风速；R_a 为太阳入射辐射。

李纪人在此基础上考虑植物散发和地热传导，建立了陆面蒸散发能力 E_L 的计算公式：

$$E_L = P\left[1 - a\left(\frac{t_0 - t_d}{L}\right)\right]E_0 \tag{1.12}$$

式中：t_0 为地表温度；t_d 为地温相对稳定层的温度，东湾取为 $t_d = 15℃$；L 为汽化潜热，对水来讲，$L = 2\,512.08\text{J/g}$；a 为系数，东湾取为 $a = 0.01$；P 为逐月散发系数，东湾各月 P 值在 $1.0 \sim 0.4$ 之间变化，冬季（10 月～翌年 3 月）均为 1.0，$4 \sim 9$ 月分别为 1.1、1.2、1.4、1.3、1.3 和 1.05。

1996 年 10 月黄河水文水资源研究所钱云平、黄委巴彦高勒蒸发实验站李万义等在《西北地区蒸发规律研究及数据库管理系统》中给出了巴彦高勒站气候指数型的水面蒸发模型：

曲线型

$$E = (C + KW_{150}^h)(e_0 - e_{150}) \tag{1.13}$$

直线型

$$E = (A + BW_{150})(e_0 - e_{150}) \tag{1.14}$$

式中：E 为蒸发量，mm/d；n 为指数；W_{150} 为距水面 150cm 高度日平均风速，m/s；$e_0 - e_{150}$ 为由百叶箱内水汽压或水面上水汽压推算的水汽压力差，hPa，分别以下标 1、2 表示；C、A 可理解为扩散系数；K、B 可理解为乱流系数。

利用多年资料，建立了如下的水面蒸发模型：

曲线型

$$Z_{E601} = \alpha Z_{\phi 20冰} + \beta Z_{\phi 80非} \tag{1.15}$$

$$E = (0.202 + 0.086W_{150}^{1.25})(e_0 - e_{150})_2 \tag{1.16}$$

直线型

$$E = (0.164 + 0.109W_{150})(e_0 - e_{150})_1 \tag{1.17}$$

$$E = (0.164 + 0.123W_{150})(e_0 - e_{150})_2 \tag{1.18}$$

通过分析，钱云平、李万义等得出如下结论，扩散系数 C 与蒸发面和蒸发面上空的水汽温差 ΔT 有较好的线性关系，可表示为：

$$C = 0.188 + 0.010\Delta T \tag{1.19}$$

式中气温为百叶箱内观测值。乱流系数 K 与相对湿度 U 的关系为：

$$K_1 = 0.115 - 0.08U \tag{1.20}$$

$$K_2 = 0.135 - 0.10U \tag{1.21}$$

式中：K_1、K_2 为乱流交换系数，其中 K_1 相应于百叶箱内测量的水汽压力差，K_2 相应于水面上空测量的水汽压力差；U 为百叶箱内测得的相对湿度（以小数计）。

最后确定的巴彦高勒蒸发实验站水面蒸发模型为：

$$E = \left[(0.188 + 0.01\Delta T) + (0.115 - 0.08U)W_{150}^{1.25}\right](e_0 - e_{150})_1 \tag{1.22}$$

$$E = [(0.188 + 0.01\Delta T) + (0.135 - 0.1U)W_{150}^{1.25}](e_0 - e_{150})_2 \qquad (1.23)$$

上述模型检验结果均较满意,而用百叶箱内水汽压差的公式精度高于用水面上水汽压差的公式。前者检验所用 4～8 月资料计算的相对误差在 10% 以内,绝对误差平均为 0.4mm。

1.2.4 产流机制

黄河流域产流机制包括如下问题:①产流一般问题;②小流域实验(试验)研究;③不同土地利用类型的水文过程;④中等流域产流机制。

杨文治对黄土高原的土壤水分循环进行了概括。他指出,降水的入渗深度在黄土高原由北向南一般变动于 50～300cm 之间,在半湿润地区,丰水年降水入渗深度有时可超过 500cm。土壤物理蒸发的影响深度一般可超过 200cm,而总蒸发作用层深度可达700～800cm。土壤蓄水期为雨季,即 7～10 月,失水期为雨季末至翌年 6 月,单纯土壤物理蒸发引起的失水量一般占田间持水量的 20%～50%,同时 60%～80% 的土壤储水量可稳定地保持下来,成为植物生理需水的水源。在苜蓿、沙打旺和混交林三种植被下,土壤总蒸发作用层水分亏缺量高达 1 000～1 500mm。黄土高原 0～2m 土层的容水量为 500～1 000mm,超过年降水量(300～650mm)。关于大地貌类型的土壤水分存储特点,杨文治指出,塬区和台塬阶地区,塬面平整,径流较少发生,降水可大部分入渗转化为土壤水,而在丘陵区,沟壑纵横,梁峁交错,不利于地表接纳降水,径流增大,土壤入渗量减少,因而影响到土壤水分的存储。

1964 年子洲径流实验站对黄土的各种水分常数和不同水分形态的转化条件以及土壤水的消退过程进行了室内室外试验,得出了表 1.4 和表 1.5。

表 1.4 黄土水分类型、存在形态及转化条件

水分类型	含水率 (%)	含水率变化范围	水分存在形式	占优势的运动	
				机制	作用力
不移动水	<3.42	小于凋萎湿度	紧、松结合水	扩散 薄膜	水汽和薄膜 压力
难移动水	3.42～12.6	凋萎湿度至毛管 断裂含水量	松结合水与断 裂毛管水	薄膜 弯月面	薄膜和弯月 面压力
可移动水	12.6～18.0	毛管断裂含水量 至田间持水量	悬着毛管水	弯月面 毛细管	弯月面压力、 毛管水压力
易移动水	18.0～39.5	田间持水量至饱 和含水量	重力水	毛细管 重力	毛管水压力、 经水压力

表 1.5　黄土重要理化性质、水分常数

项目	单位	最大	最小	平均
相对密度		2.68	2.65	2.67
容重	kg/m³	1.32	1.29	1.30
有机质含量	g/100g 土	0.272 9	0.171 2	0.215 8
水溶盐总量	‰	0.598	0.408	0.476
最大吸湿度	占土重百分比	1.99	1.56	1.71
凋萎湿度	占土重百分比	3.98	3.12	3.42
最大分子持水量	占土重百分比	11.0	9.00	9.70
毛管断裂含水量	占土重百分比	12.8	12.2	12.6
田间持水量	占土重百分比	18.3	17.5	18.0
毛管含水量	占土重百分比	33.0	31.2	32.2
饱和含水量	占土重百分比	40.1	39.0	39.5
凋萎湿度	占土壤体积百分比	5.26	4.03	4.45
田间持水量	占土壤体积百分比	24.0	22.7	23.4
总孔隙度	占土壤体积百分比	51.8	51.1	51.5
通气孔隙度	占土壤体积百分比	28.8	27.1	28.1
有效水分	占土壤体积百分比	19.8	18.3	18.9

　　马秀峰等对新庄、段川、团山沟观测资料分析得出,表层 10cm 以内是土壤水变幅最大、变速最快的层次,可从饱和含水率变到凋萎湿度;地面下 10～40cm 处,土壤水分在田间持水量至最大分子持水量间变化;地面下 40cm～2m,土壤水分在毛管断裂含水率附近波动;地面 3～3.5m 以下,为土壤湿度稳定层,亦称干层,土壤含水量常年维持在毛管断裂含水率附近。黄土中干层的存在,切断了雨水与地下水的直接联系,从地表到干层之间的土层构成了独立的耗水系统,使渗蓄在黄土中的雨水绝大部分耗于陆面蒸发。而黄土丘陵区的地下水补给方式不是雨水渗过深厚的黄土,而是雨水透过黄土节理和岩石裂隙,或者在河网汇流过程中通过河床补给。

　　马秀峰等对子洲径流实验站的黄土水分特征、产流超渗、黄土入渗、坡地产流等进行了综合分析,得出如下认识:

　　(1)降雨产流的决定条件是雨强超过土壤的入渗能力。子洲站 9 年 51 次产流资料统计表明,98%的产流历时不超过 1h。

　　(2)团山沟坡面径流场观测资料表明,临界雨强(表层土壤充分湿润情况下能够产生地表径流的最小雨强)为 0.05～0.15mm/min,天水水保站资料统计为 0.188mm/min。

　　(3)存在两种入渗方式:透水性较差的低凹处,地面积水隔绝了地面与空气的直接联系,向上的毛细管作用力消失,此时地表供水条件充分,形成压力入渗。压力入渗处的入渗率是入渗水量的单值函数,与雨强大小无关;地面凸起或透水较强的部位,地面无积水,水分供应不充分,入渗率等于当时的降雨强度,为自由入渗。雨强愈大,压力入渗的面积比例愈大,自由入渗面积的比例愈小。用观测资料求得的稳定入渗率随雨强的增大而增大。

马秀峰根据变质量力学原理推导了压力入渗条件下超渗雨期间入渗量与入渗率之间的函数关系:

$$q = K + \frac{q_0 - K}{1 + \dfrac{q_0}{K}\left(\dfrac{V - V_0}{V_0 + D \cdot H}\right)}$$

式中:V_0 为 t_0 时刻已入渗到土层中的水量,mm;q_0 为 t_0 时刻的入渗率,mm/min;D 为用体积比表示的雨前土壤缺水率(以小数计);H 为干土毛细管水头高,mm;K 为土壤稳定入渗率,mm/min。

令 R 和 R_0 分别代表 t 和 t_0 时刻的累积地表径流深,P 为 t 时刻的降雨量,不计雨期蒸发,则可列出降雨与径流关系的理论公式如下:

$$R = R_0 + P - V_0 - \frac{K(V_0 + D \cdot H)}{(q_0 - K)}\left[\sqrt{1 + \frac{2q_0(q_0 - K)(t - t_0)}{K(V_0 + D \cdot H)}} - 1\right] \tag{1.24}$$

$$q_0 = K + \frac{q_m - K}{1 + \dfrac{q_m V_0}{K \cdot D \cdot H}} \tag{1.25}$$

$$q_m = K + \frac{D}{\mu}(q_H - K) \tag{1.26}$$

$$D = \omega_m - \omega_0 = \frac{\beta \cdot \mu}{\beta + P_n} \tag{1.27}$$

$$P_{a,n+1} = \lambda(P_{a,n} + P_n - R_n) \tag{1.28}$$

$$\mu = \omega_m - \omega_H \tag{1.29}$$

式中:ω_m、ω_0、ω_H、μ 分别为用体积比表示的土壤田间持水率、雨前土壤持水率、土壤难移动持水率和土壤给水度,均以小数计;D 为土壤缺水率;q_m 为压力入渗条件下的初始入渗率,mm/min;q_H 为干燥土壤在压力入渗条件下的初始入渗率,mm/min;P_n 为第 n 日降雨量,mm;$P_{a,n}$ 为第 n 日的前期影响雨量,mm;R_n 为第 n 日径流深,mm;λ 为土壤水蒸发消退的折减系数;β 为经验常数。

上述公式中 K、H、q_H、μ、λ 和 β 需事先确定。马秀峰给出了一般黄土地区 5 个非灵敏参数的范围:$H = 100 \sim 120$mm,$q_H = 3 \sim 5$mm/min,$\mu = 0.22 \sim 0.4$,$\lambda = 0.85 \sim 0.87$,$\beta = 7 \sim 8$。而稳定入渗率 K 需根据历史资料优选确定,初次计算可取为 0.3mm/min。

河海大学芮孝芳以陕北子洲站为例,认为干旱地区的包气带厚度(地下水埋深)达数十米,但水分变化活动层难以超过 1m,强烈活动层为 0.5m,0.1m 以内土壤含水量可从 2%变到田间持水量(18%~20%)以上,而 1m 以下的土壤含水量基本维持在 10%左右,接近毛管断裂含水量(12%)。赵人俊、王佩兰认为子洲地区深层土壤湿度为 7%~13%,田间持水量为 18.6%,一般降雨只能湿润几厘米至 30cm 的表土,下渗水分不能到达深层。中国科学院水土保持研究所刘贤赵、康绍忠在陕西王东沟进行的野外土壤入渗实验发现,不同积水深度下 30cm 以上土层容积含水率变化最为剧烈,50cm 以上土层含水率变化较大,50cm 以下变化则非常平缓。李玉山给出了泾河流域南小河沟流域(黄土覆盖、沙质土壤)的土壤田间持水量为 23%,凋萎湿度约为 7%,毛管断裂含水量为 17%。可以看出,关于干旱地区土壤水分活动带的结论相对较为一致。

刘贤赵、康绍忠对陕西王东沟小流域的野外入渗试验同时得出了如下结论:

(1)野外土壤积水入渗过程中,土体内任一深度土壤含水率(容积)的变化一般经历 4 个阶段,即稳定不变、急剧上升、缓慢增加和再稳定阶段。每一阶段所经历的时间长短与土壤密度、初始含水率、入渗性能及距地面的深度有关。不同的土地利用类型每阶段所经历的时间长短也不同。在 10cm 深处,第一个阶段为 8~15min,苜蓿地、苹果地、撂荒农田、小麦地分别为 13min、11min、12min、8min,第二个阶段持续到 50~90min,上述 4 种不同土地利用类型分别持续到 90min、73min、98min、75min。

(2)不同积水深度对入渗过程中土壤水分变化规律的影响不同,积水深度越大,土壤剖面含水率、入渗量变化越明显,湿润锋的推移也越快。当积水深度在 0~3m 时,可以忽略积水深度对入渗模型的影响,否则在入渗和产流计算时应加以考虑。

(3)停渗后土壤水分再分配规律为:表层 0~10cm 内土壤含水率急剧减小;10~70cm 内土壤含水率开始有增大趋势,然后再逐渐减小;70cm 以下土壤含水率略有变化。同时在自然蒸发条件下的土壤水分再分布有明显的水流零通量面存在。

刘贤赵、康绍忠拟合了如下指数形式的湿润锋深度、入渗量与入渗时间的关系:

$$H = at^m \tag{1.30}$$

$$I = bt^n \tag{1.31}$$

式中:H、I 分别为不同积水湿度下的湿润锋深度(cm)和入渗量(cm),3~11cm 积水深度时,系数 a 的变化范围为 3.843~3.891,指数 m 的变化范围为 0.514~0.618,系数 b 的变化范围为 0.215~0.278,指数 n 的变化范围为 0.925~0.943。

樊贵盛、王文焰对大田间歇入渗影响因素进行了试验研究。试验区位于陕西渭河二道塬地区,土壤质地为中壤,耕层深度为 15~20cm,空隙度为 52.4%,犁底层明显。间歇入渗与连续入渗相比,有明显的减渗效果,用减渗率 η 表示,$\eta = 100(H_1 - H_2)/H_1(\%)$,式中 H_1、H_2 分别表示连续、间歇入渗累积入渗量(mm)。根据 141 组大田试验结果,$\eta = 5.5\% \sim 45.6\%$。减渗量的大小与土壤质地、土壤结构(主要指板结程度)、灌水次数、灌水参数等因素有关。试验结果表明,土壤初始含水量的大小主要影响入渗过程的初始阶段,对减渗效果影响甚微;随着容重的增大,减渗率减小;灌水参数对减渗效果有不同程度的影响,其中循环率(周期供水时间与周期时间的比率)影响最大。

王文焰、张建丰对黄土的粒度组成与水文运动参数的相关性进行了分析。

白丹、李占斌等对不同泥沙颗粒级配、不同含沙量的浑水进行了入渗规律试验研究。结果表明,浑水中物理性黏粒(粒径小于 0.01mm)含量的多少,是影响浑水入渗量大小的主要因素。物理性黏粒含量越高,其减渗效果越好,累积入渗量越小。黏性指数定义为:

$$M = \frac{100}{100 + \rho S} \tag{1.32}$$

式中:M 为黏性指数;ρ 为浑水含沙量,%;S 为浑水中小于 0.01mm 粒径颗粒含量的百分数。

显然,清水中 $M=1$。从双对数图中可以看出,累积入渗量与入渗时间和黏粒指数均呈直线关系,故假定三者有如下关系:

$$I = CM^{k_1} T^{k_2} = C\left(\frac{100}{100+\rho S}\right)^{k_1} T^{k_2} \tag{1.33}$$

式中:I 为累积入渗量,mm;T 为入渗时间,min;C 为系数;k_1、k_2 为指数。

通过回归计算,得:

$$I = 22.3 M^{0.3507} T^{0.2572} \tag{1.34}$$

验证结果表明,相对误差在 10% 以内。分析表明,黏粒指数对入渗的影响较前期入渗量的影响大。浑水入渗速度 i(mm/min)为:

$$i = \frac{dI}{dT} = Cb_2 M^{k_1} T^{k_2-1} \tag{1.35}$$

式中:Cb_2 的物理意义为清水在第一分钟末的入渗速度。

郑粉莉、唐克丽等对黄土高原子午岭林区(富县)的研究表明,大型坡面径流场林地被人为开垦后,径流模数增加几十倍至百余倍,不同地形部位径流模数平均增加 95 倍,而小流域年平均径流模数平均增加 3.3 倍,两者差异较大,分析原因,后者包含了地下径流,前者则不包括该部分径流。

关于下渗计算模型与产流计算模型的成果很多。赵人俊、王佩兰用子洲径流实验站三个小流域的资料对霍顿(Horton)公式和菲力浦(Philip)公式进行了拟合,结果见表 1.6。三个流域的地貌、土壤、植被情况相仿,但下渗曲线有一定的差异。赵人俊、王佩兰认为是梯田面积的不同导致了下渗曲线的差异。黑矾沟梯田最多,水旺沟次之,团山沟最少,同时点绘下渗曲线可以发现,黑矾沟下渗曲线在上方,水旺沟下渗曲线在中间,团山沟下渗曲线在下方,相应的霍顿下渗公式的参数亦依次递减。但总的拟合情况较好。马秀峰指出,黑矾沟有较多水保措施,如梯田、鱼鳞坑、田埂、塘坝等。水旺沟和团山沟接近有耕作的自然状态。

表 1.6　子洲径流实验站霍顿(Horton)公式和菲力浦(Philip)公式拟合

沟名	流域面积 (km^2)	洪水次数	霍顿 $f_t = f_0 + (f_0 - f_c)e^{-kt}$			菲力浦 $f = bt^{0.5} + a$	
			f_c	f_0	k	a	b
团山沟	0.18	30	0.422	2.04	0.0637	−0.06	3.8
水旺沟	0.107	17	0.540	2.16	0.0712	0.04	3.8
黑矾沟	0.133	29	0.640	2.26	0.0793	0.13	3.8

包为民根据黄河中游水文气候条件对格林-安普特下渗曲线进行了改进。格林-安普特下渗曲线的表达式为:

$$FM = K(Z + H + \varphi)/Z \tag{1.36}$$

式中:FM 为下渗速率;K 为饱和水力传导度;Z 为饱和层厚度;H 为地面滞水深,φ 为湿润锋面的毛管水压力。

式(1.36)物理成因清楚,参数物理意义明确,但由于湿润锋面毛管水压力 φ、饱和层

厚度 Z 等难以观测,公式几乎没有被直接应用过。包为民把该公式改进为如下形式:

$$FM = FC(1 + KF(WM - W)/WM) \tag{1.37}$$

式中:FC 为饱和条件下的下渗率,取决于饱和水力传导度 K;KF 为渗透系数,反映土壤含水量对下渗的影响;WM 为土壤田间持水量;W 为土壤含水量。

W 是式中唯一的变量,可通过观测或模型计算得到。考虑到土壤表层含水量和下层含水量对下渗的影响各不相同,把土壤水分为 2 层,引进影响下渗的权重系数,式(1.37)变为:

$$FM = FC \times \left\{ 1 + KF \left[\frac{WUM - WU}{WUM} \cdot KU + (1 - KU) \cdot \frac{WLM - WL}{WLM} \right] \right\} \tag{1.38}$$

式中:WUM 为上层土壤含水容量;WU 为上层土壤含水量;KU 为上层土壤含水量对下渗影响的权重系数;WLM 为下层土壤含水容量;WL 为下层土壤含水量。

记流域下渗小于某定值 F 的面积比为 aF,则下渗率的流域分布曲线可表示为:

$$aF = 1 - \left[1 - \frac{F}{FM(1 + BF)} \right]^{BF} \tag{1.39}$$

式中 FM 为平均下渗率,BF 为常数,则时段下渗量为:

$$FA = \begin{cases} FM - FM \left[1 - \dfrac{PE}{FM(1 + BF)} \right]^{1+BF} & (PE < FM(1 + BF)) \\ FM & (PE \geqslant FM(1 + BF)) \end{cases} \tag{1.40}$$

用式(1.40)对 3 个小流域和子洲径流实验站的资料进行检验,次洪水产流平均合格率为 86.2%,而改进前只有 72.4%。

于静洁等在黄土高原进行了人工模拟降雨入渗试验,并分别用 Philip 、Horton 、Kostiakov 公式进行了拟合,结果表明,Philip 入渗曲线拟合较好。但在降雨初期,Philip 曲线与实测值不符。其原因是式(1.40)的基本假定是地表有积水,应用时必须满足表层土壤接近饱和的条件,而降雨初期,该条件往往并不满足。因此,Philip 公式仅适用于入渗率随时间逐渐下降的部分。

黄明斌等在于静洁等人研究的基础上给出了单元(面积约 100m^2)平均入渗速率计算公式。降雨入渗初期用雨强和初损历时计算,其后用 Philip 公式计算。其引用的 Philip 公式形式如下:

$$f_i(t) = \frac{1}{2} S_i t^{-1/2} + A_0 \tag{1.41}$$

式中:S_i 为 Philip 公式中的参数吸水率;A_0 为土壤剖面含水量达到饱和后的稳渗率。

初损历时与平均雨强和坡度有如下关系:

$$t^* = c_1 i^{c_2} e^{c_3(1-\sin\alpha)} \tag{1.42}$$

式中:c_1、c_2、c_3 为主要随土壤类型、植被条件和坡度等变化的参数;α 为坡度。

通过南小河沟农田和草地径流场降雨产流资料分析,式(1.42)是适用的,式中 3 个参数的均值分别为 0.404、-0.25、1.512。利用 Philip 公式计算的单元产流量为:

$$R_s = h - \left[S_i (\sqrt{t_r} - \sqrt{t^*}) \right] + A_0(t_r - t^*) \tag{1.43}$$

式中：h 为降雨；t_r 为时间；t^* 为初损历时。

参数 S_i 和 A_0 可用降雨产流资料拟合。分析表明，S_i 随坡度增大而呈指数曲线下降，人工草地单元下降最快，自然草地单元和农田单元下降速率相当。在塬面，人工草地的 S_i 最大，农田次之，自然草地最小。为考虑坡度和起始土壤含水量对 S_i 的影响，在 D·希勒尔给出的公式中加入标定因子，得到如下结果：

$$S_i = 2k(\theta_s - \theta_0)(D_i/\pi)^{1/2} \mathrm{e}^{kk \times a} \tag{1.44}$$

$$D_i = \frac{5}{3}(\theta_s - \theta_0)^{-5/3} \int_{\theta_0}^{\theta_s}(\theta - \theta_0)^{2/3} D(\theta)\mathrm{d}\theta \tag{1.45}$$

$$D(\theta) = D_s \left(\frac{\theta - \theta_r}{\theta_s - \theta_r}\right)^d \tag{1.46}$$

式中：θ 为土壤含水量，θ_s、θ_0 分别为饱和含水量和初始含水量；k、kk 为随植被覆盖类型变化的参数，农田（容重为 $1.3\mathrm{g/cm}^3$）、自然草地（容重 $1.35\mathrm{g/cm}^3$）、人工草地（容重为 $1.35\mathrm{g/cm}^3$）的 k 值分别为 0.464、0.558、0.719，kk 值分别为 -0.0176、-0.0174、-0.0291；a 为坡度；$D(\theta)$ 为土壤水分扩散率；D_s 为饱和扩散率；θ_r 为残留含水量；d 为拟合参数。

式（1.46）中，当土壤容重为 $1.3\mathrm{g/cm}^3$ 时，D_s、θ_s、θ_r 和 d 分别为 1.263、0.44、0.04 和 2.517；当土壤容重为 $1.35\mathrm{g/cm}^3$ 时，D_s、θ_s、θ_r 和 d 分别为 0.8865、0.42、0.04 和 2.319。

文康[1] 等在黄委水科所 1959 年积水试验的基础上，得出如下公式：

$$f = 5.75t^{-1/2} \tag{1.47}$$

式（1.47）中 f 的单位为 mm/min，t 的单位为 min，初始土壤含水量为 14%，2h 内拟合较好。文康等认为陕北地区暴雨历时短促，可不考虑稳渗。黄委水科所对不同的初始含水量作出了不同的下渗曲线，结果表明，初始含水量越大，下渗能力越小。即便在下垫面土壤植被等自然条件均一的情况下，也因各地干湿不同而导致下渗强度不同的特点。采用随机分布函数概化下渗强度的空间变化，如用 n 次抛物线型下渗分配曲线：

$$a = 1 - (1 - f/f'_m)^n \tag{1.48}$$

一般说有全流域分配和部分流域分配两种。土壤前期含水量对产流计算影响很大。团山沟无雨期土层厚度分别为 50cm、30cm、10cm 的平均土壤含水量在半对数纸上与时间呈线性递减趋势，可用如下公式表示：

$$\theta = \theta_0 \mathrm{e}^{-k't} = \theta_0 k^t \tag{1.49}$$

对于 50cm 土层，31 组资料的 k 值为 $0.84 \sim 0.99$，平均 0.94；30cm 土层的 35 组资料的 k 值为 $0.66 \sim 0.99$，平均 0.9；66 组 10cm 土层的 k 值为 $0.55 \sim 0.99$，平均 0.87。表明土层越薄，消退系数越小。k 与起始含水量的关系为反向关系，即起始含水量越小，k 值越大，含水量消退越慢。当含水量小到一定程度（$\leqslant 5\%$）时，消退几乎停止。一个地区多次降雨的平均下渗锋面位置可以代表水分交换的最活跃范围，大约相当于土壤含水量随时间的变化趋于 0，这种称为影响土层内的含水量，可以作为模拟土壤前期含水量的指标。团山

---

❶ 文康等，西北干旱地区（岔巴沟）产流计算模型的研究，1981 年。

沟1号、2号地段54组雨前雨后土壤含水量资料显示,绝大多数入渗锋面位于30～60cm之间,少数达1m,30cm左右的占一半。因此,该区的入渗锋面经常达到的土层厚度或影响土层为30～40cm,相应的k值约为0.90,可作为优选的初值。模型参数优选确定,团山沟抛物线指数定为0.3,不参加优选。团山沟计算前期影响雨量的P_a和下渗公式的A同时优选,兼顾方差和合格率两个目标,合格评定标准为绝对误差2mm,相对误差20％。确定最优值$k=0.92$,$A=7.8$。10次洪水中8次合格。可对清水、浑水分别拟合。清水合格率较高。含沙量过大时,模型难以适应。岔巴沟流域检验,计算时段取3min,按各单元计算径流深的算术平均值作为流域径流深,k取0.85,$A=5$,尽管17次洪水的方差最小,但合格率只有35.2％,即便按泰森法,合格率仍只有58.8％。主要原因是雨量站不能控制降雨分布。将17次洪水的雨量统一插补、订正成10个自记雨量站的资料,用相同的权数求加权平均径流深,合格率达到88.2％。分析表明,岔巴沟的精度临界时段为30～60min。

南京水文研究所李蝶娟、金管生在《分层超渗产流模型探讨》(1981.9)中利用"供水强度大于入渗强度是产流的先决条件"的概念,通过分层超渗、分层产流的途径研究流域雨洪径流量及水源组成。所提出的分层超渗模型将土层分为上、下两层,加上地表,相应有3种水源:地表径流、上层壤中流、下层壤中流。地表径流$R_表$为降水强度超过上层土壤入渗率的部分,上层壤中流$R_{壤1}$为上层土壤补给率(即上层土壤排水率)超过下层土壤入渗率的部分,下层壤中流$R_{壤2}$为土壤下层排水率的一部分,其计算公式分别为:

$$R_表 = \bar{i}\Delta t - \bar{f}_上 \Delta t \left[1 - \left(1 - \frac{\bar{i}\Delta t}{(1+n_上)\Delta t\bar{f}_上} \right)^{1+n_上} \right] \tag{1.50}$$

$$R_{壤1} = \bar{i}_下 \Delta t - \bar{f}_下 \Delta t \left[1 - \left(1 - \frac{\bar{i}_下 \Delta t}{(1+n_下)\Delta t\bar{f}_下} \right)^{1+n_下} \right] \tag{1.51}$$

$$R_{壤2} = \bar{i}_下 \Delta t \cdot n \tag{1.52}$$

上述公式各项的意义及计算详见李蝶娟、金管生《分层超渗产流模型探讨》一书。

党耀军、高宗强给出了山西省的半干旱地区产流模型。他们认为半干旱地区存在3个随机性:雨量和雨强的时空变化是随机的;入渗能力的空间分布是随机的;雨强和入渗能力的时空组合是随机的。其最终表现是产流场和产流强度的时空随机变化。同时,两种产流方式并存,超渗坡面流是否出现和径流系数的大小取决于雨强与下渗能力的相对关系,入渗强度依赖于土壤水分状态,产流量决定于降雨量。表面上制约超渗流的主导因子是雨量和起始土壤水分状态,但实际真正发生作用的是雨强和入渗能力的比值。普遍存在流域产流临界雨强,这与普遍存在稳定入渗率相一致。而壤中流时有时无、时大时小。起始土壤水分状态自上而下大致分为三层:巨变层、渐变层和相对稳定层。巨变层是制约产生超渗流的关键土层。季节性河流存在河网输水损失。久旱或每年前几场降雨损失尤为显著。半干旱地区产流计算必须分单元、按时段、以雨强和土湿为控制因子进行。假设一定雨强下流域存在临界产流土湿U_{s0},当$U_s < U_{s0}$时,不产流。单元时段径流系数a与雨强P及土湿U_s的关系为:

$$a = \begin{cases} A(U_s - U_{s0})^a P_i^b & (U_s > U_{s0}) \\ 0 & (P_i < P_{i0} \ 或 \ U_s < U_{s0}) \end{cases} \tag{1.53}$$

单位时段地表径流深为 $\Delta R_s = a_i \psi_i \Delta P_i$，右端分别为单元地表径流系数、面积权重系数和时段雨量。对于土湿指标 U_s 的计算，连续降雨时，第 n 个时段土湿指标为：

$$U_{sn} = P_a + \sum_{i=1}^{n} (\Delta P_i - \Delta R_i) + \frac{1}{2}\Delta P_n \tag{1.54}$$

间断降雨时 $U_{sn} = 0.995 U_{sn-1}$。P_a、U_s 无上限控制，因为半干旱地区不存在固定的 I_m。模型参数优选确定。模型对汾河、册田和章泽三个大型水库共 11 个流域 120 场洪水进行了检验，总合格率为 85%。

王芝桂在《暴雨洪水产流计算模式在中国干旱半干旱地区的初步研究和应用》(1979.4)中指出，一般的降雨径流关系满足如下水量平衡方程式：

$$h = H_t - F \tag{1.55}$$

式中：F 为雨期损失量；H_t 为历时为 t 的暴雨量；h 为暴雨的产流量（地表径流深）。

由于 F 为雨量的函数，并应符合下列边界条件：当 $H_t = 0$ 时，$F = 0$，$dF = dh_t$；当 $H_t \to \infty$ 时，$F \to F_{max}$（最大损失量）。符合以上条件的有下列形式的双曲函数：

$$F = F_{max}(1 - e^{-H_t/F_{max}}) \tag{1.56}$$

或

$$F = F_{max}\, \text{th}\, \frac{H_t}{F_{max}} \tag{1.57}$$

则

$$h = H_t - F_{mp}\, \text{th}\, \frac{H_t}{F_{mp}} \tag{1.58}$$

上述公式可体现出损失量随着雨量及产流面积的逐步增加、下渗过程的逐步过度而累积，同时损失强度又逐步减小。上述公式与奥里吉科伯公式形式相同，但含义不同。奥里吉科伯处理的是年降雨径流，其主要损失为蒸发。由上述双曲模式所表现的入渗过程具有反曲性质。同时，当 H_t 趋于无穷大时，上述公式表述的累积入渗量趋于 F_{max}，这与当 H_t 趋于无穷大时，降雨径流关系趋于 45°线的普遍规律有矛盾。

内蒙古孙秀堂在《产流计算方法的讨论》(1981.7)中指出，内蒙古昭盟水文分站于 1976 年开始用霍顿下渗公式计算产流，并在实践中认识到，霍顿公式不仅可用于非饱和产流计算，对饱和地区同样适用。在应用霍顿公式时，由于土层含水量变化幅度较大，起始土壤含水量 P_a 对下渗影响明显。因此，建立了一组以 P_a 为参数的入渗曲线。对中小降雨强度所产生的局部面积上的产流问题，采用抛物线型入渗强度面积分配曲线进行处理。

清华大学张科利对黄土坡面细沟侵蚀中的水流阻力规律进行了研究。实验在宽 50cm、长 500cm、深 70cm 的可调坡度冲刷槽内进行。实验中流量变化在 40～500mL/s 之间，坡度采用 6°、10°、12°和 15°。张科利得出了曼宁糙率系数与流量、坡度的如下关系：

$$n = \begin{cases} 0.013 Q^{-0.234} J^{1.19} & (j < 10°) \\ 9.12 \times 10^{-5} Q^{0.3} J^{1.8} & (j > 10°) \end{cases} \tag{1.59}$$

由式(1.59)可知，在缓坡（坡度小于 10°）上，曼宁糙率系数随流量的增大而减小，而在坡度较陡（大于 10°）时，曼宁糙率系数又随流量的增大而增大，曼宁糙率系数变化于 0.035～0.071 之间。张科利同时还研究了 Darcy－Weisbach 系数的变化规律，结果表明：

在实验条件下,黄土坡面上细沟的 Darcy - Weisbach 阻力系数 f 变化于 $0.4\sim1.9$ 之间。分析表明,f 与水流雷诺数 Re 呈指数型关系,即:

$$f = aRe^b \tag{1.60}$$

与曼宁阻力系数相似,在缓坡条件下,Darcy - Weisbach 阻力系数 f 随雷诺数 Re 的增大而减小,在陡坡条件下则相反。变化趋势发生转折的坡度在 $10°\sim12°$ 之间。

南京水文水资源研究所李琪对黄土地区(子洲团山沟)土壤含水量消退系数 K 的变化规律进行了研究。一般而言,土壤水分消退服从指数递减规律。据此根据土壤含水量资料分析出:50cm 土层 K 值的变化范围为 $0.84\sim0.99$,均值为 0.94;30cm 土层 K 值的变化范围为 $0.66\sim0.99$,均值为 0.90;10cm 土层 K 值的变化范围为 $0.55\sim0.99$,均值为 0.87。显然,土层越深,K 的均值越大,大致呈线性递增关系。而 K 值随起始土壤含水量的变化呈递减关系。当起始含水量小于等于 5% 时,消退几乎停止。李琪还分析了该流域的影响土层厚度为 30cm,其相应的 K 值为 0.90。李琪同时指出,流域面上的 K 值为无数单点规律的集合,应与产流模型结合起来分析,并参与模型参数的优选。

为进行流域水沙规律变化研究及水土保持效益分析,建立了大量以年、月、汛期或次洪为单位的降雨径流相关(回归)关系。王云璋利用 $1966\sim1970$ 年的资料建立了河口镇—龙门区间年降雨径流关系:

$$W = 25.885 + 11.917x_5 + 2.268x_{15} \tag{1.61}$$

式中:W 为年径流量;x_5 为年内降雨量大于等于 30mm 的日数;x_{15} 为年累积雨量与降雨日数的比值,mm/日。式(1.61)的拟合程度较好。

徐建华等介绍了计算延河流域径流量的 5 大类 11 种模型,如表 1.7 所示。

表 1.7 延河流域径流量的 5 大类 11 种模型

分类	方法	方程	说明
面平均单因子线性回归	月径流量与面平均雨量相关	$W_i = aP_i + b$	W_i、P_i 分别为第 i 月径流量(亿 m^3)和面平均雨量(mm)
	月径流量与面平均日雨量≥5mm 月累计雨量相关		
多站多因子多元回归	月径流量与各雨量站月雨量多元复相关	$W_i = b_i + \sum\limits_{m=1}^{j} a_m P_{im}$	W_i 为第 i 月径流量,P_{im} 为第 m 站月平均雨量
	月径流量与各雨量站日雨量≥10mm 累计月雨量多元复相关		
	月径流量与各雨量站月雨量和相应雨强乘积多元复相关	$W_i = b_i + \sum\limits_{m=1}^{j} a_m P_{im}^2 / T_{im}$	P_{im}/T_{im} 为雨强,T_{im} 为相应降雨日数
	月径流量与各雨量站日雨量≥10mm 累计月雨量和相应雨强乘积多元复相关		
	上述方案中最优方案组合		

分类	方法	方程	说明
多站多因子逐步相关	月径流量与各雨量站日雨量≥10mm累计月雨量和相应雨强乘积逐步回归		
面平均多元逐步回归	月径流量与加权面平均日雨量分级总量或与相应雨强乘积逐步回归		
	月径流量与算术面平均日雨量分级总量或与相应雨强乘积逐步回归		
单站多因子逐步回归加权平均	月径流量与各雨量站相关成果加权平均		

上述方案拟合径流量与实测吻合较好。

蒋定生等在安塞实验区 35 次降雨和径流的资料分析表明,当地面坡度为 7°时,小于 7mm 的降水可全部入渗,而地面坡度增大到 30°时,一次大于 2.8mm 的降水就会产生地表径流。坡面产生径流的临界降雨 P_0 与地面坡度 α 的关系为:

$$P_0 = 8.143 \mathrm{e}^{-0.036\,8\alpha} \tag{1.62}$$

贾志军等对山西离石的研究表明,降雨产流的时间 t 随前期土壤湿度 W 的增加而缩短,可表示为如下幂函数:

$$t = 693.025 W^{-1.906} \tag{1.63}$$

径流系数 K 与前期土壤湿度 W 呈线性关系:

$$K = 3.180W + 2.057 \tag{1.64}$$

前期土壤湿度对降雨产流过程(速率)的影响如表 1.8 所示。

表 1.8 前期土壤湿度对降雨产流过程(速率)的影响

土壤湿度 W（干土重％）	降雨强度 I（mm/min）	达到稳定产流的时间 t(min)	非稳定产流阶段产流速率 R 与时间 t 的关系	稳定产流速率（mm/min）
7.89	1.531	55.0	$R = 1.531 - 15.848t^{-0.895}$	1.228
12.57	1.540	48.0	$R = 1.541 - 12.285t^{-0.900}$	1.228
17.00	1.524	35.0	$R = 1.524 - 4.691t^{-0.785}$	1.228
21.19	1.522	12.0	$R = 1.522 - 2.717t^{-0.924}$	1.228

初损量 h 与土壤含水量 W 的关系为:

$$h = 1\,061.714 W^{-1.904} \tag{1.65}$$

山西省水土保持研究所、中国科学院地理研究所和加拿大多伦多大学地理系对山西离石王家沟采用人工降雨模拟试验,研究前期土壤含水量与水土流失,得出的前期土壤含水量 w(％)与产流时间 t(min)、径流系数 k(％)、径流深 h(mm)、平均流速 v(mm/min)之间的经验关系为:

$$t = 123.49 w^{-1.33} \tag{1.66}$$

$$k = 2.77w + 8.59 \tag{1.67}$$
$$h = 1.18w + 4.67 \tag{1.68}$$
$$v = 0.030\,6w + 4\,031 \tag{1.69}$$

西北水土保持研究所 20 世纪 70 年代在六盘山、黄龙山、子午岭等地对树冠截留降雨作用和枯枝落叶层保持水土的能力进行了测定。结果表明,森林植被树冠截留降水占降水量的 10%～40%;灌丛植被可截留降水 0.67～1.61mm;草地可截留降水 0.55～2.55mm;农田植被(作物)可截留降水 0.57～0.8mm。枯枝落叶层的保水作用,森林每公顷枯枝落叶层一次最大吸水量为 19.74～37.09m³,灌丛为 0.28～18.8m³,草地为 0.37～6.51m³。

山西省水土保持研究所、中国科学院地理研究所和加拿大多伦多大学地理系对 1985～1987 年人工模拟降雨资料和 1967 年陕北子洲径流实验站团山沟径流场资料进行分析表明,对于坡耕地,降雨前期有表土结皮时,相同降雨条件下,坡面径流系数和累计径流量比没有表土结皮时增加 6～50 倍。据团山沟 3 号小区观测,当坡耕地刚翻耕或耕作层土壤较松时,土壤具有较高的水流入渗率,虽然一次降雨量达 26mm,最大 10min 雨强为 0.4mm/min,地面未发生径流。而另一次降雨,由于雨前坡耕地表土已形成结皮,虽然降雨量仅 3.7mm,最大雨强也是 0.4mm/min,坡面就已产流。对犁底层的研究表明,有犁底层存在时,径流量会大大增加,并随产流历时的增加而增加,与没有犁底层的情形相比,可达 2 倍左右。

山西水土保持研究所于 1957～1965 年在离石县王家沟进行观测,在 31°坡地穴植刺槐与 30°坡耕地相比,年平均减少径流 37.9%。1958 年刺槐纯林地郁闭度 49.6%,刺槐、紫穗槐混交林郁闭度 62.0%,同样降水条件下,混交林比纯林减少径流 49.2%。1987 年观测,30°坡地四年生柠条(郁闭度 80%)与同坡度荒地(植被度 40%)对比,减少地表径流 89.6%。1957～1965 年观测,人工种植草木樨坡地与 30°坡耕地对比,径流量基本一致。人工草地对径流的作用是多种因素起作用,而植被的郁闭度起主导作用。据 1957 年在 28°坡地上观测,当牧草郁闭度为 50%、80% 和 100% 时,径流深分别为 43.6mm、22.5mm 和 7.4mm。在 22°坡地上进行人工降雨模拟试验(30min36mm),植被度分别为 20%、38% 和 50% 的草地,与裸地相比,减少径流量依次为 57.7%、73.3% 和 90.9%。

吴钦孝等在陕西宜川南部黄龙山区森林集水区(0.24km²)和近期经抚育间伐的森林集水区(0.385km²)研究森林集水区水文效应,提出了如下经验模型:

$$R = kp^a I^b h^c \tag{1.70}$$

式中:R 为次洪径流量,mm;p 为降雨量,mm;I 为降雨强度,mm/min;h 为反映集水区前期水分条件的指标,取为降雨前量水堰水位高度,cm;k、a、b、c 为参数。

对前述两集水区,模型分别为:

$$R_1 = 0.000\,067\,p^{1.603} I^{0.369} h^{-1.820} \tag{1.71}$$

和

$$R_2 = 0.003\,092\,p^{1.272} I^{0.569} h^{-1.979} \tag{1.72}$$

两式的相关系数分别为 0.88 和 0.91。模型参数的差异由森林郁闭度不同所致。对两集水区进行统一回归,有:

$$R = 0.000\,543\,p^{1.404} I^{0.162} h^{-1.407} C^{0.302} \tag{1.73}$$

式中,C 为森林郁闭度,经检验,相关系数达 0.86。吴钦孝等得出的结论是,黄龙山区油松山杨林集水区在抚育间伐强度不超过 40% 的条件下,产流特征基本不发生变化。产流特点主要表现为径流系数小,洪水含沙量低。森林集水区多年平均径流深相对较小,体现了森林良好的涵养水源的作用。其水文过程线主要取决于降雨过程,与其他因子关系不大。

黄委水文局在《黄河流域实用水文预报方案》(1989.12)中给出了皇甫川流域皇甫站次洪水洪峰流量计算公式:

$$Q_m = 444\mathrm{e}^{-0.113t_c}\left[P_{t_c} - (3t_c^{0.15}P_{t_c})\right] \tag{1.74}$$

式中:t_c 为有效降雨历时(雨强大于 3mm/h);P_{t_c} 为流域平均有效降雨量。

式(1.74)以全国暴雨径流查算图表(产汇流部分)西北地区产流关系陇东黄土地区产流计算公式为基础。

1.2.5　汇流

在对黄河流域汇流研究与计算中,地表径流汇流多采用单位线法,包括纳希瞬时单位线、经验单位线、无因次单位线等,地下水汇流采用线性水库退水方程。河道汇流以马斯京根法为主。对河道汇流的非线性问题,有许多人提出了经验公式,建立 k、x 随流量或其他因素变化的关系。赵人俊指出应根据 k、x 与特征河长的关系,把马斯京根法转化为非线性系统,并求其数值解。而常用的把流量分级,各级采用不同的参数的做法,虽简单好用,但存在演算结果突变、水量不平衡等问题。也有按过程的洪峰流量、峰形系数等参数选取不同的演算参数的做法。

刘月兰等在经验模型的基础上,引入水流连续方程、动量方程和泥沙平衡方程,建立了黄河下游河道冲淤计算模型。武汉水利电力大学谢鉴衡❶ 等人提出了黄河下游洪水预报水动力学数学模型,清华大学王士强❷、中国水科院梁志勇❸ 等、陕西机械学院曹如轩❹ 等均提出了各具特色的黄河一维泥沙数学模型。江恩惠、张红武❺ 等在前人研究的基础上建立了黄河下游泥沙数学模型,以对黄河下游游荡性河道冲淤变形及洪水演进进行模拟。

赵人俊、王佩兰以黄河北金堤滞洪区资料为基础,提出了将水力学方法和水文学方法相结合进行二维洪水演算方法,并将其用于滞洪区、湖泊、单一河段、分流河段及水网的行洪计算问题。

1.2.6　水文模型与水文预报

黄河水文预报是黄河防洪抗旱调度,水资源利用、配置、节约、保护和水利工程施工、运行等工作的基本依据,在整个水文工作中占有十分重要的地位。

1980 年原水电部组织编制了全国暴雨径流查算图表,以满足水利规划、设计需要。

❶ 韦直林、谢鉴衡,黄河下游洪水预报水动力模型,1990 年。
❷ 王士强,黄河下游河床变形数学模型及减沙对下游河道冲淤的影响,见:黄河水沙变化研究论文集第五集,1993 年。
❸ 梁志勇等,黄河下游河床演变准二维数学模型的研究及其应用,见:黄河水沙变化研究论文集第五集,1993 年。
❹ 王新宏、曹如轩等,黄河高含沙水流运动规律及应用前景,见:黄河水沙变化研究论文集第五集,1993 年。
❺ 黄河水利科学研究院,黄河下游泥沙数学模型,1995 年 11 月。

黄河流域的成果综合如下。

产流计算:陕南、河南、山东和晋东南等地基本属于蓄满产流地区,甘肃、宁夏和青海东部结合当地短历时高强度暴雨特点,建立了产流期 t_c 内,平均损失率 f(即后损)与产流历时 t_c、产流期降雨量 H_{t_c} 三者之间的相关关系,并选配了数学模型,陕北等地区采用下渗曲线扣损法,建立下渗率 f 与土壤含水量 S 关系线,陕西省半干旱的黄土丘陵沟壑区、土石山区则采用双曲正切损失模型。

汇流计算:黄河流域青海、宁夏、陕西、山东等省区根据流域面积的大小,分别采用瞬时单位线和北京水科院推理公式两种计算方法。河南省采用淮河颍上综合单位线和北京水科院推理公式,内蒙古、山西采用北京水科院推理公式。

1989 年黄委水文局协同流域省区水文部门及有关单位编制了《黄河流域实用水文预报方案》。陈赞廷、李若宏等对该方案进行了介绍。赵卫民对黄河中下游洪水预报模型方法进行了系统介绍。陈赞廷、李若宏等对黄河流域水文预报技术与方法进行了概括总结:

(1)新安江模型。新安江模型属确定性模型,用于蓄满产流地区。黄河上游吉迈至唐乃亥区间和洮河岷县以上应用了新安江三水源实时校正模型。地面径流汇流采用无因次经验单位线,壤中流和地下径流采用线性水库计算,蒸散发采用三层模型,河道汇流采用马斯京根法分段连续演算,实时校正采用自回归校正模型,计算时段采用 12h 和 24h 两种。经过检验,模型合格率达甲级标准。

(2)水箱模型。水箱模型结构简单,便于调试。由于它可直接由降雨量计算出洪水过程,与黄河半干旱黄土丘陵区所具有的暴雨洪水特征相类似,因此在黄河上首先将其应用在皇甫川流域,采用的模型结构是最简单的一箱一个出流孔和一个下渗孔,主要反映皇甫川流域降雨后除初损外几乎全是地表径流。

$$\begin{cases} F = a_0(P + W_0) \\ R = \begin{cases} a_1(P + W_0 - H_1) & (P + W_0 > H_1) \\ 0 & (P + W_0 < H_1) \end{cases} \\ Q = RA/(3.6 \times \Delta t) \\ W_0 = P - R - F + P_a \end{cases} \qquad (1.75)$$

式中:R 为径流深,mm;P 为降雨量,mm;W_0 为土壤含水量,mm;F 为下渗量,mm;A 为流域面积,km²;Δt 为计算时段,h;Q 为流量,m³/s;a_0 为出流孔系数;H_1 为孔口高,mm。

此模型在皇甫川流域应用成功后又应用于河曲至天桥水库区间,研制了天桥水库入库洪水预报模型。模型结构改成两箱串联型,同时考虑到区间降雨量分布的不均匀性而采用分单元计算。通过 1989 年大洪水预报应用,效果很好。

(3)汾河水库以上流域模型。汾河水库位于汾河上游,石山林区、土石山区及黄土丘陵沟壑区各占 1/3,属于干旱地区。地下水埋深较大,影响产流的主要因素是雨强和土壤的干湿度。久旱后短历时高强度局部暴雨,可形成峰高、量小、历时短,几乎全部由地表径流构成的洪水,也有由连阴雨形成的早期壤中流占有一定比重的连续洪水。产流以超渗为主。模型的产流部分采用以时段平均雨强和土湿指标为依据,以时段平均径流系数和时段径流深为预报对象的经验相关模型,汇流采用单位线法。模型共分产流、汇流、水库调洪三部分。

(4)大汶河临汶以上流域模型。大汶河流域属半湿润地区,产流方式以蓄满为主,间有超渗产流。因此,本模型是把蓄满产流与超渗产流结合为一体的复合产流模型。采用新安江模型与霍顿下渗模型相结合的方法。汇流计算分地面与地下,分别采用单元面积经验单位线及线性水库型马斯京根法。河槽汇流采用马斯京根法分段连续演算。流域面积按水文条件划分为 8 个普通单元和 5 个水库控制面积单元。各单元出流过程经河槽演算后叠加得到流域总出流过程。

(5)三花区间流域模型。三门峡至花园口区间,面积 41 615km²,自然地理条件复杂,降雨分布很不均匀,产流方式也不尽相同,因此建立了分散性综合模型。将全区分成 18 块,每块又分若干个单元,共计 116 个单元,平均每个单元面积约 360km²。各块中选择有水文资料的单元作为代表单元,建立单元流域模型作为该块的通用模型。

单元产流模型共有 5 个,即降雨径流相关模型、霍顿下渗模型、包夫顿下渗模型、新安江模型和水箱模型。

采用降雨径流相关模型的有洛河白马寺以上,伊河陆浑至龙门镇区间,洛河白马寺、龙门镇至黑石关区间。相关图有两种,一种是在单元代表流域上建立的 $R = f(P, P_a)$ 相关,另一种是在分块面积上建立的 $R = f(P, P_a)$ 相关。

采用霍顿下渗模型的有伊河东湾以上及东湾至陆浑区间。由于流域下垫面十分复杂,单元面积上的入渗有大有小,如果把点上求得的入渗曲线用于流域上,势必产生较大误差。1979 年南京水文研究所把下渗强度流域分配引入模型,把下渗曲线和下渗分配曲线结合起来,下渗曲线采用霍顿型,分配曲线由经验选配,分为全流域分配和部分流域分配。径流深由下式决定:

$$R = P - (1 - e^{-k\Delta t})(W_m - W_0) \cdot \left[1 - (1 - \frac{P}{(1 - e^{-k\Delta t})(1 + m)W_m - X_1})\right]^{1+n}$$

(1.76)

$$X_1 = (1 + n)(1 - e^{-k\Delta t})W_m\left[1 - (1 - \frac{W_0}{KW_m})^{\frac{1}{1+n}}\right]$$ (1.77)

式中:R 为时段径流深,mm;P 为时段降雨量,mm;K 为下渗强度随时间的消退系数;Δt 为计算时段长,h;W_m 为流域平均最大蓄水量,mm;W_0 为时段累计流域平均蓄水量,mm;X_1 为下渗强度分配曲线上与 W_0 相应的纵坐标值,mm;n 为抛物线指数。

采用包夫顿下渗模型的有沁河飞岭以上,飞岭至润城区间,润城至五龙口区间及丹河山路平以上流域。计算公式为:

$$f(t) = f_c + (f_0 - f_c)e^{-KP_a(t)}$$ (1.78)

式中:f 为下渗率,mm/2h;f_c 为稳渗率,mm/2h;f_0 为初渗率,mm/2h;P_a 为土壤含水量,mm;K 为随土壤特性而变的系数。

$$P_a(t) = P_a(t-1) + f(t)$$
$$R(t) = P(t) - f(t)$$

当 $P(t) \leqslant f(t)$ 时,$R(t) = 0$。

采用新安江模型的有三门峡至小浪底区间,小浪底、黑石关、武陟至花园口区间。由于本地区地下径流、壤中流所占比重较小,因此模型中略去了划分水源部分。

采用水箱模型的有沁河五龙口、山路平至武陟区间,选用四级水箱串联型。第一级水箱设 3 个出流孔,反映地面径流;第二级水箱设 2 个出流孔,反映壤中流;第三、第四级水箱各设 1 个出流孔,反映地下径流。降雨进入上层水箱后,一部分成为径流,一部分以下渗的形式进入下一级水箱,各级水箱的出流相加即为流域出流过程。

各单元的汇流均采用纳希瞬时单位线,用直接积分法将原式转换为时段单位线。

原式

$$u(t) = \frac{t}{K \; \Gamma(n)} \left(\frac{t}{K}\right)^{n-1} e^{-\frac{t}{k}} \tag{1.79}$$

积分后

$$P(t) = \begin{cases} 1 - e^{-m_1} \sum_{j=0}^{n-1} \dfrac{m_1^j}{j!} & (m_2 \leqslant 0) \\ e^{-m_2} \sum_{j=0}^{n-1} \dfrac{m_2^j}{j!} & (m_2 > 0) \end{cases} \tag{1.80}$$

式中:Γ 为伽玛函数;n 为调算次数;K 为汇流时间参数;$m_1 = \dfrac{t}{K}$,$m_2 = \dfrac{t - t_K}{K}$,$t = 1$、2、3、$\cdots$,令 $t_K = 1$ 为选取的时段长。

单元面积的出流过程必须经过河道汇流演算到下一单元面积的出口断面。各河段的演算均采用马斯京根分段连续演算法,基本公式如下:

$$\begin{cases} P_{on} = C_0^n \\ P_{mn} = \sum_{i=1}^n B_i C_0^{n-i} C_2^{m-i} A^i & (m > 0, m - i \geqslant 0) \end{cases} \tag{1.81}$$

式中:P 为汇流系数;$A = C_1 + C_0 C_2$;$B = n! \; (m-1)! \; / [i! \; (i-1)! \; (n-i)! \; (m-i)!]$;$C_0 = (0.5\Delta t - Kx)/(K - Kx + 0.5\Delta t)$;$C_1 = (Kx + 0.5\Delta t)/(K - Kx + 0.5\Delta t)$;$C_2 = (K - Kx - 0.5\Delta t)/(K - Kx + 0.5\Delta t)$;$n$ 为分段数;m 为时段数;K、x 为马斯京根法参数;Δt 时段长。

水库调洪演算。只考虑大型水库及主要支流中型水库的演算,推求水库的出流过程及库水位过程,均采用蓄率中线法,基本公式为:

$$\frac{1}{2}(I_1 + I_2) + \left(\frac{V_1}{\Delta t} - \frac{Q_1}{2}\right) = \left(\frac{V_2}{\Delta t} + \frac{Q_2}{2}\right) \tag{1.82}$$

式中:I_1、I_2、Q_1、Q_2、V_1、V_2 分别为时段 Δt 始末入库、出库流量(m^3/s)及库容量(m^3)。

编程计算采用线性插值法,建立关系式:

$$\begin{cases} H = f\left(\dfrac{V}{\Delta t} \pm \dfrac{Q}{2}\right) \\ V = f(H) \\ Q_i = f(H) \end{cases} \tag{1.83}$$

式中:H 为库水位;Q_i 为各类泄流设施泄流量,m^3/s。

三花区间有天然滞洪区两处,即伊河、洛河的夹滩地区和沁河的沁北滞洪区。当伊河、洛河流量超过堤防防洪标准时,夹滩地区发生自然倒灌,甚至漫溢决口,洪水进入夹滩地区而后回归洛河。当沁河五龙口流量超过一定限度时,洪水自然漫入沁北天然滞洪区而后回归沁河。对滞洪区的洪水演算方法,分别采用马斯京根法及水库型调洪演算法。

赵卫民指出,作业水文预报中有三方面要素:资料、模型、经验。从实时水文预报的角度研究该问题的基本思路是,在现有或近期可望得到或实现的信息类型、时间频次、空间密度及量测、通信、计算手段等前提下,选择合适模型,利用概化方法,建立能解决黄河主要问题的预报方案或方法,并将其用于生产实践。

资料是作业预报中最重要的因素。生产中可得到的资料有:①人工报汛站实测降雨,除暴雨加报外,在三花间,降雨资料的频次为每 2h 报汛一次,其他地区为 6h 报汛一次;②遥测降雨资料,时间频次为每 1h 报汛一次;③河道水位、流量、含沙量;④水利工程水位、蓄量、进出库流量;⑤水利工程运行参数或调度命令;⑥流域地形资料,包括面积、长度、高程、比降等;⑦河道大断面资料,铁谢以下 108 个统测大断面,每年测两次,由此可得到各断面水位面积、水位水面宽、河底高程、滩面平均高程及河底比降等资料;⑧其他信息。

资料方面的突出问题是:①遥测降雨资料未能充分发挥作用;②仍不能有效监测、监视降雨;③河道形态(大断面)资料已成为制约河道洪水预报质量和水平的关键因素,但目前远得不到满足;④游荡性、宽浅河道的水文测验、报汛问题未能彻底解决;⑤与前项问题相关,流量、含沙量在过程方面的信息不充分,无法真正把握全貌;⑥降雨预报的精度不能保证。

黄河水文预报模型可分为三个层次:通用模型、专用模型、经验体系。通用水文预报模型(方案)共有三类,分别为降雨径流模型、河道洪水演进模型、相关模型。包括新安江模型、霍顿下渗模型、包夫顿下渗模型、坦克模型和降雨径流相关模型等。赵卫民等对通用模型在黄河三花间的适应性进行了分析,认为这些模型均不能适应黄河流域的情况,这主要有两方面原因:其一是这些模型没能较好地反映黄河三花间的产汇流规律,其二是基本资料不足。研究及应用的情况表明,霍顿下渗模型及坦克模型相对较为适用。

黄河的复杂性使得国内外通用模型在黄河流域的应用效果均不理想。同时黄河的一些特殊问题或关键问题必须予以考虑或处理,包括人类活动对产汇流规律的影响分析及处理、伊洛河夹滩地区影响分析及处理、黄河下游漫滩洪水处理、变动河床影响等。这些问题的处理方案构成了黄河洪水预报中的专用模型。

构建专用模型、解决黄河洪水预报的生产问题,离不开水文研究的基本方法:概化和假设。大部分水文问题极为复杂,不能奢望认识其全部细节。因此,如果想认识其某些方面,概化是必然的。

唐君壁等对黄河三花间中小水库群的影响进行了分析研究,提出了黄河三花间受中小水库群影响的洪水预报方法。中小水库一般只有集水面积、库容等基本资料,不可能对单个水库进行处理,而只能进行概化和综合。中小水库的泄水设备一般只有无闸门控制的溢洪口门,且口门较宽,当库水位超过溢洪堰顶时,上游来水全部下泄,水库基本不起作用。因此,本区中小水库对产汇流的影响主要是影响流域的产流面积并起拦蓄径流的作用,而调蓄作用一般较小。

显然,水库拦蓄作用的大小,不仅取决于防洪库容的大小,而且取决于水库的初始蓄水量。在久旱不雨之后和汛期第一场洪水到来前,水库基本无蓄水,所以拦蓄能力最大;

经历了一、二场洪水之后,拦蓄能力逐渐减小;几场洪水或较大洪水之后,水库已基本蓄满,此时的拦蓄能力就接近于零。

据调查分析,中小水库防洪库容 V_F 约为兴利库容 V_x 的 2/3,即:

$$V_F = \frac{2}{3} V_x \tag{1.84}$$

由此,可求得水库的拦蓄能力为:

$$R_i = V_F/A \tag{1.85}$$

式中:A 为水库的控制面积。

由于水库的拦蓄能力不同,再加上降雨时空分布的不均匀,在一次洪水过程中其蓄满、出流的时间顺序必然先后不一,即先蓄满的先出流,后蓄满的后出流,未蓄满的不出流,因此其出流量应分别计算。

为便于计算,选用融产汇流为一体的水箱模型。由水箱模型计算的单元面积的径流深 $R_{单}$ 及已确定的各个水库的拦蓄能力 R_i,来判断各水库是否蓄满,各区的出流相加即为单元面积的出流。其计算公式如下:

若 $\sum R_D(t) - R(i) \leqslant 0$,则 $q_k(i,t) = 0$。

若 $\sum R_D(t) - R(i) > 0$,则

当 $\sum R_D(t) - R(i) < R_D(t)$ 时,$q_k(i,t) = (\sum R_D(t) - R(i)) \cdot A_A(i)/(\Delta t \cdot 3.6)$;

当 $\sum R_D(t) - R(i) \geqslant R_D(t)$ 时,$q_k(i,t) = R_D(t) \cdot A_A(i)/(\Delta t \cdot 3.6)$。

式中:$\sum R_D(t)$ 为至 t 时段单元上累计的径流深;$R(i)$ 为单元面积上的第 i 个水库的拦蓄能力;$q_k(i,t)$ 为单元面积上的第 i 个水库 t 时段的出流量;$A_A(i)$ 为单元面积上的第 i 个水库的控制面积。

另外,单元面积上时段非水库控制区的出流量为:

$$q_F(t) = R_D(t) \cdot [A_F/(\Delta t \cdot 3.6)] \tag{1.86}$$

式中:A_F 为单元内非水库控制面积。

由此,可得出单元面积上的总出流量为:

$$q_D(t) = q_k(1,t) + q_k(2,t) + \cdots + q_k(n,t) + q_F(t) \tag{1.87}$$

冯相明对伊洛河夹滩地区决溢洪水的模拟方法进行了研究,将决溢洪水分为正常演进洪水和非正常演进洪水,同时根据洪水特性,分别进行模拟。冯相明提出了马斯京根法、经验槽蓄曲线法、水库调洪演算法等 3 种模拟方法。

赵卫民等对黄河下游洪水漫滩的机制进行了分析归纳,指出:

(1)漫滩洪水演进除受洪水特性的影响外,更重要的还受滩地及生产堤的影响。滩地和生产堤的影响分两方面:一是洪水漫滩以后,洪水的传播已不再是单一河道的洪水演进问题,而是类似河道、水库、河网或其复合体的行洪滞洪问题;二是滩地和生产堤的影响具有极大的不确定性。这主要与人工干预有关。

(2)由于生产堤的不连续性及其各段的防洪标准不一,其对滩区影响的外在形式是将滩区与大河隔开并将滩区本身分成众多闭合或非闭合的小区域,而对洪水演进的影响主

要表现为洪峰削减明显加大,洪水总量损失,洪水过程变形,洪峰传播时间大大加长。归纳起来大致有以下几种情形:①洪水进滩后顺大堤和生产堤行洪,然后再与大河洪水汇合;②洪水进滩后仅滞蓄一段时间,然后回归大河;③洪水滞留在滩区不能回归大河;④生产堤完全毁坏,大河与滩地连成一片。一场洪水可能在不同的河段出现不同的情形,也可能几种情形同时出现。

根据滩地及生产堤对洪水演进影响形式的分析,对洪水漫滩问题进行处理的可能途径是:①将每河段的滩地概化为一个水库,发生漫滩时,对进滩水流进行水库型调洪演算;②将水流在入流断面分为大河部分和滩地部分,分别进行演算,最后在出流断面叠加,以此来模拟洪水在滩地上顺堤或顺串沟行进的情形;③针对洪水以主槽演进为主,沿途漫滩并随时回归大河的情形,采用对河段中每块滩地分别进行处理的方法,洪水一边向下演进,一边沿途进滩调蓄;④对大洪水或特大洪水,大河与滩地连成一片的情形,采用单一河道洪水演进方法。以上述处理黄河下游漫滩洪水的方法为基础,形成了滩区水库、滩区河道、逐滩演算等漫滩洪水专用预报模型。这些专用模型是针对黄河下游漫滩洪水特点而制定的,虽然理论上不太严密,具有经验性,但生产上有相当的应用价值。

赵卫民、许珂燕利用一维水利学模型模拟黄河下游洪水进行了探索,特别对模拟中用到的大断面数目进行了试验研究,得出如下结论:

(1)对洪峰流量,除孙口站外,其他各站流量模拟结果与所用断面数目关系不大,洪峰流量的误差均在5%以内。而高村到孙口河段由于洪水漫滩及洪量损失,所用断面数目对孙口洪峰模拟结果的影响较大,从只有4个水文站断面资料误差的24.7%降为30个断面资料的4.19%,说明滩地影响相当大。因此,当滩地处理适当时,用4个水文站断面进行计算的洪峰流量可以满足要求。

(2)对洪峰水位,模拟结果随着断面数的增多,精度有显著提高。当只取4个水文站断面时,洪峰水位模拟误差在$0.5\sim1.0m$之间,当断面数增至15个时,误差降至0.5m以内。

(3)糙率是最重要的水力参数之一。但准确地确定糙率是困难的,特别是当洪水漫滩时,滩地的糙率变化范围较大。尽管如此,糙率的误差在演算中是衰减的。Fred博士在1987年曾以曼宁公式为基础,推导出糙率n的误差与水深误差及洪水流速误差间的关系如下:

$$\frac{d_e}{d} = \left(\frac{n_e}{n}\right)^{b'}, b' = \frac{3}{3m+5} \tag{1.88}$$

式中:d_e为与有误差的n_e相应的水深;d为与真值n对应的水深;m为断面形态系数,$m=0$为矩形,$m=0.5$为抛物线形,$m=1$为三角形。有滩地的河道,$1<m<3$;滩地越宽平,m越大。当有较宽滩地时,$m=2$,指数$b'=0.27$,若$n_e/n=1.5$,则$d_e/d=1.12$,表明误差是衰减的,即n的误差带来的水位误差并不十分大。洪水波波速为:

$$\frac{c_e}{c} = \left(\frac{n_e}{n}\right)^{\frac{2b}{3}-1} \tag{1.89}$$

若$n_e/n=1.5$,则$c_e/c=0.75$,表明误差的衰减有所减少。因此,糙率的误差对传播时间的影响比对水深的影响要大,但误差仍是衰减的。Fred还指出,虽然流量误差与糙率误差不成比例关系,但误差在传播过程中也是衰减的。

(4)需要特别指出的是,对于黄河下游河道,由于滩地及生产堤的存在,模拟结果对糙率的敏感程度大大降低。简言之,在现有通测大断面密度条件下(共 108 处断面)及现有测量频次下(每年汛前、汛后各测 1 次),不考虑泥沙影响,用一维水力学模型模拟黄河下游洪水演进,可以基本满足精度要求。

赵卫民指出,专用模型构架在通用模型和经验的基础之上。对问题的认识构成了专家经验。这些经验部分上升为处理方法或方案(即专用模型),部分只能在生产中临场发挥。而作业洪水预报的成败很大程度上取决于对问题的判断和经验的发挥。在作业预报中,经验发挥有举足轻重的作用。资料最重要,但资料往往是不完备或不充分的,同时带有误差。模型是基本手段和工具,但再好的模型也是实体的简化和概化,模型中充满了假设和前提条件。黄河作业洪水预报中最常遇到的困惑是判断不明、解释不清和无法处理,如本次洪水将何时漫滩?区间无加水为什么下站洪峰比上站大?生产堤溃决如何处理?等等。这些困惑来自基础理论不完备、资料不充分和模型不适用。基础理论不完备、资料不充分和模型不适用等不足需要经验去弥补。反过来,这些不足的存在又为发挥经验提供了充分空间。预报会商制度的确立说明了经验在洪水预报中的重要性和必要性。

经验具有不确定性、模糊性、非结构性等特征,同时在认识上基本处于现象和表层状态,且为个体行为,即经验的获取、提炼、上升、应用与个人的天赋及努力程度有极大的关系。经验及其应用也是判别预报员水平高低的标志。

1.2.7 小结

黄河水文问题的方面很多,本文涉及的主要是以产汇流机制为核心的黄河水文问题研究。可以看出,在所涉及到的领域内,一大批成果相当成熟,主要体现在如下几个方面:

(1)从不同的角度和侧面对黄河流域进行了经验性水文分区,而新技术的应用使更深入开展科学水文分区工作成为可能。

(2)通过实验站、试验小区试验及野外观察,黄河流域的产流方式、产流机制基本理清,各家的论述与辨析并没有本质上的矛盾,所有的仅是用语和诠释方式的不同。

(3)在水文学及相关学科研究人员共同努力下,产流或流域水循环的各环节得到了比较充分的论证。

(4)出现了一大批计算蒸散发、下渗、径流的经验公式,部分公式具有明显的物理概念或物理背景。

(5)各种类型土地利用的水文效应得到了深入研究。

(6)建立并投入应用了大量水文预报方案、预报模型和预报系统,水文预报工作全面开展。

(7)流域产沙、侵蚀、泥沙输移、水资源评价、水环境监测与保护、生态系统平衡与建设等方面均取得了重要成果。

1.3 本次研究主要成果及结论

本次在所选择的 8 处流域进行了不同时间和空间尺度的研究,研究的主要成果及结论如下：

(1)20世纪黄河源区(唐乃亥以上)降雨、径流无显著变化趋势,气温有升高趋势。气候因素对黄河源区年径流变化的影响程度为90%,人类活动等为10%,但90年代人类活动等因素(非气候因素)影响上升为33%,这种变化主要表现在玛曲以上区域;黄河源区径流主要来源为吉迈至玛曲区间,以33.7%的面积产生了55.7%的径流,支流白河以4.5%的面积产生了10%的径流,而黄河源头区(玛多以上)以17.2%的面积仅产生了3.4%的径流,对黄河源区径流总量影响十分微弱。

黄河源区指唐乃亥水文站以上区域,面积约12.2万 km^2,占整个黄河流域面积的15.3%,其径流量占整个黄河多年平均径流量的35.3%,是黄河流域重要的产流区。

黄河源区多年平均降水量为486mm,降水最多的年份为1967年,年降水量为621mm,最少的是1990年,降水量只有394mm。各年代降水均值在-6%～5%之间波动,持续多雨或少雨的时间一般不超过3年。自1956年至2000年间,黄河源区的面雨量没有增大或减小趋势。

黄河源区面平均气温在-1.687～0.151℃之间变化,多年面平均气温为-0.701℃。回归分析表明,黄河源区的气温有升高的趋势,升高的速率为每年0.005 1℃,即在1960～1997年的37年内上升了0.188 7℃。

唐乃亥水文站多年平均径流量平均为204.1亿 m^3,玛曲水文站为142.7亿 m^3。玛曲年径流量约为唐乃亥的70%,与控制面积比例(71%)基本相当,而黄河源头区(玛多以上)以17.2%的面积只产生了3.4%的径流。

黄河源区年径流的主要来源为吉迈至玛曲区间,以33.7%的面积产生了55.7%的径流。其中支流白河的流域面积为5 488 km^2,占整个源区面积的4.5%,其年径流占10%。

黄河源区多年平均径流系数为0.33,1956～1969年为0.32,70年代0.33,80年代0.37,90年代为0.28。

从径流模数上看,吉迈至玛曲区间高达8.31 $dm^3/(s·km^2)$,玛多至吉迈区间、玛曲至唐乃亥区间大致相当,分别为4.46 $dm^3/(s·km^2)$和4.91 $dm^3/(s·km^2)$,而玛多以上只有1.04 $dm^3/(s·km^2)$。径流模数最高的是沙柯曲,为13.32 $dm^3/(s·km^2)$,其次为白河,12.10 $dm^3/(s·km^2)$。

自1956年至1998年,黄河源区的径流系列虽然有一定的波动,但长期看来基本稳定,没有明显的减小痕迹。虽然20世纪80年代平均距平为18.2%,90年代为-17.3%,二者形成巨大反差,但同期降水距平分别为4.4%和-3.5%。因此,可以认为径流变化与降水变化基本同步,20世纪90年代出现的枯水系列是正常的,是水文现象周期性和波动性的反映。

从水资源角度来看,黄河源头区(玛多以上)所产生的径流占整个黄河源区径流的比重极为有限,其变化对河源区径流的影响可忽略不计,没有必要对源头区径流变化过分关注。

以黄河源区1956～1998年平均径流系列(唐乃亥)和相应面雨量系列进行相关分析,结果表明,黄河源区降雨径流关系较好,年径流与年降雨的回归相关系数为0.8,加入前期降雨,相关系数可提高到0.86,考虑蒸散发改正后,相关系数可提高到0.9。

因此,从长系列看,黄河源区径流的主要驱动力因子是降雨,可控制径流变化的80%,前期降雨、蒸发等可代表除降雨外的其他气候因子可控制径流变化的10%,而径流变化的不可控制因素只有10%,这部分因素包括人类活动影响及其他不明因素。

进行分年代研究的结果表明,分年代的降雨径流关系表现十分不同,20世纪90年代以前相关分析的效果较好,相关系数在0.9及其以上,但90年代的相关系数只有0.67,即用这种关系表示降雨径流关系的程度只达到67%,尚有33%的因素未能体现出来,其点据明显偏右,即相同的降雨产生的径流相对偏少。而这种影响主要表现在玛曲以上,玛曲至唐乃亥区间的关系在各年代间没有大的变化。

(2)皇甫川流域(沙圪堵以上)多年降雨、水面蒸发、径流、产沙量等均有减少趋势,但减少程度不同;6~9月集中了全年98%的产沙量、88%的径流量和77%的降雨量;年径流可由降雨表述的程度为80%,其中90年代降雨径流关系的点据明显偏左,即相同降雨产生的径流减少,年径流系数有逐年下降趋势;年产沙量可由年径流量表述的程度在90%以上,自60年代到90年代相同径流量产生的沙量有增加的趋势;次洪降雨径流关系不显著,雨强是影响次洪的主要因素。

(3)汾川河流域多年降雨、径流均有较明显的减少趋势,降雨的减少幅度大于径流;汾川河年径流可由年降雨表述的程度为80%,降雨径流关系较为稳定,无明显变化;对次洪而言,相同降雨量产生的洪水变化较大,主要取决于雨强。

(4)无定河支流小理河多年降雨、径流、产沙均有逐年减少的趋势,且减少程度基本一致;年径流可由年降雨表述的程度为66%,表明人类活动等因素对降雨径流关系的影响较大;相对而言,相同降雨90年代产生的径流量略大于其他年代;年产沙量可由年径流量表述的程度为90%以上;相同径流量,90年代产沙量高于70年代和80年代。

(5)泾河支流合水川多年降雨、径流、产沙均有逐年减少的趋势,但减少程度有所不同;年径流量可由年降雨量表述的程度为74%,降雨径流关系较为稳定;年产沙量可由年径流量表述的程度为80%,相对而言,相同径流量90年代产生的沙量较大。

(6)渭河支流黑河流域多年降雨、径流有逐年减少趋势;年径流量可由年降雨量表述的程度为90%以上,年径流系数为0.36;次洪径流量可由降雨量表述的程度为80%;次洪峰量关系密切,相关程度为85%;次降雨小于16mm时不产流。

(7)沁河飞岭至五龙口区间多年降雨、径流有较明显的减少趋势;年径流系数逐年减小的趋势显著;年径流量可由年降雨量表述的程度为80%;次洪洪量可由降雨量表述的程度为90%;年内发生洪水的次数逐年减少。

(8)伊洛河多年降雨、水面蒸发、径流均有逐年减少趋势;年径流量可由年降雨量表述的程度由50年代的93%下降为90年代的69%,平均值为78%,相同降雨量所产生的径流量逐年减少的趋势较明显;年、次洪径流系数逐年减小的趋势较明显;产生较大洪水的降雨阈值为100mm;汛初尖瘦洪水的出现表明超渗产流方式的存在;人类活动影响逐年增大。

(9)20世纪50年代以后,黄河流域年降雨、径流、产沙普遍呈现减少趋势,产沙量减少程度最大,其次是径流、降雨。这种减少程度的不同符合水文规律;水面蒸发有降低趋势;径流系数普遍减小;年内洪水次数减少;降雨、径流、产沙仍集中于汛期,但前二者的集中程度有所降低。

(10)典型流域分析表明,黄河流域年径流量可由年降雨量表述的程度一般在80%以上,在受人类活动影响较大的地区或时期,如无定河、三花间等,年径流量可由年降雨量表述的程度为60%～70%;中游主要产沙区如皇甫川、无定河、合水川等年产沙量可由年径流表述的程度在80%～90%以上;相对而言,相同的降雨、径流,90年代相应产生的径流、沙量减少。

(11)在年降雨量大、植被覆盖较好的地区,如渭河支流黑河、三花间等,次洪的降雨(量)径流关系相对较好,表明这些区域以蓄满产流为主,而在无法建立次洪降雨(量)径流关系的地区,降雨强度是次洪峰量的主要控制因素,表明这里的产流方式为超渗产流。

参 考 文 献

[1] 黄河水利委员会水文局.黄河水文志.郑州:河南人民出版社,1996

[2] 龚庆胜,马秀峰.应用主成分聚类进行黄河流域水文分区.见:干旱地区水文站网规划论文选集.郑州:河南科学技术出版社,1988

[3] 黄河水利委员会黄河中游治理局.黄河水土保持志.郑州:河南人民出版社,1993

[4] 赵人俊.赵人俊水文预报论文集.北京:水利电力出版社,1994

[5] 卞毓明,侯树雄,蒋得江.新安江－实时校正模型－龙羊峡水库入库洪水预报模型.人民黄河,1986(3)

[6] 党耀军,高宗强.山西省半干旱地区产流模型.见:全国水文预报与减灾学术讨论会论文选集.南京:河海大学出版社,1997

[7] 戴明英,张厚军.径流泥沙的成因分割估算模式.人民黄河,1998,20(7)

[8] 支俊峰.黄河流域冰期水面蒸发折算系数初步分析.人民黄河,1986(2)

[9] 钱云平,等.动水水面蒸发实验研究初探.人民黄河,1997,19(4)

[10] 李万义.影响水面蒸发精度的因素.人民黄河,1999,21(4)

[11] 李万义.巴彦高勒蒸发实验站蒸发器蒸发量与折算系数变化的分析.人民黄河,1997,19(7)

[12] 黄河水利委员会水文局.黄河水文志.郑州:河南人民出版社,1986

[13] 孟庆枚.黄土高原水土保持.郑州:黄河水利出版社,1996

[14] 陈先德.黄河水文.郑州:黄河水利出版社,1996

[15] 马秀峰.黄土产流与入渗参数的初步综合.见:干旱地区水文站网规划论文选集.郑州:河南科学技术出版社

[16] 芮孝芳.径流形成原理.南京:河海大学出版社,1991

[17] 赵人俊,王佩兰.子洲径流实验站产流产沙分析.人民黄河,1998(2)

[18] 刘贤赵,康绍忠.陕西王东沟小流域野外土壤入渗实验研究.人民黄河,1998,20(2)

[19] 李玉山.黄土区土壤水分循环及其对陆地水文循环的影响.生态学报,1983(2)

[20] 樊贵盛,王文焰.间歇入渗影响因素的大田试验研究.人民黄河,1993(4)

[21] 王文焰,张建丰.黄土的粒度组成与水分运动参数的相关性.见:动力水文实验研究.西安:陕西科学技术出版社,1991

[22] 白丹,李占斌,等.浑水入渗规律试验研究.土壤侵蚀与水土保持学报,1999(1)

[23] 郑粉莉,唐克丽,等.标准小区和大型坡面径流场径流泥沙监测方法分析.人民黄河,1994(7)

[24] 包为民.格林－安普特下渗曲线的改进和应用.人民黄河,1994(1)

[25] 于静洁,等.入渗曲线的拟合与单元产流.见:水量转化试验与技术分析.北京:科学出版社,1988

[26] 黄明斌,等.坡地单元降雨产流分析及平均入渗速率计算.土壤侵蚀与水土保持学报,1999(1)

[27] D·希勒尔.土壤物理学概论.尉庆丰译.西安:陕西人民出版社,1988

[28] 党耀军,高宗强.山西省半干旱地区产流模型.见:全国水文预报与减灾学术讨论会论文集.南京:河海大学出版社,1995

[29] 张科利.黄土坡面细沟侵蚀中的水流阻力规律研究.人民黄河,1998,20(8)

[30] 王云璋.河口镇—龙门区间80年代降雨特点及对水沙的影响.人民黄河,1994(12)

[31] 徐建华,李雪梅,等.延河流域水沙还原计算方法探讨.人民黄河,1997,19(8)

[32] 蒋定生,等.降水在凸-凹形坡上再分配规律初探.水土保持通报,1987(10)

[33] 贾志军,等.土壤含水率对坡耕地产流入渗影响的研究.中国水土保持,1987(9)

[34] 吴钦孝,等.森林集水区水文效应的研究.人民黄河,1994(12)

[35] 赵人俊.流域水文模拟——新安江模型与陕北模型.北京:水利电力出版社,1984

[36] 刘月兰,等.黄河下游河道冲淤计算.泥沙研究,1987(3)

[37] 赵人俊,王佩兰,胡凤彬.新安江模型的根据及模型参数与自然条件的关系.河海大学学报,1992,20(1)

[38] 陈赞廷,李若宏,等.黄河水文预报方案.人民黄河,1998,20(6)

[39] 赵卫民.黄河中下游洪水实时联机预报系统.见:全国水文预报与减灾学术讨论会论文选集.南京:河海大学出版社,1997

[40] 陈赞廷,李若宏,等.黄河水文气象预报技术与方法.见:陈先德.黄河水文.郑州:黄河水利出版社,1996

[41] 赵卫民.黄河洪水与洪水预报.见:黄河水文科技成果与论文选集(四).郑州:黄河水利出版社,2000

[42] 赵卫民,等.暴雨洪水情报预报系统的研究开发.见:崔家俊,等.黄河防洪防凌决策支持系统研究与开发.郑州:黄河水利出版社,1998

[43] 唐君壁,等.黄河三花间受中小水库群影响的洪水预报方法.见:黄河水文科技成果与论文选集(二).郑州:黄河水利出版社,1996

[44] 冯相明.伊洛夹滩地区决溢洪水的模拟方法.见:全国水文预报与减灾学术讨论会论文选集.南京:河海大学出版社,1997

[45] 赵卫民,许珂燕.黄河下游洪水演进与洪水预报.见:刘晓燕,等.科技治河.郑州:黄河水利出版社,1997

[46] 赵卫民,许珂燕.黄河下游洪水演进一维水力学模拟.见:全国水文预报与减灾学术讨论会论文选集.南京:河海大学出版社,1997

第2章　河源区

2.1　地理概况

2.1.1　流域及水系

黄河河源区(简称黄河源区、河源区、源区等)是指黄河唐乃亥水文站以上流域,位于东经 95°00′～103°30′、北纬 32°19′～36°08′之间,流域面积 12.20 万 km²。根据地理、气候、水文等特征,黄河源区可分为 3 段,即黄河源头区、黄河沿至玛曲区间和玛曲至唐乃亥区间,见图 2.1。

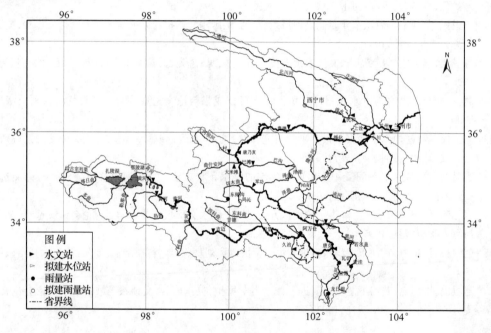

图 2.1　黄河源区站网分布图

黄河源区水系较为发达。据统计,集水面积大于 1 000km² 的一级支流有 23 条,大于3 000km² 的有 12 条,其中最大者为黑河,集水面积为 7 608km²,河长 455.9km,亦为支流之首。河源区流域及水系特征值见表 2.1。

黄河源头区指玛多以上地区,西有雅拉达泽山,东有阿尼玛卿山,北邻柴达木盆地,南以巴颜喀拉山为界。黄河源头区流域面积 2.1 万 km²,干流长 270km,河道比降为1.2‰。该区属于高寒气候区,地形相对低洼,排泄不畅,形成了大片的湖泊沼泽湿地。位于区内的扎陵湖和鄂陵湖面积达 1 136.8km²,扎陵湖平均水深 9m,鄂陵湖平均水深17.6m,两湖水面海拔 4 260m 以上,为我国海拔最高的淡水外泄湖。这里气候寒冷,无四季之分,只有冷暖之别,无绝对无霜期,属典型的高原大陆性气候,历年平均降水量为304.6mm,蒸发量为 1 367.6mm,历年平均气温为 -4.1℃,最低气温达 -53℃,大气含氧量为海平面的 60%,冰期长达近 7 个月,全年为取暖期。由于黄河源头区的气候条件和下垫面条件等因素,决定了该区的生态环境比较脆弱,植被分布以大面积高寒草原、高寒草甸草原及沼泽类草原为主。牧草地占土地面积 80% 以上。本河段河谷较宽,地势平缓,草滩广阔,滩丘相间,无明显分界,相对高差小,对径流的调蓄作用显著。

表 2.1 黄河河源区流域及水系特征

河名	水文站	集水面积(km²)	河长(km)
黄河	扎陵湖	18 428	206.1
黄河	黄河沿	20 930	270
黄河	吉迈	45 015	593
黄河	门堂	59 655	846
黄河	玛曲	86 059	1 181.6
黄河	军功	98 414	1 822.4
黄河	唐乃亥	121 972	1 552.4
一级支流(流域面积 3 000km² 以上)			
河名	入口处距黄河源距离(km)	集水面积(km²)	河长(km)
喀日曲	92	3 306	126.4
多曲	153	6 085	171.2
热曲	334	6 959	190.9
达日河	452	3 377	120.5
东科曲	784	3 443	155.4
白河	1 077	5 488	269.9
黑河	1 172	7 608	455.9
泽曲	1 333	4 756	232.9
切木曲	1 454	5 550	150.9
巴沟	1 517	4 232	142
曲什安河	1 521	5 787	201.8
大河坝河	1 552	3 986	165.3

玛多至玛曲区间,流域面积 6.5 万 km²,黄河流经山峡、丘陵、平原,右岸水系发育,最大的两条支流白河、黑河位于流域最南部,源头水系发达,中下游属平原、丘陵和沼泽地带,植被较好,蓄水能力强,是黄河上游的主要产流区,区间多年平均降水量在 300～874mm 之间,多年径流量 140 亿 m³,素有"黄河上游蓄水池"的美称。

玛曲至唐乃亥区间,流域面积 3.6 万 km²,河道切割较深,地形复杂,水系较发达,右岸的切木曲、曲什安河发源于阿尼玛卿冰川,冰川面积约 192km²,每年融雪量约 3.5 亿 m³。区间植被较差,多年平均降水量在 250～620mm 之间,多年径流量 57.2 亿 m³。

2.1.2 地质地貌

黄河河源区大地构造属巴颜喀拉华力西—印支褶皱系,从海拔 6 282m 的阿尼玛卿主峰玛卿岗日至海拔2 665m的同德盆地黄河谷底,相对高差达3 617m,但大部分地段的平均海拔仍在4 000m左右。其中,大致以阿尼玛卿山玛积雪山为界,以上地段总的地貌特点是地势高亢,地形开阔坦荡,高原面保留完整,起伏平缓,山体相对高差小,河流切割作用微弱,河床比降小,平均仅为1.38‰~2.3‰,呈现出低山、宽谷和湖盆地貌;以下地段河流切割作用强烈,形成高山峡谷,高原原始地貌表面形态已不存在。

河源地势高亢,深居内陆,冰川发育,寒冷干燥,植被稀少,土层浅薄,山体裸露,冻裂冰融现象普遍。黄河河源分布的地层主要是三叠系巴颜喀拉群砂岩、板岩。

第三系砖红色砂砾岩,黏土岩和早更新世湖相沉积物、全新世的冲积物、残坡积物。前者形成的地形坡度相对较陡,后者形成的地形坡度相对平缓。巴颜喀拉群砂岩、板岩地层区的植被较好,岩石裸露率低,水土流失不太严重。

黄河河源区第三系地层下部为一套砾岩和巨砾岩夹粗砂岩,上部主要为砂泥岩沉积,砂泥岩中多发育有平行层理和水平层理,顶部为紫红色泥岩。该地层区植被较少,岩石裸露易吸热,吸热后岩石不均匀膨胀,发生物理、化学风化。其上又主要发育紫色土,土层较薄,土壤熟度低,水源涵养能力也低,容易造成暴雨径流加速汇集,因此水土极易流失。另外,由于高原的不断隆升,造成早期湖底大面积暴露。河源区大面积分布的沉积物属早更新世湖相沉积物,岩性为一套浅黄色砾石层、含砾砂土层及亚沙土组合。其成岩度低,固结程度差,在地表流水、风力作用下极易造成水土流失。全新世的冲积物、残坡积物中由于含有沙金,近年来成为人工开采的对象,从而加剧了河源的水土流失。

2.1.3　气候

黄河源区在气候区划上属于青藏高原亚寒带的那曲果洛半湿润区,气温分布呈现东南高西北低的总趋势,具有典型的内陆高原气候特征,终年寒冷,四季不分,辐射强烈,光照资源丰富,有多风、缺氧、日温差大、自然灾害频繁等特点。

黄河源区年平均气温-4~2℃,大部分地区年均气温低于0℃,即使最温暖的7~8月间气温也很少能超过10.0℃,年平均气温比北半球同纬度地区低得多。河源区太阳辐射总量在6 200MJ/m²左右,年日照时数在2 800h左右,大部分地区大于2 400h,太阳辐射和日照时数都远大于我国东部同纬度地区。年湿润系数在0.5~0.75之间,属半湿润地区;区域年蒸发量平均在600mm以上,蒸发量由东南向西北、从低海拔到高海拔呈增加趋势,玉树州大部以及班玛、沱沱河等地在700mm以上,果洛州大部及五道梁等地低于700mm;清水河和野牛沟蒸发量最低,仅604mm。

黄河源区气象灾害类型多,发生频繁。常见的有雪灾、大风、干旱和冰雹等。雪灾多发于10月~翌年3月间。干旱多发于4~8月间,以4~5月发生严重干旱的频率最高。大风指瞬时风速在17.0m/s以上,曲玛莱、治多、玛多和玛沁等地年均大风日数30~115天,最大风速可达28.0m/s。

2.1.4　降水

黄河源区的水汽主要来源于印度洋孟加拉湾上空的西南暖湿气流,其次是由太平洋副热带高压和东南沿海台风输送来的暖湿气流。但源区深居内陆,由太平洋副热带高压和东南沿海台风输送来的暖湿气流进入源区后,均已成强弩之末,含量甚微,影响较小。

黄河源区由于离孟加拉湾较近,受西南季风影响较明显,这一带低涡和切变活动比较频繁,同时地形由东南向西北升高,有利于气流的抬升,使这里的降水量较多。分布规律大致为由东南向西北递减。年降水量在 249.8(唐乃亥)～748mm(久治)之间,河南—大武—杂多一线以南绝大部分在 500mm 以上,为降水高值区,沱沱河—五道梁—玛多—兴海一带在 300mm 左右,为降水低值区。黄河源区主要站多年平均降水量见表 2.2。

表 2.2　黄河源区主要站多年平均降水量

站名	降水量(mm)	站名	降水量(mm)
唐乃亥	249.8	门堂	561
久治	748	吉迈	538.5
玛曲	591.5	黄河沿	304.6

河源区降水量年内变化较大,降水主要集中在 6～9 月,占全年的 75%～90% 以上,冬季降水量极少,11 月～翌年 3 月,仅为年降水量的 1%～2%,其余月份(4 月、5 月、10 月)降水量为年降水总量的 10%～20%。降水年际变化不大,年最大值与最小值之比一般在 1.5～3 之间,C_v 一般在 0.15～0.20 之间。

河源区的降水多以强连阴雨的形式出现,雨量多,雨日多,降水历时长(10～30 天),强度小(一般不超过 50mm/d),笼罩面积大(10 万～20 万 km²),分布较均匀。如 1981 年 8 月中旬至 9 月上旬,连续降雨约一个月,150mm 的雨区面积 11.6 万 km²,暴雨中心久治自 8 月 13 日至 9 月 13 日共降雨 313mm,其中仅有一天雨量达 43mm,其余日雨量均小于 25mm。

2.1.5　水文分区及水文特征

根据龚庆胜和马秀峰的划分,黄河源区的白河、黑河属湿润地区的沼泽丘陵草地子区,其他部分属过渡区的河源子区,二者的基本水文及气候特征见表 2.3。

表 2.3　黄河源区水文分区指标

区域	主区	子区	降水量(mm)	水面蒸发(mm)	径流深(mm)	输沙模数(t/(km²·a))	气温(℃)	干燥度
黑河、白河流域	湿润区	沼泽丘陵草地区	700～750	700～800	250～300	<100	1～3	1.0～1.07
其他	过渡区	河源区	300～650	700～900	100～300	<150	−4～7	1.2～2.7

河源区流域面积广阔,区内多湖泊、沼泽,源远流长,流域调蓄作用大,加上降水特点是历时长、面积广、强度小,所以形成的洪水特点是峰低、量大、含沙量小,洪峰矮胖,洪水过程涨落缓慢。

黄河河源区流域面积占整个黄河流域面积的 15.3%,最大年径流量 328 亿 m³,最小径流量 133.4 亿 m³,多年平均径流量为 203 亿 m³,6～10 月总径流量约占年径流量的 70%。源区径流量占整个黄河多年平均径流量的 35.3%,是黄河流域重要的产流区。

唐乃亥水文站历年最大流量 5 450m³/s(1981 年 9 月 13 日),最小流量 79.9m³/s。

2.1.6　人类活动

黄河河源区虽属高寒地区,但人类活动仍十分频繁,直接或间接影响了区域的水文情态及水文规律。这些活动主要包括:

(1)放牧。过度放牧既破坏土壤植被,又破坏土壤的表层结构,使降雨在地表的分配发生变化,并通过对蒸散发影响流域水量平衡。

(2)采矿。河源区的主要采矿活动是开采沙金。大量开采沙金一方面破坏了地貌,改造了地表径流路径,使地表植被严重受损,增加了岩石的裸露程度,在地表径流和风力的作用下,水土流失强度增加。另一方面在采矿过程中人为地不间断地用高压水流冲洗砂砾石,直接增加了河流中的泥沙,相当于延长了河源地表径流的时间,而且用水流冲洗砂砾石的水流强度远大于降雨强度,它造成的水土流失强度远大于降雨造成的水土流失强度。两者共同作用导致河源区产生大量含有泥沙的地表水进入黄河,淤积后,河床升高,泄洪能力下降。

(3)小水电工程建设。小水电工程包括引水渠系及小型水电站。二者均直接从河流中取水,一方面影响水文测验精度,另一方面给水量平衡分析造成困难。

2.1.7　气象水文站网

据统计,黄河源区现有气象站 11 处,分别为兴海、同德、泽库、玛多、中心站、果洛、达日、河南、久治、玛曲和若尔盖。各站详情见表 2.4。

表 2.4　黄河源区气象站情况

站名	省名	东经	北纬	海拔(m)	分类	起始年月
兴海	青海	99°59′	35°35′	3 323.2	基准站	1960.1
同德	青海	100°39′	35°16′	3 289.4	基本站	1954.2
泽库	青海	101°28′	35°02′	3 662.8	一般站	1957.1
玛多	青海	98°13′	34°55′	4 272.3	基本站	1953.1
中心站	青海	99°12′	34°16′	4 211.1	基本站	1959.9
果洛	青海	100°15′	34°28′	3 719.0	基本站	1991.1
达日	青海	99°39′	33°45′	3 967.5	基准站	1956.1
河南	青海	101°36′	34°44′	3 500.0	基准站	1959.5
久治	青海	101°29′	33°26′	3 628.5	基本站	1958.1
若尔盖	四川	102°58′	33°35′	3 439.6	基本站	1957.1
玛曲	甘肃	102°05′	34°00′	3 471.4	基本站	1967.1

黄河河源区现有水文站 14 处,分别是黄河干流黄河沿站、吉迈站、门堂站、玛曲站、军功站和唐乃亥站,支流热曲黄河站、黑河大水站及若尔盖站、白河唐克站和沙柯曲久治站、巴沟巴滩站、曲什安河大米滩站和大河坝河上村站。各水文站的详情见表 2.5。

表 2.5　黄河源区水文站一览表

河名	站名	经度	纬度	归属
黄河	黄河沿	98°10′	34°53′	黄委
黄河	吉迈	99°39′	33°46′	黄委
黄河	门堂	101°03′	33°46′	黄委
黄河	玛曲	102°05′	33°58′	黄委
黄河	军功	100°39′	34°42′	黄委
黄河	唐乃亥	100°09′	35°30′	黄委
热曲	黄河	98°16′	34°36′	黄委
沙柯曲	久治	101°30′	33°26′	黄委
白河	唐克	102°28′	33°25′	黄委
黑河	若尔盖	102°56′	33°35′	四川
黑河	大水	102°16′	33°59′	黄委
巴沟	巴滩	100°33′	35°15′	青海
曲什安河	大米滩	100°14′	35°19′	青海
大河坝河	上村	100°08′	35°30′	青海

黄河源区的气象站观测降水、气压、温度、湿度、太阳辐射、风、蒸发等,水文站观测降水、流量、水位、含沙量、温度、蒸发、冰凌等。除上述气象站、水文站观测降水外,另有若干委托雨量站观测降水。

2.2　径流空间变化

黄河源区干流共有鄂陵湖、黄河沿、吉迈、门堂、玛曲、军功、唐乃亥 7 处水文站,由于鄂陵湖、门堂、军功三站的资料系列较短,代表性不足,仅依据黄河沿、吉迈、玛曲、唐乃亥 4 站进行径流空间特征分析。各站资料系列见表 2.6。

表 2.6　黄河源区干流各站资料系列

站名	资料系列
鄂陵湖	1991～1999
黄河沿	1956～1968,1976～2000
吉迈	1958～1989,1990～2000
门堂	1990～1995,1998
玛曲	1960～2000
军功	1990～2000
唐乃亥	1956～2000

黄河源区各站控制面积及区间面积、年径流特征见表 2.7、表 2.8。由表可知,黄河源

区年径流的主要来源为吉迈至玛曲区间,以33.7%的面积产生了52.7%的径流。而黄河源头区(玛多以上),以17.2%的面积只产生了3.4%的径流。

表2.7 黄河源区各站控制面积及径流特征

站名	控制面积(km^2)	面积所占比例	年径流量(亿 m^3)	径流所占比例	径流模数($dm^3/(s\cdot km^2)$)
玛多	20 930	0.172	6.89	0.034	1.04
吉迈	45 015	0.369	40.73	0.200	2.87
玛曲	86 059	0.706	148.29	0.727	5.46
唐乃亥	121 972	1.000	203.93	1.000	5.30

表2.8 黄河源区各站区间面积及径流特征

区间	区间面积(km^2)	面积所占比例	区间径流量(亿 m^3)	径流所占比例	径流模数($dm^3/(s\cdot km^2)$)
玛多以上	20 930	0.172	6.89	0.034	1.04
玛多至吉迈	24 085	0.197	33.84	0.166	4.46
吉迈至玛曲	41 044	0.337	107.56	0.527	8.31
玛曲至唐乃亥	35 913	0.294	55.64	0.273	4.91

从径流模数上看,吉迈至玛曲区间高达 $8.31dm^3/(s\cdot km^2)$,玛多至吉迈区间、玛曲至唐乃亥区间大致相当,分别为 $4.46dm^3/(s\cdot km^2)$ 和 $4.91dm^3/(s\cdot km^2)$,而玛多以上只有 $1.04dm^3/(s\cdot km^2)$。

从产流模数上看,吉迈至玛曲区间高达 26.21 万 $m^3/(a\cdot km^2)$,黄河沿至吉迈区间、玛曲至唐乃亥区间大致相当,分别为 14.05 万 $m^3/(a\cdot km^2)$ 和 15.49 万 $m^3/(a\cdot km^2)$,而黄河沿以上只有 3.29 万 $m^3/(a\cdot km^2)$。

自 20 世纪 80 年代以来,黄委水文局陆续在黄河源区支流热曲、沙柯曲、白河、黑河设立黄河沿、久治、唐克和大水水文站,并进行系列水文观测。虽然各站资料系列不一致,但分析结果表明,该 4 站径流量之和占河源区径流总量的 22% 左右,资料系列不一致的影响为 1 个百分点。支流各站多年平均径流量见表2.9。

表2.9 黄河源区主要支流多年平均径流量

河名	站名	面积(km^2)	资料系列	径流量(亿 m^3)	径流模数($dm^3/(s\cdot km^2)$)	说明
热曲	黄河	6 596	1981,1991~2000	5.43	2.61	玛多至吉迈区间
沙柯曲	久治	1 597	1980~1981,1988~2002	6.71	13.32	吉迈至玛曲区间
白河	唐克	5 488	1981~2002	20.95	12.10	
黑河	大水	7 608	1984~2002	10.36	4.32	

由表 2.9 可以看出,支流白河的流域面积为 5 488km^2,只占整个源区面积的 4.5%,其年径流却占 10%,其径流模数高达 12.10dm^3/(s·km^2)。径流模数最高的是沙柯曲,为 13.32dm^3/(s·km^2)。由于纬度最低而导致的气温高、降雨量大是造成该二河流径流模数大的主要原因。

总而言之,从水资源角度来看,黄河源头区(黄河沿以上)所产生的径流占整个黄河源区径流的比重极为有限,其变化对河源区径流的影响可忽略不计,没有必要对源头区径流变化过分关注。

2.3 水文特征长期演变规律

2.3.1 降雨演变

选取 1956～2000 年黄河源区 23 处雨量站的年降水资料,利用等雨量线法计算逐年面平均雨量系列,结果列于表 2.10 和图 2.2。源头至玛曲区间采用了 10 处雨量站,玛曲至唐乃亥区间为 13 处,整个河源区的平均雨量由两个分区的面积加权平均计算而得。结果表明,多年平均降雨量源头至玛曲区间为 514mm,玛曲至唐乃亥区间为 432mm。黄河源区多年平均年降雨量为 486mm,降雨最多的年份为 1967 年,年雨量为 621mm,最少的是 1990 年,年雨量只有 394mm。

表 2.10 黄河源区历年面平均雨量　　　　　　　　　　　　　(单位:mm)

年份	源头至玛曲	玛曲至唐乃亥	源头至唐乃亥
1956	459	323	412
1957	461	392	438
1958	572	490	544
1959	462	432	452
1960	496	396	462
1961	601	490	563
1962	422	367	403
1963	524	431	492
1964	544	498	528
1965	445	358	415
1966	564	427	517
1967	628	608	621
1968	566	447	525
1969	446	384	424
1970	428	377	410
1971	521	506	516
1972	470	425	455
1973	502	412	471
1974	489	454	477
1975	617	511	581
1976	518	493	509

年份	源头至玛曲	玛曲至唐乃亥	源头至唐乃亥
1977	453	353	419
1978	528	446	499
1979	533	409	490
1980	511	368	462
1981	650	505	600
1982	515	417	481
1983	537	527	534
1984	563	428	517
1985	550	464	520
1986	483	415	460
1987	463	414	446
1988	468	419	451
1989	632	564	609
1990	407	369	394
1991	496	360	449
1992	543	471	519
1993	517	403	478
1994	510	425	481
1995	517	423	485
1996	485	396	454
1997	474	435	460
1998	573	407	516
1999	549	472	522
2000	455	318	408
多年平均	514	432	486

由图 2.2 和表 2.10 可以看出,无论黄河源头至玛曲区间还是玛曲至唐乃亥区间,其面平均雨量虽逐年变化,但显示出的变化趋势非常轻微。源头至玛曲区间面雨量有轻微上升(每年约 0.17mm),玛曲至唐乃亥区间面雨量轻微下降(每年约 0.25mm),而整个区间的面雨量几乎没有任何变化趋势。

从分区上来看,黄河源头至玛曲区间年降雨量大于玛曲至唐乃亥区间,幅度在 10～126mm 之间,平均为 82mm。这种差异可以由水汽来源、地貌特征等得到解释。由图 2.3 可以看出,两个区域之间降雨的差别有极轻微的上升趋势。回归分析显示,上升的趋势约为 0.43mm,只占差值均值(82mm)的 0.5%,完全可以忽略。

由图 2.2 还可看出,黄河源区两个分区的面平均降雨量波动趋势一致,从另一个侧面说明了黄河源头区的降雨基本特征:笼罩面积大、持续时间长、强度不大等。

尽管从长系列看黄河源区降雨没有明显的变化趋势,但可以根据其围绕均值的波动来划分多雨期和少雨期。整个源区降雨距平见表 2.11 及图 2.4。可以看出,黄河源区降

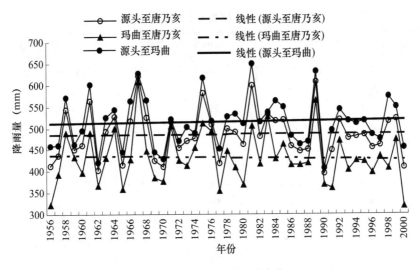

图 2.2　黄河源区面雨量变化

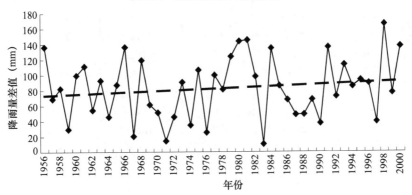

图 2.3　黄河源区玛曲上下降雨量差值

雨的波动性较大,持续多雨或少雨的时间一般不超过 3 年,但 1993～1997 年连续 5 年出现负距平。

表 2.11　黄河源区年降雨距平

年份	河源至玛曲		玛曲至唐乃亥		源头至唐乃亥	
	距平(mm)	距平百分比(%)	距平(mm)	距平百分比(%)	距平(mm)	距平百分比(%)
1956	－55	－10.8	－109	－25.3	－74	－15.2
1957	－53	－10.3	－39	－9.1	－48	－9.9
1958	58	11.2	58	13.4	58	11.9
1959	－52	－10.2	1	0.1	－34	－7.0
1960	－18	－3.6	－35	－8.2	－24	－5.0
1961	87	16.8	58	13.4	77	15.8
1962	－93	－18.0	－65	－15.0	－83	－17.1
1963	10	1.9	0	－0.1	6	1.3

年份	河源至玛曲		玛曲至唐乃亥		源头至唐乃亥	
	距平(mm)	距平百分比(%)	距平(mm)	距平百分比(%)	距平(mm)	距平百分比(%)
1964	30	5.7	66	15.4	42	8.7
1965	−70	−13.5	−74	−17.2	−71	−14.6
1966	49	9.6	−4	−1.0	31	6.3
1967	114	22.1	176	40.7	135	27.8
1968	51	10.0	15	3.4	39	8.0
1969	−69	−13.4	−48	−11.0	−61	−12.6
1970	−87	−16.8	−55	−12.8	−76	−15.6
1971	6	1.2	74	17.2	30	6.1
1972	−44	−8.5	−7	−1.6	−31	−6.4
1973	−12	−2.3	−20	−4.6	−15	−3.0
1974	−25	−4.9	22	5.2	−9	−1.8
1975	103	20.0	79	18.3	95	19.5
1976	4	0.7	61	14.1	23	4.8
1977	−61	−11.9	−78	−18.2	−67	−13.8
1978	13	2.6	14	3.3	14	2.8
1979	19	3.6	−23	−5.3	4	0.9
1980	−3	−0.6	−64	−14.8	−24	−4.9
1981	136	26.4	73	16.9	114	23.5
1982	0	0.1	−15	−3.5	−5	−1.0
1983	23	4.4	95	22.0	48	9.8
1984	49	9.5	−3	−0.8	31	6.4
1985	35	6.9	32	7.4	34	7.0
1986	−31	−6.1	−17	−3.8	−26	−5.4
1987	−52	−10.1	−18	−4.1	−40	−8.2
1988	−46	−9.0	−12	−2.8	−34	−7.1
1989	118	22.9	132	30.6	123	25.2
1990	−108	−21.0	−62	−14.5	−92	−19.0
1991	−19	−3.6	−72	−16.7	−37	−7.7
1992	29	5.6	40	9.2	33	6.7
1993	2	0.4	−28	−6.6	−8	−1.7
1994	−4	−0.8	−6	−1.5	−5	−1.0
1995	3	0.5	−8	−1.9	−1	−0.2
1996	−29	−5.7	−36	−8.3	−31	−6.5
1997	−40	−7.9	3	0.7	−25	−5.2
1998	59	11.4	−24	−5.6	30	6.2
1999	34	6.6	40	9.3	36	7.5
2000	−59	−11.5	−114	−26.3	−78	−16.1

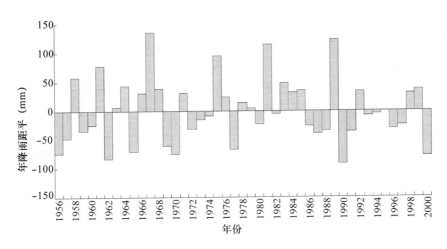

图 2.4 黄河源区年降雨距平

分年代统计分析结果见表 2.12,可以看出,黄河源区降雨各年代距平百分比在 −6%～5% 之间波动,变幅不大。

表 2.12 黄河源区降雨各年代距平

年代	玛曲以上			玛曲至唐乃亥			唐乃亥以上		
	年代均值 (mm)	距平 (mm)	距平百分比(%)	年代均值 (mm)	距平 (mm)	距平百分比(%)	年代均值 (mm)	距平 (mm)	距平百分比(%)
1956～1969	513	−1.5	−0.3	432	−1	−0.2	485	−1	−0.2
70	506	−8.5	−1.7	438	6	1.4	483	−4	−0.8
80	537	22.5	4.4	452	20	4.6	508	22	4.4
90	502	−12.5	−2.4	407	−25	−5.8	470	−17	−3.5

2.3.2 气温演变

选取黄河源区资料系列相对一致的 8 处气象站进行气温演变规律分析。这里采用简单算术平均法,即用 8 站的平均气温代表黄河源区的平均气温。8 处气象站分别为兴海、中心站达日、玛多、同德、河南、久治和若尔盖,各站基本情况见表 2.4,资料系列为 1960～1997 年。计算结果见表 2.13 和图 2.5。

表 2.13 黄河源区部分气象站多年平均气温 （单位:℃）

年份	同德	中心站	河南	久治	若尔盖	兴海	达日	玛多	平均
1960	0.447	−3.116	1.329	0.359	0.986	0.888	−0.977	−3.365	−0.431
1961	0.197	−3.300	1.110	0.159	1.175	0.500	−0.884	−3.919	−0.620
1962	−0.069	−4.030	0.445	−0.447	0.435	0.241	−1.736	−4.287	−1.181
1963	−0.048	−4.385	0.535	−0.487	0.337	0.620	−1.765	−4.284	−1.185
1964	0.346	−2.954	1.410	0.672	1.371	0.622	−0.605	−3.486	−0.328
1965	−0.328	−4.684	0.465	−0.422	0.121	0.495	−2.223	−5.446	−1.503

年份	同德	中心站	河南	久治	若尔盖	兴海	达日	玛多	平均
1966	0.424	−3.179	1.183	0.344	0.847	1.355	−0.820	−3.772	−0.452
1967	−0.252	−4.191	0.861	0.022	0.847	0.321	−1.504	−4.602	−1.062
1968	−0.051	−4.068	0.812	−0.305	0.424	0.727	−1.495	−4.075	−1.004
1969	1.082	−3.057	1.614	0.515	0.942	1.532	−0.558	−3.414	−0.168
1970	−0.133	−3.921	0.823	−0.103	0.354	0.400	−1.505	−4.395	−1.060
1971	0.480	−4.731	0.876	−0.192	0.310	1.438	−1.976	−4.332	−1.016
1972	0.952	−2.825	1.734	0.443	1.108	1.869	−0.528	−2.766	−0.002
1973	0.653	−3.498	1.410	0.195	1.020	1.498	−0.988	−3.628	−0.417
1974	0.317	−3.550	1.714	1.048	1.469	1.072	−0.216	−4.201	−0.293
1975	0.540	−3.814	1.502	0.634	1.225	1.023	−0.911	−4.647	−0.556
1976	−0.019	−3.528	0.930	0.030	0.381	0.517	−1.085	−3.879	−0.832
1977	−0.361	−4.295	0.631	−0.187	0.168	0.506	−1.703	−5.339	−1.323
1978	0.461	−4.445	1.262	0.181	0.850	1.380	−1.452	−4.939	−0.838
1979	0.576	−3.537	1.512	0.460	1.093	1.613	−1.316	−3.858	−0.432
1980	0.175	−3.477	1.422	0.443	1.012	1.519	−1.021	−3.655	−0.448
1981	0.921	−3.357	−0.392	0.773	1.444	2.021	−0.528	−3.128	−0.281
1982	0.101	−3.924	−1.026	0.153	0.627	1.060	−1.148	−4.134	−1.036
1983	−0.554	−5.264	−1.678	−0.014	0.381	0.460	−1.816	−5.014	−1.687
1984	0.410	−2.932	−0.624	1.068	1.392	1.243	−0.130	−3.312	−0.361
1985	0.236	−4.153	−1.006	0.500	0.809	1.321	−1.285	−5.190	−1.096
1986	0.072	−4.021	−1.009	0.469	0.613	0.796	−1.210	−4.750	−1.130
1987	0.942	−3.169	−0.427	1.038	1.196	1.816	−0.532	−3.242	−0.297
1988	1.266	−2.567	−0.027	1.454	1.547	2.118	0.105	−2.685	0.151
1989	0.582	−3.453	−0.367	0.638	0.904	1.255	−0.575	−3.618	−0.579
1990	0.679	−4.132	−0.563	0.645	1.130	1.682	−1.015	−3.921	−0.687
1991	0.841	−3.391	−0.404	1.012	1.187	1.773	−0.543	−2.882	−0.301
1992	−0.088	−4.723	−0.980	0.102	0.600	1.055	−1.457	−4.195	−1.211
1993	0.397	−4.256	−0.233	0.638	1.217	1.553	−1.130	−3.630	−0.681
1994	1.047	−3.228	−0.446	1.023	1.614	1.983	−0.524	−3.076	−0.201
1995	0.382	−4.066	−0.791	0.768	1.277	1.307	−0.977	−3.661	−0.720
1996	0.771	−3.454	−0.311	0.981	1.387	1.864	−0.363	−3.410	−0.317
1997	0.196	−5.141	−1.018	0.172	0.726	1.396	0.035	−4.658	−1.036
多年平均	0.358	−3.785	0.323	0.389	0.909	1.180	−1.009	−3.968	−0.701

计算结果表明,黄河源区面平均气温在−1.687~0.151℃之间变化,多年面平均气温为−0.701℃。

回归分析表明,黄河源区的气温有升高的趋势(见图 2.5),升高的速率为每年

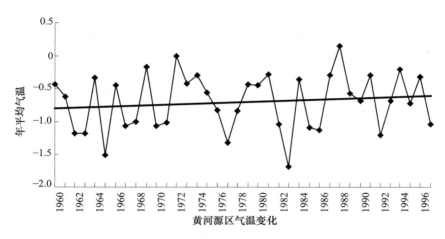

黄河源区气温变化

图 2-5　黄河源区气温变化

0.005 1℃,即在 1960～1997 年的 37 年内上升了 0.188 7℃。由于温度的上升将导致一系列的后果,其中有许多尚难以预料,故应给予高度重视。

分年代气温变化分析表明,黄河源区气温有逐步升高的趋势。20 世纪 60 年代的平均气温为 -0.793℃,到 90 年代升高至 -0.641℃,升幅为 0.152℃。详见表 2.14。

表 2.14　黄河源区各年代气温变化

年代	平均气温(℃)
60	-0.793
70	-0.677
80	-0.676
1990～1997	-0.641

2.3.3　径流演变

黄河源区径流以唐乃亥水文站为控制站,1956～1998 年该站年径流过程见表 2.15 及图 2.6。

表 2.15　黄河源区年径流过程　　　　　　　　　　（单位:亿 m³）

年份	唐乃亥	玛曲	年份	唐乃亥	玛曲
1956	133.4		1965	178.8	132.5
1957	155		1966	226.2	176.5
1958	201		1967	311.1	201.9
1959	156.9		1968	256.1	176.4
1960	163	117.1	1969	154.1	108.3
1961	224	158.7	1970	143	102.9
1962	184	137	1971	185.6	127.7
1963	237.5	181.3	1972	201.9	141
1964	227.8	154.8	1973	179	133.5

年份	唐乃亥	玛曲	年份	唐乃亥	玛曲
1974	187,7	133	1987	177	122.6
1975	309.7	219.7	1988	165	120
1976	268.3	189	1989	327.7	223
1977	164	119	1990	168.6	133.2
1978	194		1991	147.1	108.9
1979	206		1992	200	138.4
1980	189		1993	218	169.8
1981	297		1994	162	119.7
1982	282		1995	156	112
1983	315		1996	140.1	95.95
1984	240		1997	142.9	94.08
1985	221		1998	183	132.9
1986	199		平均	204.1	142.7

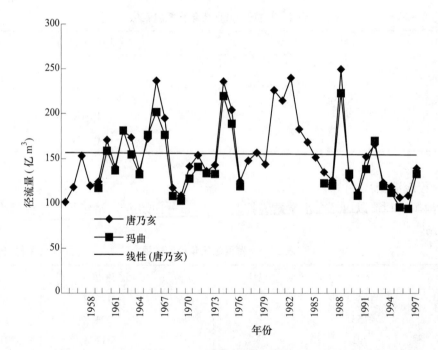

图 2.6　黄河源区径流变化

　　分析结果表明,唐乃亥水文站年径流量自 1956～1998 年在 133.4 亿～327.7 亿 m^3 之间变化,多年平均为 204.1 亿 m^3,折合 155.4mm。年径流最大值与最小值分别出现在 1956 年和 1989 年。

　　由图 2.6 可以看出,黄河源区的径流系列虽然有一定的波动,但长期看来基本稳定,没有明显的减小痕迹。由图中可以看出,黄河源区的径流系列有一定的周期性,20 世纪

90 年代出现的枯水系列是正常的,是水文现象周期性和波动性的反映。

由图 2.6 还可看出,玛曲水文站的径流变化趋势与唐乃亥水文站的变化趋势完全一致,即同时处于丰水期或枯水期。

玛曲水文站控制面积为 86 059km²,约占整个源区面积(121 972km²)的 71%,其多年平均径流量为 142.7 亿 m³,占唐乃亥平均径流量的 70%,基本与面积比例相当。考虑到玛曲的资料系列相对较短(自 1960 年起)且不连续(1978～1986 年无资料),取唐乃亥站同期资料统计结果(199.6 亿 m³),该比例为 71.5%,结论保持不变。

唐乃亥站年径流距平分析显示,径流系列的连续性十分明显,常出现连续 3～5 年的正距平系列或负距平系列。如 1956～1960 年、1969～1974 年均为负距平系列,而自 1990～2000 年期间(缺 1999 年资料),除 1993 年为正距平外,其余均为负距平。然而 1980～1985 年又为连续的正距平系列,其中 1981～1983 年的正距平均在 38% 以上。20 世纪 80 年代平均距平为 18.2%,90 年代为 −17.3%,二者形成巨大反差。但由前面降水演变分析结果可知,同期降水距平分别为 4.4% 和 −3.5%,因此可以认为径流变化与降水变化基本同步。1956～1969 年的平均距平为 −1.7%,70 年代为 −1.1%。

玛曲水文站 20 世纪 60～70 年代平均年径流为 151 亿 m³,80 年代后期至 90 年代为 131 亿 m³,偏少 20 亿 m³,为多年均值的 14%。

2.4　年径流系列产流机制分析

2.4.1　基本方法

黄河源区年径流系列产流机制分析的基本方法是水量平衡原理和降雨径流关系分析。对多年连续年径流系列,水量平衡方程可表示为:

$$P - R - E = \Delta W \tag{2.1}$$

式中:R、P、E 分别为年径流量、年降雨量和年蒸(散)发量;ΔW 为年土壤蓄水量变化。

考虑到流域蒸发及土壤蓄水量变化无法直接观测得到,以上年(或前期若干年)降雨作为年初土壤含水量的表示因素,则有:

$$R = f(P_{前期}, P - E) \tag{2.2}$$

以式(2.2)为基础建立相关关系进行产汇流机制研究。

2.4.2　前期降雨

以黄河源区 1956～1998 年平均径流系列(唐乃亥)和相应面雨量系列(详见第 2.3.1 部分)进行相关分析,结果表明前期降雨对该年的降雨径流关系有相当的影响,加入上年的年降雨,可使相关系数由 0.80 提高到 0.86。进一步分析表明,前期降雨影响可追溯到前两年,但再前期的降雨影响已不明显。试算结果表明,前期降雨的影响系数为 0.4,即:

$$P_{前期} = 0.4 P_{上年} + 0.4^2 P_{前年} \tag{2.3}$$

2.4.3　实际蒸散发

以年为单位分析产汇流关系,必须考虑蒸发因素。1961 年,Turc 提出了用温度 T 和降雨 P 进行区域年实际蒸散发 E 的公式:

$$E = \frac{P}{\sqrt{0.9 + P/(300 + 25T + 0.05T^3)^2}} \qquad (2.4)$$

分析表明,式(2.4)对黄河源区不十分适用,计算结果偏小较多。从公式本身也可以看出,由于黄河源区的气温较低,年平均气温在$-1.687 \sim 0.151$℃之间变化,平均为-0.7℃(详见第2.3.2部分),三次方项的影响十分微弱。本次研究利用降雨径流相关分析结果提出如下公式进行实际蒸散发计算:

$$E = \frac{P}{\sqrt{0.4 + \left(\dfrac{P}{600 + 30T + 90T^{0.1}}\right)^2}} \qquad (2.5)$$

必须指出的是,式(2.5)是根据黄河源区的气温特点对式(2.4)进行的一种变形,没有进行理论上的分析。式中的参数由降雨径流关系相关分析的结果试算而出,同时降雨用的是加入前期降雨以后的值,温度用的是规整后的值,即:

$$T' = \frac{T - T_{\min} + 0.01}{T_{\max} - T_{\min} + 0.01}$$

降雨径流相关分析结果表明,考虑蒸散发改正后,相关系数可提高到0.9。

黄河源区由于气温低,冰雪期长,用年平均降雨和温度计算实际蒸散发效果十分有限。今后应考虑更好的计算办法。在温度方面,至少要用无雪季节的值来代替年平均值。但限于时间,本次不再深入研究。

2.4.4 年降雨径流关系分析

根据上述分析,年降雨径流关系可表示为下式:

$$R = f(0.4P_{上年} + 0.16P_{前年} + P - E) = f(P') \qquad (2.6)$$

据此,径流可表示为单变量$P'(0.4P_{上年} + 0.16P_{前年} + P - E)$的函数关系,相关分析表明,这种关系可表示为线性,即:

$$R = 0.8022(0.4P_{上年} + 0.16P_{前年} + P - E) - 32.06 \qquad (2.7)$$

式(2.7)的相关系数为0.9,即从统计意义上讲,该式表示黄河源区产流机制的程度可达到90%。相关分析成果见图2.7。

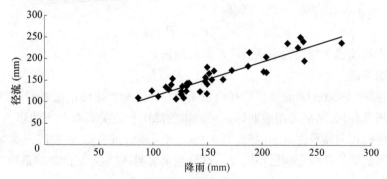

图2.7 黄河源区降雨径流关系

2.4.5 年降雨径流关系的分年代研究

利用上述方法对黄河源区的降雨径流关系进行分年代研究的结果表明,尽管前期降水和蒸发采用整个资料系列分析所得成果,但分年代的降雨径流关系表现十分不同,详见表 2.16 和图 2.8。

表 2.16　黄河源区分年代降雨径流关系

年代	相关方程	相关系数
60	$R = 0.616\ 5P' + 60.481$	0.90
70	$R = 0.887\ 8P' + 24.619$	0.94
80	$R = 0.824\ 1P' + 36.564$	0.93
90	$R = 0.693\ 9P' + 33.405$	0.67

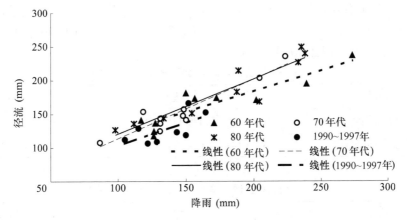

图 2.8　黄河源区分年代降雨径流关系

由表 2.16 可以看出,20 世纪 90 年代以前相关分析的效果较好,相关系数在 0.9 以上,但 90 年代的相关系数只有 0.67,即用这种关系表示降雨径流关系的程度只达到 67%,尚有 33% 的因素未能体现出来。由图 2.8 可以看出,90 年代的点据明显偏右,即相同的降雨产生的径流相对偏少。

2.4.6　分区研究

将黄河源区分为玛曲以上区域和玛曲至唐乃亥区间进行年降雨径流关系研究。这里不考虑玛曲站资料不连续的影响,玛曲与唐乃亥之间的径流由二站相应系列相减得出。由于整体研究的结果表明,蒸散发影响处理的结果作用有限,这里不再直接考虑蒸散发影响。研究结果表明,玛曲至唐乃亥区间的降雨径流关系比玛曲以上区域的关系好。

玛曲以上区域研究成果见表 2.17 和图 2.9。结果表明,玛曲以上区域的降雨径流相关系数不足 0.8,即未知因素的影响程度在 20% ～25% 之间。

表 2.17　玛曲以上区域降雨径流关系

情况	方程	相关系数
不考虑前期降雨	$R = 0.433\ 3P - 78.056$	0.75
考虑前期降雨	$R = 0.462\ 6(0.4P_{上年} + P) - 187.06$	0.79

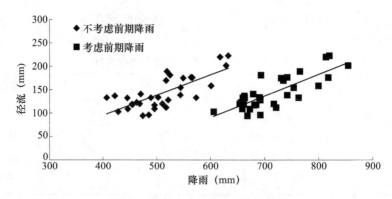

图 2.9　玛曲以上区域降雨径流关系

玛曲以上区域分年代研究结果表明,20 世纪 60~70 年代的降雨径流关系好于 80 年代后期到 90 年代,后者经考虑前期降雨后相关系数由 0.66 提高到 0.76,但相对仍偏低。见表 2.18、表 2.19 和图 2.10、图 2.11。

表 2.18　玛曲以上区域降雨径流关系(1960~1977 年)

情况	方程	相关系数
不考虑前期降雨	$R = 0.429\,1P - 69.519$	0.82
考虑前期降雨	$R = 0.418\,3(0.4P_{上年} + P) - 149.94$	0.84

表 2.19　玛曲以上区域降雨径流关系(1987~1998 年)

情况	方程	相关系数
不考虑前期降雨	$R = 0.404\,2P - 74.037$	0.66
考虑前期降雨	$R = 0.513\,7(0.4P_{上年} + P) - 232.24$	0.76

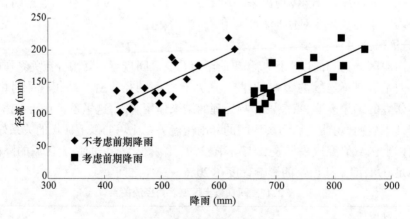

图 2.10　玛曲以上区域降雨径流关系(1960~1977 年)

由表 2.20~表 2.22 和图 2.12~图 2.14 可知,玛曲至唐乃亥区间的降雨径流关系相对较好,相关系数在 0.9 以上,即未知因素对降雨径流关系的影响不足 10%。60~70 年代与 80~90 年代的关系差别不大。但有趣的是,对后者进行前期降雨处理后,关系反倒

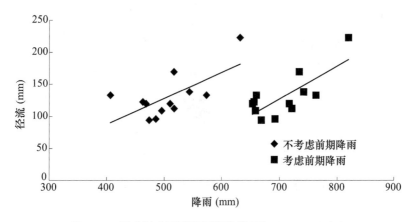

图 2.11　玛曲以上区域降雨径流关系(1987～1998 年)

不如不处理,相关系数由处理前的 0.94 下降到 0.89。

表 2.20　玛曲至唐乃亥区间降雨径流关系

情况	方程	相关系数
不考虑前期降雨	$R = 0.274\,9P - 62.415$	0.90
考虑前期降雨	$R = 0.285(0.4P_{上年} + P) - 116.61$	0.93

表 2.21　玛曲至唐乃亥区间降雨径流关系(1960～1977 年)

情况	方程	相关系数
不考虑前期降雨	$R = 0.248\,1P - 48.763$	0.88
考虑前期降雨	$R = 0.267\,9(0.4P_{上年} + P) - 105.15$	0.96

表 2.22　玛曲至唐乃亥区间降雨径流关系(1987～1998 年)

情况	方程	相关系数
不考虑前期降雨	$R = 0.323\,3P - 85.691$	0.94
考虑前期降雨	$R = 0.318\,9(0.4P_{上年} + P) - 0.790\,4$	0.89

本节分析表明,黄河源区年降雨径流关系良好。考虑前期降雨、实际蒸散发影响后,降雨径流关系相关系数可由 0.8 提高到 0.9。

分区研究结果表明,玛曲至唐乃亥区间的降雨径流关系明显好于玛曲以上区域。

分年代研究结果表明,20 世纪 90 年代的点据明显偏右下,即相同降雨相应的径流偏小。分年代、分区研究结果表明,玛曲以下区域降雨径流关系没有明显变化,而玛曲以上区域则变化显著。

应当指出的是,黄河源区径流以雨洪径流为主要成分,以年为单位分析降雨径流关系有相当的局限性。同时本节分析采用的是日历年而非水文年,对分析结果也会有影响。

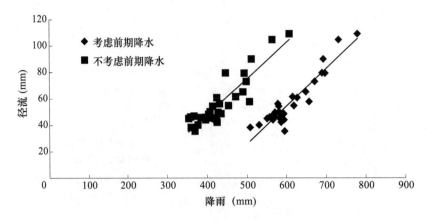

图 2.12　玛曲至唐乃亥区间降雨径流关系

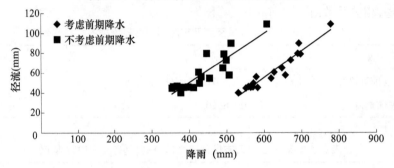

图 2.13　玛曲至唐乃亥区间降雨径流关系(1960~1977 年)

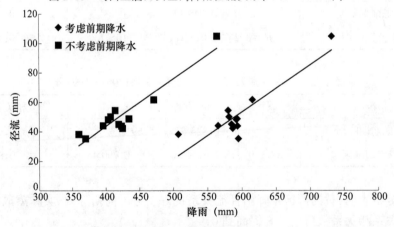

图 2.14　玛曲至唐乃亥区间降雨径流关系(1987~1998 年)

2.5　径流系列年内变化

选取 1956~2000 年(缺 1999 年)唐乃亥月径流系列进行分析。统计结果表明,黄河源区 7 月份径流量最大,为 34.6 亿 m³,2 月份最小,为 4.06 亿 m³,分别占年径流量的 17.0%和 2.2%。历年中,月径流量最大者为 1981 年 9 月,径流量为 92 亿 m³,最小者为 1957 年 2 月,径流量为 2.72 亿 m³。唐乃亥站各月平均径流量及其占全年径流的比例见

表 2.23 和图 2.15。

表 2.23　黄河源区径流量年内分配

月份	1	2	3	4	5	6	7	8	9	10	11	12	全年
最小(mm)	3.09	2.72	4.18	5.43	6.75	11.01	14.25	13.96	12.92	9.89	6.57	3.58	133.44
最大(mm)	6.77	6.30	8.50	16.66	30.83	61.83	71.06	52.07	92.04	52.68	22.33	9.24	327.74
平均(mm)	4.56	4.06	5.90	9.45	15.91	22.99	34.54	29.04	32.10	26.00	12.34	6.04	202.94
均值占年径流比例	0.02	0.02	0.03	0.05	0.08	0.11	0.17	0.14	0.16	0.13	0.06	0.03	1.00

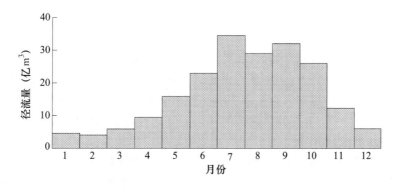

图 2.15　唐乃亥多年平均月径流

由图 2.15 可以看出,黄河源区月径流在年内的分配较为集中,汛期(6~10 月)5 个月径流量为 144.7 亿 m³,占全年径流量的 71%。

从 1956~1998 年历年逐月径流量占全年径流量的比例变化可以看出,3~6 月和 11~12 月各月均有所增加,而 1~2 月及 7~10 月各月均有所减少。这种变化与气温有所上升有关。气温上升致常年积雪融化,融雪径流增加,径流的年内分配也相应发生变化。总体上讲,汛期(6~10 月)径流量占全年径流量的比例有所下降,非汛期有所上升。详见表 2.24。

表 2.24　1956~1998 年历年逐月径流量占全年径流量的比例变化

月份	比例变化	月份	比例变化
1	−0.001 68	7	−0.012 6
2	−0.000 21	8	−0.004 2
3	0.008 4	9	−0.016 8
4	0.008 4	10	−0.016 8
5	0.025 2	11	0.025 2
6	0.021	12	0.001 68

分年代统计结果表明,各年代汛期与非汛期径流量占全年径流量的比例围绕均值波动的幅度不大,约为 4 个百分点。详见表 2.25。

表 2.25　各年代汛期与非汛期径流量占全年径流量的比例变化

年代	汛期	非汛期
1956~1969	0.712 910 269	0.287 089 73
70	0.699 727 774	0.300 272 23
80	0.735 375 281	0.264 624 72
90	0.701 780 543	0.304 113 74

2.6　降雨径流系列变化一致性分析

由前述分析可知,黄河源区降雨和径流变化趋势基本同步,具有较好的一致性。但正如本文开头处指出的那样,与多年平均相比,近 10 年来降雨减少 5%,径流减少 22%,径流减少的幅度大得多。更有人直接拿 20 世纪 80 年代和 90 年代的资料对比,认为降雨减少与径流减少不成比例,并据此认为黄河源区的降雨径流关系发生了变化。本章的有关内容也表明,20 世纪 80 年代以来年降雨径流关系的点据较其他年份偏右,即相同降雨径流有减少趋势。但据此断言黄河源区 20 世纪 90 年代水文规律变异的说法缺乏根据,因为影响降雨径流的各环节并不十分清楚。本节对有关问题作进一步论述。

2.6.1　过程趋势分析

图 2.16 为标绘在同一幅图上的降雨径流过程线,由图可知,黄河源区的降雨、径流变化的趋势基本一致,表现为峰值、谷值点基本对应,降雨径流的变化趋势一致。

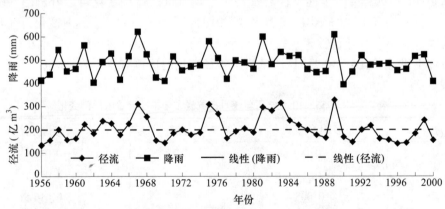

图 2.16　黄河源区降雨径流系列

降雨和径流随时间的变化的线性关系分别为:

降雨 $\qquad y = 0.022x + 485.47$

径流 $\qquad y = -0.097\,4x + 206.13$

表明在 1956~2000 年期间,降雨为轻微的增加趋势,增加值为每年 0.022mm,而径流为轻微的减少趋势,减少值为每年 0.097 4 亿 m^3。与其均值相比,这种变化可以忽略不计。因此,可以认为降雨径流的变化趋势是一致的。

2.6.2 距平符号分析

表2.26、图2.17所示为1956～2000年降雨、径流及其距平变化。由表2.26可知，在45年内，1958、1971、1978、1982、1992、1993、1998年共7年的降雨径流变化趋势相反，其中1982、1993、1998年各年降雨为负距平，径流为正距平，其余年份则相反，最突出的是1958年和1982年。1958年降雨距平为11.7%，径流距平为－1.5%；1982年降雨距平为－1.2%，径流距平为38.2%。上述分析表明，降雨、径流距平不一致的情况每6～7年出现一次。

表2.26 黄河源区降雨、径流距平

年份	降雨(mm)	降雨距平	唐乃亥径流(亿 m³)	径流距平	距平差
1956	412	－ 0.154	133.4	－ 0.346 08	－ 0.192 07
1957	438	－ 0.100 62	155	－ 0.240 2	－ 0.139 58
1958	544	0.117 043	201	－ 0.014 71	－ 0.131 75
1959	452	－ 0.071 87	156.9	－ 0.230 88	－ 0.159 01
1960	462	－ 0.051 33	163	－ 0.200 98	－ 0.149 65
1961	563	0.156 057	224	0.098 039	－ 0.058 02
1962	403	－ 0.172 48	184	－ 0.098 04	0.074 445
1963	492	0.010 267	237.5	0.164 216	0.153 949
1964	528	0.084 189	227.8	0.116 667	0.032 478
1965	415	－ 0.147 84	178.8	－ 0.123 53	0.024 315
1966	517	0.061 602	226.2	0.108 824	0.047 222
1967	621	0.275 154	311.1	0.525	0.249 846
1968	525	0.078 029	256.1	0.255 392	0.177 363
1969	424	－ 0.129 36	154.1	－ 0.244 61	－ 0.115 24
1970	410	0.158 11	143	－ 0.299 02	－ 0.140 91
1971	516	0.059 548	185.6	－ 0.090 2	－ 0.149 74
1972	455	－ 0.065 71	201.9	－ 0.010 29	0.055 414
1973	471	－ 0.032 85	179	－ 0.122 55	－ 0.089 69
1974	477	－ 0.020 53	187.7	－ 0.079 9	－ 0.059 37
1975	581	0.193 018	309.7	0.518 137	0.325 119
1976	509	0.045 175	268.3	0.315 196	0.270 022
1977	419	－ 0.139 63	164	－ 0.196 08	－ 0.056 45
1978	499	0.024 641	194	－ 0.049 02	－ 0.073 66
1979	490	0.006 16	206	0.009 804	0.003 644
1980	462	－ 0.051 33	189	－ 0.073 53	－ 0.022 19
1981	600	0.232 033	297	0.455 882	0.223 849
1982	481	－ 0.012 32	282	0.382 353	0.394 673
1983	534	0.096 509	315	0.544 118	0.447 608
1984	517	0.061 602	240	0.176 471	0.114 869
1985	520	0.067 762	221	0.083 333	0.015 572
1986	460	－ 0.055 44	199	－ 0.024 51	0.030 932

年份	降雨(mm)	降雨距平	唐乃亥径流(亿 m³)	径流距平	距平差
1987	446	−0.084 19	177	−0.132 35	−0.048 16
1988	451	−0.073 92	165	−0.191 18	−0.117 25
1989	609	0.250 513	327.7	0.606 373	0.355 859
1990	394	−0.190 97	168.6	−0.173 53	0.017 436
1991	449	−0.078 03	147.1	−0.278 92	−0.200 89
1992	519	0.065 708	200	−0.019 61	−0.085 32
1993	478	−0.018 48	218	0.068 627	0.087 108
1994	481	−0.012 32	162	−0.205 88	−0.193 56
1995	485	−0.004 11	156	−0.235 29	−0.231 19
1996	454	−0.067 76	140.1	−0.313 24	−0.245 47
1997	460	−0.055 44	142.9	−0.299 51	−0.244 07
1998	516	0.059 548	183	−0.102 94	−0.162 49
1999	522	0.071 869	241.8	0.185 294	0.113 426
2000	408	−0.162 22	154.5	−0.242 65	−0.080 43
均值	486.0		203.9		

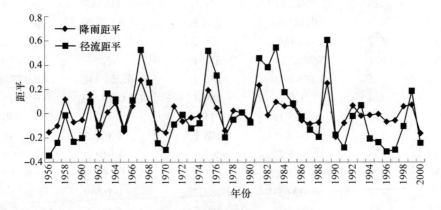

图 2.17 黄河源区降雨、径流距平

2.6.3 距平差异分析

由表 2.26 及图 2.17 可知,降雨径流距平除符号的不一致外,量值上的不一致性也较明显。径流距平普遍大于降雨距平。在 1956~2000 年的 45 年期间,径流距平与降雨距平基本接近(差值绝对值不超过 10%)的有 19 年,差别显著的(差值绝对值在 10%~20%之间)的有 15 年,差别较大的(差值绝对值在 20% 以上)的有 11 年,其中 1975、1982、1983、1989 年的差值绝对值超过 30%,最大为 1983 年,径流距平与降雨距平的差值达到44.8%,即 45 年内有 26 年距平差的绝对值超过 10%,占 58%。

统计分析表明,降雨距平和径流距平一定程度上可表示为如下线性关系:

$$y = 1.816\ 3x, R^2 = 0.655\ 7$$

即平均而言,径流距平是降雨距平的 1.8 倍,见图 2.18。

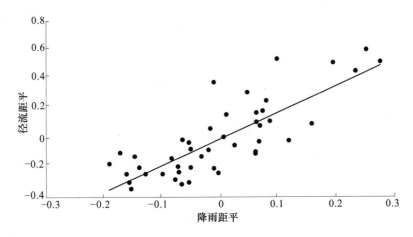

图 2.18　降雨径流距平关系

2.6.4　变幅分析

黄河源区年降雨变幅(极大值与极小值之差)为 $621-394=227$(mm),为多年降雨均值的 46.7%,同期年径流变幅为 $327.7-133.4=194.3$(亿 m^3),为均值的 95.2%,径流极值距平约为降雨极值距平的 2 倍,与本节 2.6.3 部分分析结果基本相当。

2.6.5　分年代距平分析

各年代降雨径流及其距平见表 2.27 及图 2.19。由表可知,20 世纪 50 年代和 90 年代为负距平期,60～80 年代为正距平期。50 年代降雨距平为 -5.2%,径流距平为 -20.6%;90 年代降雨距平为 -2%,径流距平为 -14.4%;80 年代降雨距平为 2.9%,径流距平为 17.3%。可以看出,从长系列来看,20 世纪黄河源区降雨径流关系基本一致,90 年代的问题并不十分突出。

表 2.27　分年代距平变化

年代	降雨(mm)	降雨距平	径流(亿 m^3)	径流距平	距平差
1956～1960	461.6	$-0.052\,16$	161.86	$-0.206\,57$	$-0.154\,41$
60	489.8	$0.005\,749$	214.26	$0.050\,294$	$0.044\,545$
70	487.9	$0.001\,848$	208.52	$0.022\,157$	$0.020\,309$
80	501.2	$0.029\,158$	239.23	$0.172\,696$	$0.143\,538$
90	477.2	$-0.020\,12$	174.54	$-0.144\,41$	$-0.124\,29$
平均	487		204		

2.6.6　成因分析

降雨径流关系的形状一般为抛物线和射线结合(见图 2.20)。为方便起见,考察函数 $P=F(R)$,具有如下性质:

(1)$P=0,R=0$;

(2)$P=F(R)$ 为增函数,且 $P \geqslant F(R)$;

(3)dP/dR 递减,当 P 大于某特定值时,$dP/dR=1$;

(4)函数上凸,即 $d^2P/dR^2 \leqslant 0$。

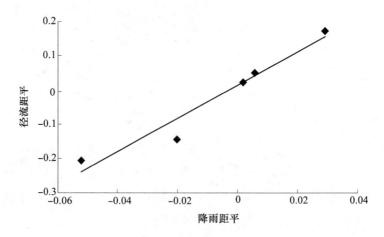

图 2.19　分年代距平关系

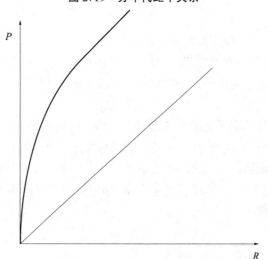

图 2.20　降雨径流关系一般形状

为方便起见,设 $P = aR^2 + bR$,则 $\mathrm{d}P/\mathrm{d}R = 2aR + b$, $\mathrm{d}^2P/\mathrm{d}R^2 = 2a$,从而 $2aR + b \geqslant 1, a \leqslant 0$,有:

$$\frac{\mathrm{d}R}{R} = \frac{\mathrm{d}R}{\mathrm{d}P}\frac{\mathrm{d}P}{P}\frac{P}{R} = \frac{1}{2aR+b}\frac{aR^2+bR}{R}\frac{\mathrm{d}P}{P} = \frac{aR+b}{2aR+b}\frac{\mathrm{d}P}{P}$$

$$= (1 - \frac{aR}{2aR+b})\frac{\mathrm{d}P}{P} \geqslant (1-aR)\frac{\mathrm{d}P}{P} \geqslant \frac{\mathrm{d}P}{P}$$

可以看出,径流的相对变幅一般大于降雨的相对变幅,其程度取决于抛物线的陡度,即 a 的大小,亦即土壤的缺水程度。当前期土壤缺水程度大时,这种不一致性程度就高,反之则低。

本节分析表明,黄河源区的水文现象符合水文学的一般理论,因果关系较为明确,径流变化与降雨变化基本同步。其相对变化程度的不一致性是正常的,也是符合水文规律的。20世纪90年代的降雨径流现象总体正常。

第 3 章 皇甫川

3.1 自然地理概况

皇甫川流域位于黄河中游河口镇至龙门区间的右岸上段,北纬 39.2°～39.9°、东经 110.3°～111.2°之间;最高点海拔 1 482m,最低点海拔 833m,总落差 649m;南北最大距离 85.9km,东西最大距离 102.1km。

皇甫川流域是黄河流域主要的多沙粗沙区,也是黄河主要洪水来源区之一。皇甫川发源于内蒙古自治区达拉特旗南部敖包梁和准格尔旗西北部的点畔沟一带,在陕西省府谷县巴兔坪汇入黄河,干流长 137km,河道平均比降 2.7‰;流域面积 3 246km²,其中水土流失面积 3 215km²,占流域总面积的 99.0%。

3.1.1 水系

皇甫川流域水系主要由干流纳林川和支流十里长川组成,见图 3.1。纳林川(沙圪堵以上)河道长 70km,河道平均比降 4.3‰,面积 1 351km²,占流域总面积的 41.6%;十里长川河道长 75km,河道平均比降 5.7‰,流域面积 702km²,占流域总面积的 21.6%。皇甫川流域大于 50km² 的一级支流有 10 条,中下游沟谷宽 1～3km,河床宽 250～400m。20 世纪 90 年代初,流域内有水土保持面积 553.7km²,治理度 17.1%。该流域治理很不均衡,沙圪堵以上流域治理程度较低,长滩以上流域治理程度较高。

3.1.2 土壤地质

皇甫川流域黄土厚度由西北的数米增至东南的数十米,土壤结构疏松,极易风化,遇水迅速崩解,遇高强度暴雨极易产生高含沙量水流。皇甫川流域按照侵蚀程度和地表土层类型的差异,大致可分为三个类型区:

(1)砒砂岩丘陵沟壑区。主要分布于流域西北部纳林川两岸的虎石沟、圪秋沟、干昌板沟和尔架麻沟,面积 948km²,占皇甫川流域总面积的 29.2%,沟壑密度平均为 7.42km/km²。该区水土流失极为严重,地形切割十分破碎,坡陡沟深,植被覆盖度很低,基岩大面积外露。区内土壤侵蚀以水蚀为主,重力侵蚀极少发生。

(2)黄土丘陵沟壑区。主要分布于流域的东部和西南部,面积 1 756km²,占流域总面积的 54.1%,沟壑密度在 5～9km/km² 之间。该区黄土层较厚,呈现较典型的黄土梁峁和黄土沟谷地貌,除部分梁峁和缓坡地为耕地外,多为天然草场,植被覆盖度为 20%左右。区内土壤侵蚀以水蚀为主,水蚀、风蚀和重力侵蚀交替发生。

(3)沙化黄土丘陵沟壑区。主要分布在纳林川中下游以东到长川以西地区和库布其沙漠边缘,面积 542km²,占流域总面积的 16.7%,平均沟壑密度为 4.2km/km²,地表沙化严重,以风蚀为主要侵蚀方式,呈现出风、水蚀复合侵蚀的景观。

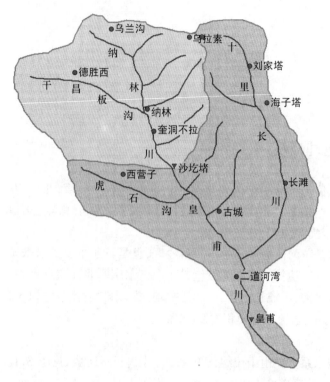

图 3.1　皇甫川流域水系及站网分布

3.1.3　气候

皇甫川流域属大陆性季风气候。根据准格尔旗沙圪堵气象站 1959~1978 年实测资料,年平均气温为 7.3℃;1 月平均气温为 -12.3℃,最低为 -30.9℃;7 月平均气温 23℃,最高 38.3℃。无霜期 130~180 天。冬季多北风和西北风,风力可达 6~8 级。流域内水土流失、干旱、风沙、冰雹、霜冻等自然灾害频繁。

3.1.4　植被

皇甫川流域多为黄土丘陵沟壑区,植被稀少,植被覆盖率一般在 10% 以下。新中国成立初期为半农半牧区。随着经济和人口的增长,耕地面积不断扩大,现有耕地 3.28 万 hm²。粮食作物以糜子、谷子、马铃薯、莜麦为主。1982 年国家将皇甫川流域列为水土流失重点治理区之一,按照"退耕还林,退耕还草"的方针开展了流域治理。

3.2　水土保持工程情况

20 世纪 50 年代,国家发布了《关于发动群众继续开展防旱抗旱运动并大力推广水土保持工作的指示》,皇甫川流域广大群众结合当地农事活动,采取了一些水保耕作措施,如等高耕作、水平阶种植、草田轮作(在一定程度上短时期改变小地形或增加地面植被)等。

1958~1960 年在"继续贯彻全面规划、综合治理、连续治理、沟坡兼治、治坡为主的方针"指引下,掀起了水土保持高潮,水土保持进入大发展时期。流域中部和南部相继在沟道修筑了一些坝库,在坡面开展了梯田林草等防护措施。

1960年下半年到1963年,是停顿、调整时期。这一时期流域的水土保持工作受到三年经济困难的影响,总的来说,水土保持处于停顿状态,新的水土流失不断发生(垮坝、陡坡开荒),造成很大危害。

1963~1966年,水土保持工作经过调整,转入恢复阶段。在皇甫川流域范围内的准格尔旗和府谷县被划为河口到龙门区间由24县(旗)构成的水土流失重点治理区域(河龙区间的24个县10万km²,年均土壤流失量9.08亿t,占输入黄河泥沙总量的56.8%),并对两县(旗)进行了18年水土保持规划。

1970年冬,在北方农业工作会议的推动下,在治黄工作会议上把皇甫川等河龙区间的7条支流列为重点治理流域。在黄委支流水保组直接指导下,修订了规划,开展了治理。这一时期流域的水保建设速度较快,淤地坝发展迅速(水坠坝技术得到推广应用)。

1982年8月,在第四次全国水保工作会议上把皇甫川流域列入全国8个水土流失重点治理区,从此,流域的水土保持治理工作进入一个新阶段,即以小流域为单元,集中、连续地开展综合治理,实现了有序的预防、治理、管护三结合,防治走上了稳步发展的轨道。1980年开始搞试点流域治理,1983年皇甫川被正式列为全国8片重点治理区之一。全流域第一期安排重点治理小流域46条,面积1 523.84km²,其中,准格尔旗38条(其中13条为1980年开展的试点小流域),纳林川布设了18条,十里长川布设了20条,总面积1 358km²,占准格尔旗皇甫川面积的48.5%;府谷县8条,面积165.8km²,占府谷县皇甫川面积的40.0%。分别于1990、1992年进行了验收,治理度达75%。

1993年开始实施二期工程第一阶段的综合治理,全流域第二期安排重点治理小流域32条,面积580.71km²,其中,准格尔旗26条,纳林川布设了19条,十里长川布设了7条,总面积457.19km²,占准格尔旗皇甫川面积的16.3%;府谷县6条,面积123.52km²,占府谷县皇甫川面积的30.0%。

3.3 水文站网

3.3.1 水文站布设情况

流域内先后设有皇甫、沙圪堵两处水文站。设置在干流上段纳林川的沙圪堵水文站,始测于1960年,控制面积1 351km²,控制区内有较大支流干昌板沟、圪秋沟、尔架麻沟;川东有乌拉素沟、速鸡沟和布尔洞沟。设置于下游的皇甫水文站,是皇甫川流域的控制站,始测于1954年,测验河段河床为粗砂,冲淤变化剧烈。皇甫站控制流域面积3 175km²,实测最大流量为10 000m³/s(1989年7月21日),区内川西有较大支流虎石沟,川东有忽鸡兔沟和特拉沟。

3.3.2 雨量站布设情况

自1954年开始仅有皇甫雨量站,以后雨量站逐步增加,到目前已有12个。

皇甫川流域雨量站、水文站基本情况见表3.1,水系及站网分布见图3.1。

表 3.1　皇甫川流域雨量站、水文站基本情况

序号	河名	站名	东经	北纬	站别	设站时间	撤站时间
1	纳林川	乌兰沟	110°41′	39°57′	雨量站	1973 年	
2	纳林川	乌拉素	110°54′	39°56′	雨量站	1977 年	1992 年
3	干昌板沟	德胜西	110°35′	39°51′	雨量站	1976 年	
4	纳林川	奎洞不拉	110°48′	39°43′	雨量站	1978 年	
5	纳林川	纳林	110°47′	39°46′	雨量站	1965 年	1981 年
6	纳林川	沙圪堵	110°52′	39°38′	水文站	1959 年	
7	虎石沟	西营子	110°43′	39°37′	雨量站	1976 年	
8	皇甫川	古城	110°59′	39°32′	雨量站	1976 年	
9	十里长川	后山神庙	110°56′	39°56′	雨量站	1982 年	
10	十里长川	刘家塔	111°04′	39°52′	雨量站	1977 年	
11	十里长川	海子塔	111°07′	39°47′	雨量站	1966 年	
12	十里长川	长滩	111°10′	39°36′	雨量站	1966 年	1981 年,1982 年恢复
13	清河	二道河湾	111°02′	39°23′	雨量站	1960 年 5 月	
14	皇甫川	黄甫	111°05′	39°17′	水文站	1953 年 7 月	

3.4　水文要素时空分布

3.4.1　资料选择与处理

根据皇甫川流域(沙圪堵以上)水文资料的实际情况,共选取乌兰沟、乌拉素、德胜西、纳林、奎洞不拉、沙圪堵 6 个雨量站,并利用统计学方法对部分站缺测资料进行插补延长。最后统一取 1960~2000 年水文资料进行分析计算。

利用乌兰沟、乌拉素、德胜西和奎洞不拉同步降雨资料点绘降雨量相关图,乌兰沟与乌拉素、乌兰沟与德胜西、德胜西与奎洞不拉降雨量相关性较好,相关系数 R 分别为 0.95、0.92、0.90,见图 3.2、图 3.3、图 3.4。

3.4.2　降水

皇甫川流域(沙圪堵以上)多年平均降水量 359mm。

皇甫川流域降水量空间分布变化不大,在 310~380mm 之间,且从西北到东南逐渐增大。乌兰沟站多年平均降水量为 310mm。沙圪堵站多年平均降水量为 380mm,见图 3.5。

皇甫川流域降水量年际变化非常大。从 1974~2000 年降水量系列来看,最大降水量为 509mm,最小降水量只有 185mm,相差 1.8 倍。降水量年内分配极不均匀。6~9 月降水量占全年的 77%,最大降水量为 443mm,最小降水量为 139mm,相差 2.2 倍,见图 3.6。

3.4.3　径流

据皇甫川流域沙圪堵水文站 1960~2000 年水文资料统计,多年平均径流量为 0.6 亿 m^3。沙圪堵站径流量年际变化较大,最大值为 1979 年的 2.06 亿 m^3,最小值为 1999 年的

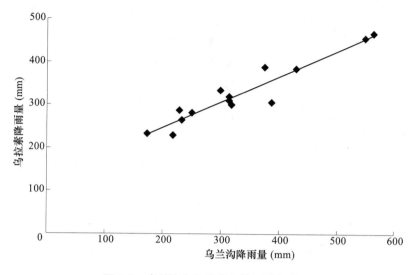

图 3.2 乌兰沟与乌拉素年降雨量相关图

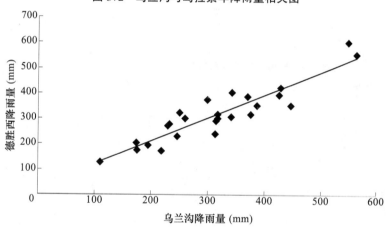

图 3.3 乌兰沟与德胜西年降雨量相关图

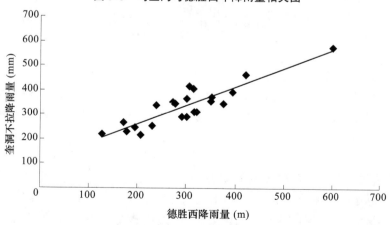

图 3.4 德胜西与奎洞不拉年降雨量相关图

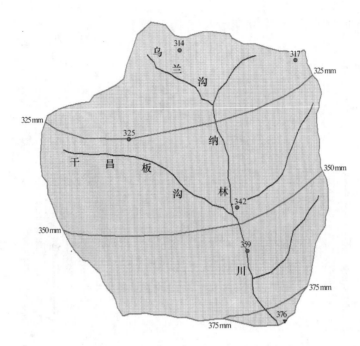

图 3.5 皇甫川流域沙圪堵以上多年平均降水量等值线

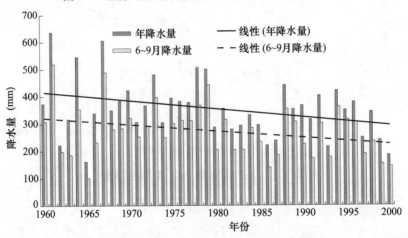

图 3.6 皇甫川流域沙圪堵以上降水量年际年内变化

0.07 亿 m³。沙圪堵站径流量年内分配极不均匀,其中 6~9 月径流量 0.53 亿 m³,占全年的 88%,最大值为 1979 年的 1.92 亿 m³,最小值为 1965 年的 0.04 亿 m³,两者相差 47 倍,见图 3.7。

3.4.4 蒸发

皇甫川流域没有蒸发资料,选取距离最近的河曲气象站资料进行分析。根据河曲气象站 1955~2001 年资料分析统计,多年平均水面蒸发量 955mm(E601,下同)。蒸发量年际变化较大,最大蒸发量是 1978 年的 1 426mm,最小蒸发量是 1990 年的 609mm。蒸发量年内变化不大,6~9 月蒸发量 350mm,占年蒸发量的 37%,最大月蒸发量 100mm,最小月蒸发量 73mm。

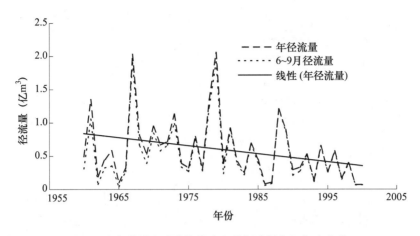

图 3.7　皇甫川流域沙圪堵水文站径流量年际年内变化

根据子洲径流实验站的蒸发资料分析结果,水面蒸发与陆面蒸发有较好的相关性,折算系数为 0.31。粗略地用该系数将皇甫川流域水面蒸发量转换为陆面蒸发量,见图 3.8。

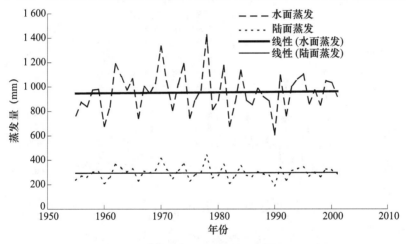

图 3.8　河曲气象站蒸发量(E601)年际变化

3.4.5　泥沙

皇甫川流域是黄河重要的产沙区之一,沙圪堵水文站年输沙量 2 196 万 t。输沙量年际变化较大,最大输沙量为 1979 年的 8 060 万 t,最小输沙量为 1962 年的 89.7 万 t,两者相差达 89 倍。输沙量年内分配极不均匀,6~9 月输沙量占年输沙量的 98%,见图 3.9。

3.5　水沙变化分析

3.5.1　降水

根据皇甫川流域年降水量、径流量、蒸发量资料作年际变化套绘线和 10 年滑动平均线,见图 3.10。从图 3.10 可以看出,降水量从 1974~2000 年大体上呈减少趋势。

从各年代统计结果(见表 3.2)来看,60~90 年代年均降水量依次为 393.1mm、404.5mm、309.7mm、328.7mm。降水量的年代变化在 70~80 年代有一个转折点,60 年

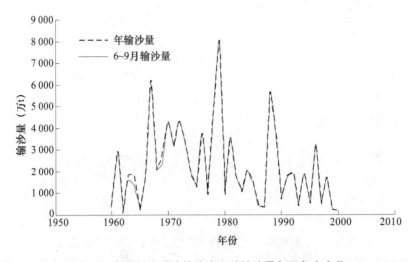

图 3.9 皇甫川流域沙圪堵水文站输沙量年际年内变化

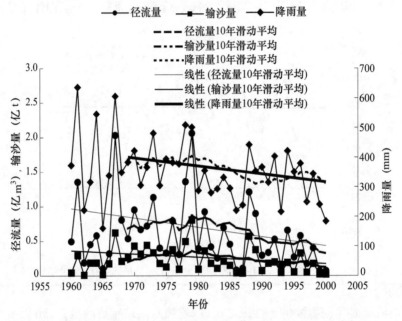

图 3.10 皇甫川流域沙圪堵以上径流量、输沙量、降水量年际变化对比

代和 70 年代降水量相近,80 年代和 90 年代降水量相近,90 年代比 80 年代略大。6~9 月降水量各年代变化与年降水量同步。6~9 月降水量占年降水量百分比各年代变化不大,在 75%~81%之间。

3.5.2 径流

皇甫川流域径流主要由降雨产生,且主要集中在汛期 6~9 月份。从表 3.2 中可以看出,各年代年均径流量依次为 0.686 2 亿 m³、0.872 2 亿 m³、0.543 2 亿 m³、0.343 4 亿 m³。70 年代以后径流量逐年减少,趋势很明显。若以 70 年代作为基准年代,80 年代比 70 年代减少了 36%,90 年代比 70 年代减少了 60%。从汛期 6~9 月径流量各年代变化来看,趋势与全年基本相同。

表 3.2 皇甫川流域降水量、径流量、蒸发量各年代变化

年代	径流量（亿 m³）			输沙量（亿 t）		
	全年	6～9 月	比例（%）	全年	6～9 月	比例（%）
60	0.686 2	0.538 5	78.48	0.199 9	0.186 8	93.45
70	0.872 2	0.789 1	90.47	0.358 2	0.357 8	99.89
80	0.543 2	0.502 7	92.54	0.211 1	0.210 0	99.48
90	0.343 4	0.317 2	92.37	0.129 6	0.129 3	99.77
平均	0.611 3	0.536 9	87.83	0.224 7	0.221 0	98.34
年代	降水量（mm）			蒸发量（mm）		
	全年	6～9 月	比例（%）	全年	6～9 月	比例（%）
60	393.1	294.9	75.02	955.8	311.3	32.57
70	404.5	324.8	80.30	1 025.4	327.1	31.90
80	309.7	243.1	78.50	928.7	383.9	41.34
90	328.7	243.8	74.17	937.7	399.2	42.57
平均	359.0	276.7	77.06	961.9	355.4	38.47

皇甫川流域多年平均径流模数 1.435dm³/(s·km²)，从 60～90 年代来看，70 年代最大，为 2.048dm³/(s·km²)，其后逐年代减小，90 年代为 0.806dm³/(s·km²)。输沙模数变化趋势与径流模数相似。见表 3.3。

表 3.3 皇甫川流域径流模数、输沙模数各年代变化统计表

年代	径流模数（dm³/(s·km²)）	输沙模数（t/km²）
60	1.608	14 800
70	2.048	26 500
80	1.276	15 600
90	0.806	9 600
平均	1.435	16 625

皇甫川流域属黄土高原多沙粗沙区，具有暴雨强度大、历时短，洪水陡涨陡落，含沙量高，水土流失严重等特点。沙圪堵以上控制区砒砂岩裸露，生态环境和生产条件差，严重制约了经济发展。1970 年黄河水利委员会将皇甫川流域列为 7 条重点治理流域之一，1982 年国家又将皇甫川流域列为全国 8 个水土流失重点治理区之一，开始了连续综合治理。

根据 1982～1997 年的水保资料统计，治理措施有水保林、草地、梯田、坝地和水地五种，措施量最大的是水保林，占总措施量的 75% 左右，其次为草地，占总措施量的 23% 左右。截至 1997 年，水保治理面积占沙圪堵以上控制面积的 28%。持续的水土保持治理，是产水产沙逐年减少的主要原因之一。

根据韩学士等人的研究成果,按水文法(用降雨侵蚀力因子)计算,20世纪80年代实测年平均径流量为5 431.6万m³,比70年代减少了38%,其中降雨变化减水量占年均减水量的67%,其他因素(水保措施等)影响占33%。90年代实测年平均径流量为3 706.1亿m³(1990～1997年),比70年代减少了5 014.8万m³,其中降雨变化减水量占年均减水量的39%,其他因素影响占61%。

3.5.3 蒸发

黄河流域径流主要由降水补给,降水的大部分被蒸发,少部分形成径流。因此,蒸发是水量平衡的重要因素之一。从表3.2可以看出,皇甫川流域60～90年代年均蒸发量依次为955.8mm、1 025.4mm、928.7mm、937.7mm,各年代变化不大,在950mm左右,没有明显的年代变化趋势。

3.5.4 泥沙

皇甫川流域泥沙主要由暴雨洪水产生,汛期泥沙占全年沙量的百分比很大。从表3.2可看出,60～90年代年均输沙量依次为0.199 9亿t、0.358 2亿t、0.211 1亿t、0.129 6亿t。70年代以后输沙量逐年减少,趋势很明显。若以70年代为基准,80年代比70年代减沙41%,90年代比70年代减沙64%。从汛期6～9月输沙量各年代变化来看,趋势与全年基本相同。输沙量各年代变化趋势与径流基本相同。

3.5.5 降雨径流关系

皇甫川流域沙圪堵以上控制区径流量主要由暴雨产生,但在无雨期又经常出现断流,各年代断流情况及降雨日数见表3.4。

表3.4 沙圪堵站各年代断流情况及降雨日数

年代	年断流天数	年降雨日数	雨期平均雨强(mm/d)
60	50	71	5.5
70	153	58	7.0
80	244	47	6.6
90	280		

从表3.3可以看出,断流天数呈逐年代递增趋势,而降雨日数呈递减趋势,雨期平均雨强变化不大。上述情况说明,断流天数逐年代增加与降雨日数的减少及水保措施有很大关系,见图3.11。

根据年降水径流资料计算各年径流系数,点绘过程线,见图3.12。可以看出,1990年年径流系数出现了明显转折,呈逐年下降趋势。

图3.13为点绘的皇甫川流域分年代年降雨径流相关图,60～90年代降雨径流相关系数依次为0.69、0.62、0.94、0.81。从图中可以看出,60～80年代相关线依次左移,说明同样的降雨所产生的径流依次增加;而到了90年代,相关线又回到了70年代以前。

3.5.6 水沙关系

通过对皇甫川流域(沙圪堵以上)历年水沙资料分析统计,沙圪堵站的输沙率与流量之间有较好的指数关系:

$$W_s = KW^m \tag{3.1}$$

式中：W_s 为年输沙量，万 t；W 为年径流量，万 m³；K、m 分别为系数和指数，可根据实测资料确定，见图 3.14。

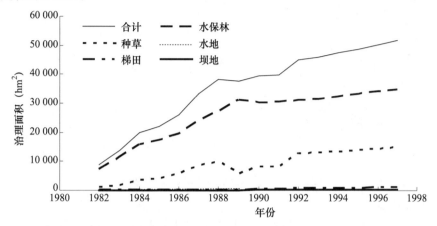

图 3.11　皇甫川流域(沙圪堵以上)逐年水保措施面积

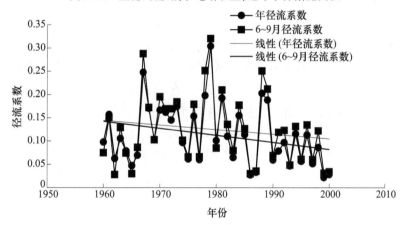

图 3.12　皇甫川流域(沙圪堵以上)径流系数年际变化

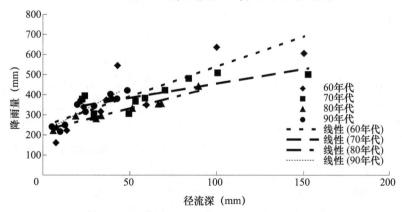

图 3.13　皇甫川流域(沙圪堵以上)降雨径流关系(全年)

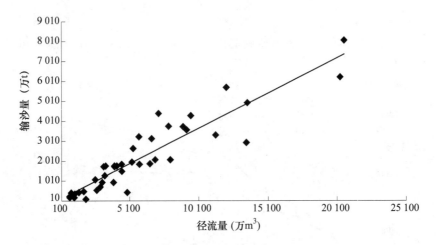

图 3.14　皇甫川流域(沙圪堵以上)水沙关系

3.5.7　水量平衡

根据水量平衡原理,某一地区在某一段时间内水量收入和支出的差额等于该地区的蓄水变量。一般地,流域的水量平衡方程式可表达为:

$$P - E - R = \Delta W \tag{3.2}$$

式中:P 为流域降水量;E 为流域蒸发量;R 为流域径流量;ΔW 为流域蓄水变量。

在多年平均情况下,流域蓄水变量 ΔW 的值趋近于零,此时流域水量平衡方程式为:

$$\overline{P} - \overline{E} = \overline{R} \tag{3.3}$$

式中:$\overline{P}$ 为流域多年平均降水量;$\overline{E}$ 为流域多年平均蒸发量;$\overline{R}$ 为多年平均径流量。

根据皇甫川流域(沙圪堵以上)实测资料分析计算,多年平均降水量为 334mm(天然系列),多年平均陆面蒸发量为 296mm,多年平均径流深为 44mm,则 $\overline{P} - \overline{E} = 38$(mm),水量平衡方程误差 6mm。

3.6　暴雨

3.6.1　气候特点及影响暴雨的环流背景

皇甫川流域处于中纬区内陆区地带,受季风环流影响显著,夏季风和雨季的出现时间均较短,加之植被稀少,蒸发量大,年降水量400mm 左右,属典型大陆性半干旱气候区,年平均暴雨频数虽不到 1 次,但因处于高空气候锋带和副热带急流附近,中、低纬度天气系统的相互作用显著,在热带气团深入内陆的盛夏,受冷空气的激发和急流的动力作用,易形成历时短、强度大的暴雨,尤以"7下8上"为(7月下旬~8月上旬)高发期。

地形的特殊性,是该区暴雨强度较大的另一重要原因。该区处于北面阴山山脉与东面吕梁山组成的"匚"形内,十分有利于低层倒槽、暖横切变、低涡等中、小天气尺度辐合系统的形成、加强和停滞(在特定的天气系统形势下)。另外,其两侧的贺兰山及东侧的吕梁山均为南北向分布,有利于东移的锋面、低槽、切变线坡度增大及前倾槽的形成,而使暴雨的动力条件明显加强,能量集中释放,形成短历时的强暴雨。

3.6.2 暴雨的时空分布

皇甫川流域暴雨季节性强,时间集中,历时短,强度大。80%以上的暴雨发生在盛夏7、8月份,且以强辐合降水为主。笼罩面积小,时空分布极不均匀。同一次暴雨,几十公里甚至几公里之内其雨量和强度也往往相差很大。

根据资料统计,降雨历时一般在6~26h,平均16h,一次暴雨过程中,高强度降水常集中在几十分钟之内,最大雨强为65mm/h。如1989年7月21日,皇甫川乌兰沟、纳林站和德胜西站最大1h降雨分别为65mm、56mm和46mm,其暴雨时间之集中、强度之大,均属罕见。暴雨中心多在皇甫川流域的西北部即皇甫川干流沙圪堵以上区域,也是洪水的主要来源区,见表3.5。

表3.5 皇甫川流域暴雨洪水特征值统计

年份	面平均雨量		最大雨强		皇甫站洪峰	
	起讫时间 (月-日T时:分~日T时:分)	雨量 (mm)	雨强 (mm/h)	站名	出现时间 (月-日T时:分)	流量 (m³/s)
1989	07-21T1:00~21T15:00	75.0	65	乌兰沟	07-21T10:24	11 600
1989	07-21T23:00~22T09:00	21.0	30	田圪坦	07-22T06:00	1 890
1989	07-22T13:30~22T22:30	29.5	51	乌兰沟	07-22T22:42	3 520
1991	06-10T03:00~10T08:00	40.8	30	乌拉素	06-10T09:18	1 420
1992	07-25T03:30~25T06:45	13.4	53	皇甫	07-25T20:24	1 010
1994	07-07T00:00~07T13:00	50.6	48	长滩	07-07T02:48	575
1994	08-03T22:15~04T23:00	58.2	27	海子塔	08-04T05:00	1 320
1995	07-28T17:00~29T11:00	45.5	20	皇甫	07-29T03:54	455
1995	08-05T00:00~05T07:30	16.3	25	乌拉素	08-05T06:48	710
1996	07-12T17:00~12T23:00	11.4	50	长滩	07-12T22:30	1 370
1996	07-14T03:00~14T12:00	20.1	23	准旗	07-14T13:36	3 760
1996	08-09T01:00~09T21:00	41.9	33	乌拉素	08-09T11:12	5 110

3.7 洪水

3.7.1 洪水时间分布

由于长期的泥土流失,植被稀少,地形切割得支离破碎,基岩裸露,沟壑面积约占30%,流域水系扇形发育,十分有利于产流和汇流。据1953~2000年48年资料统计分析,有21年的年最大洪水大于2 000m³/s,占总年数的44%,可见频率之高。其间还曾出现一次大于10 000m³/s的大洪水(1989年7月21日皇甫站洪峰流量11 600m³/s,为百年一遇)。这些洪水大部分发生在7~8月份,其中洪水发生时间在7月19日~8月26日之间的年份有40年,占83.3%。其中皇甫站2 000m³/s以上洪水,86%场次的洪水主要是由沙圪堵以上区域为主体的洪水或由它与其下的区间加水共同组成,见图3.15。

3.7.2 产汇流分析

皇甫川流域植被稀少,地表土层一般厚达几米到几十米,整个包气带的容量很大。超

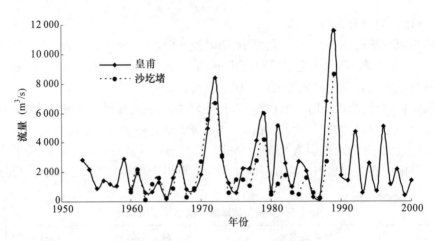

图 3.15 皇甫、沙圪堵站年最大流量对比

渗是产流的主要形式,由于区域河道狭窄,坡面和河道比降较大,因此河道调蓄作用较小,汇流速度很快,从各单元出口到河口洪水行进几乎没有衰减,支流洪峰传播速度高达5.5~6.0m/s,坦化变形也很小,洪水来势迅猛,陡涨陡落,流域较大洪水的峰前历时有时只有几分钟到几十分钟,汇流条件极有利于形成尖瘦型洪峰,且多为单峰。

根据对皇甫站设站以来较大洪水特征值统计,其平均涨峰历时为 1.4h,最短仅 0.5h;平均涨峰率为 5 340m³/(s·h),最大为 19 333m³/(s·h),见表 3.6。

表 3.6 皇甫川流域皇甫站较大洪水特征值统计

时间 (年－月－日)	起涨		洪峰		Δt (h)	$\Delta Q/\Delta t$ (m³/(s·h))
	t_0 (时)	Q_0 (m³/s)	t_m (时)	Q_m (m³/s)		
1971－07－23	15.5	56.6	16.6	4 950	1.1	4 448
1972－07－19	17.0	1 630	18.3	8 400	1.3	5 208
1978－08－07	11.9	7.0	12.4	4 120	0.5	8 226
1979－08－10	20.0	12.0	21.6	4 960	1.6	3 093
1979－08－13	20.0(12日)	36.0	2.0	5 920	6.0	981
1988－08－05	3.9	790	6.0	6 790	2.1	2 857
1988－08－05	17.0	136	18.4	3 560	1.4	2 446
1989－07－21	9.8	0.6	10.4	11 600	0.6	19 333
1989－07－22	21.6	49.0	22.7	3 520	1.1	3 180
1992－08－08	6.0	0.5	7.0	4 700	1.0	4 700
1996－07－14	12.0	1.8	13.6	3 760	1.6	2 350
1996－08－09	10.5	11.0	11.2	5 110	0.7	7 284
平均					1.36	5 340

注:1989 年以来 5 场洪水平均涨峰率为 7 370m³/(s·h)。

选取沙圪堵水文站 1972、1979、1989 年三场典型洪水进行次洪分析,对其产汇流指标进行计算,见表 3.7,并点绘雨洪过程线见图 3.16、图 3.17 和图 3.18。从表 3.7 中可以看出,皇甫川流域的暴雨强度大、历时短,一般在 12h 以内;洪水峰高量小,历时很短,一般在

24h以内,流域滞时在 3h 以内。比如,1989 年 7 月的洪水,从起涨到洪峰出现只有 32min,次洪历时也只有 8h。

表 3.7　皇甫川流域沙圪堵水文站典型洪水产汇流特征值统计

洪水编号	降雨量 (mm)	降雨历时 (h)	洪峰流量 (m³/s)	次洪量 (亿 m³)	次洪历时 (h)	径流 系数	流域滞时 (h)
19720719	156.2	6	6 680	0.503 8	10	0.24	1
19790812	90.3	13	4 220	0.736 2	24	0.6	2
19890721	76.3	7	8 610	0.392 8	8	0.38	3

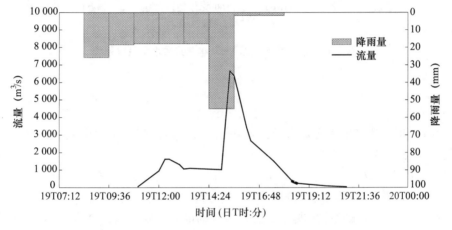

图 3.16　沙圪堵水文站 1972 年 7 月洪水雨洪过程线

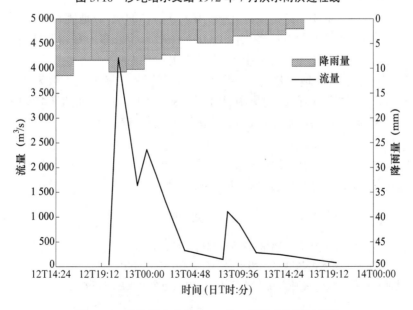

图 3.17　沙圪堵水文站 1979 年 8 月洪水雨洪过程线

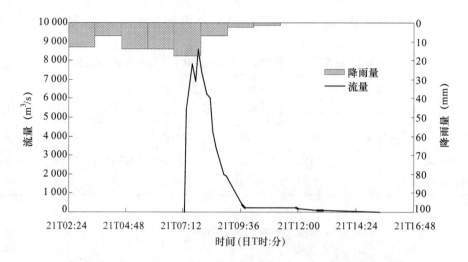

图 3.18　沙圪堵水文站 1989 年 7 月洪水雨洪过程线

3.8　结论

（1）皇甫川流域多年平均降水量约 400mm,且从西北到东南逐渐减少,年内、年际分配不均,且年降水量呈减少趋势。

（2）皇甫川流域年平均径流量为 1.548 亿 m^3,主要以汛期来水为主,其中汛期占 79.8%,洪水组成上,沙圪堵以上来水约占 46.6%。从 20 世纪 50 年代以来,年径流量也呈减少趋势且比年降水量减少明显。影响年径流量的主要因素是降水量、降雨次数和水保措施,与降雨强度关系不大。

（3）皇甫川是黄河重要的产沙支流之一,由于其特殊的地质、地貌特性,突发性暴雨极易产生高含沙水流,年最大含沙量多数在 1 000kg/m^3 以上。多年平均输沙量 2 247 万 t,呈逐年递减趋势。20 世纪 60~90 年代输沙量依次为 0.199 9 亿 t、0.358 2 亿 t、0.211 1 亿 t、0.129 6 亿 t。影响年输沙量的主要因素为年径流量,二者相关系数为 0.85。

（4）该流域暴雨季节性强,时间集中,历时短,强度大,时空分布极不均匀。由于该流域洪水由暴雨引起,形成的洪水来势迅猛,陡涨陡落,且洪峰多为尖瘦型单峰。

（5）从皇甫川流域分年代年降雨径流相关图可以看出,60~80 年代相关线依次左移,说明同样的降水所产生的径流依次增加。而到了 90 年代,相关线又回到 70 年代。影响次洪降雨径流关系的主要因素为降雨强度和水保措施。

参 考 文 献

[1] 汪岗,等. 黄河水沙变化研究. 郑州:黄河水利出版社,2002

[2] 史辅成,等. 黄河流域暴雨与洪水. 郑州:黄河水利出版社,2001

[3] 水利部黄河水利委员会. 黄河流域地图集.北京:中国地图出版社,1989

第4章　无定河小理河流域

4.1　自然地理概况

4.1.1　地理位置

小理河是大理河的一条主要支流,位于东经 $109°16'\sim109°51'$、北纬 $37°36'\sim37°49'$ 之间。它发源于陕西省横山县艾好峁村,在陕西省子洲县殿市镇李家河村汇入大理河,属山溪性河流,流域面积 $807km^2$,河长 63.7km,河道平均比降 5.5‰,河网密度 $0.116km/km^2$,流域不均匀系数 0.053,流域形状系数 0.003 12。见图 4.1。

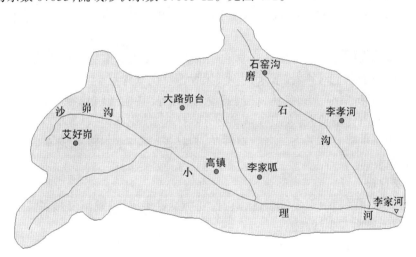

图 4.1　小理河流域示意图

4.1.2　地形地貌

小理河流域属于黄土丘陵沟壑区,基岩为中生代砂页岩,其上为更新世黄土层覆盖,土层厚 $50\sim100m$,不仅梁峁相隔,沟壑纵横,而且山高坡陡,植被很差,土质多为黄土和沙土,因而土壤侵蚀剧烈,水土流失严重。

小理河流域地质属鄂尔多斯台地的一部分,基本属于前震旦系,其上沉积深厚的中生代陆相地层,以砂页岩、泥岩、砾岩为主。地貌为黄土丘陵沟壑区,海拔 $1\,400\sim1\,700m$,黄土物质分布广泛深厚,由于长期的侵蚀,形成了支离破碎、沟壑纵横、重山秃岭、起伏不平的地形。河源区土层深厚,山大沟深,梁原宽广,涧地交错分布。

小理河流域地势为西南高、东北低,由西南向东北倾斜;峁多梁窄,峁梁起伏,峁呈馒头状,峁顶坡度较缓,下部坡度较大,峁梁以下的沟和河流下切强烈,多数切入基岩。海拔在 $1\,400\sim1\,700m$ 之间,沟壑密度达 $4.0\sim6.0km/km^2$。土壤以绵沙土为主,地貌由梁、峁、坡、台、湾塔地组成,少雨多风。其地形地貌特征为梁峁起伏、山大沟深、河谷深切、沟壑纵横、岩石裸露、光山秃岭、植被稀少、地形破碎、水土流失极为严重。

4.1.3 土壤

小理河流域内的土壤主要有黄土性土、风沙土、淤土等土类。

(1)黄土性土。表层土疏松,厚为 15~20cm,通气性好,透性水强。具有团块或团粒状结构,有机质、速效养分及其他有效营养物质含量低,微生物活动强烈,矿物质养分较丰富,颜色为浅灰棕色。它又分间地绵沙土和绵沙土、灰绵土、黄绵土。

(2)风沙土。由风化及风蚀形成。

(3)淤土类。淤土是由河流和山洪挟带泥沙、砂砾石等物淤积发育而成的一种新土壤,成土母质为河流冲积物和洪积物。

4.1.4 植被

小理河流域属于森林草原地带,历史上曾有林草茂密、牛羊遍地的优美景观,随着农业生产的发展,森林植被遭到了严重破坏,形成了现在的以栽培植被为主的状况。

小理河流域林业植被很差,无天然次生林,主要以人工植树造林为主,目前主要植被为柠条。

小理河流域农作物主要有粮食作物和经济作物,其经济作物有三大类,70 多种。粮食作物主要有谷子、糜子、荞麦、玉米、小麦、黑豆、黄豆、双青豆、小豆、绿豆等 20 余种。经济作物主要有小麻、黄芥、胡麻、蓖麻、向日葵、芝麻等,其他经济作物有蔬菜、西瓜、甜瓜等。牧草植被所占比重较大,人工牧草主要有沙打旺、紫花苜蓿、草木樨、松香、红豆草等。禾本科植物牧草主要有百里香、茭蒿、狗娃花、胡枝子、羊草、沙蓬、长芝草、白草、紫菀、艾蒿、地茭、鸡紫等。

4.1.5 气候背景

小理河流域属暖带半干旱气候区,具有"春季干燥多风沙,夏季温热多雷雨,秋季晴朗降温快,冬季干冷雨雪少"的特点。

4.1.5.1 太阳总辐射

小理河流域的太阳总辐射为 502~544kJ/(cm²·a)。其中夏季最大为 167~180kJ/(cm²·a),春季次之,总辐射达 159~167kJ/(cm²·a),秋、冬两季较少,总辐射为 84~92kJ/(cm²·a)。

4.1.5.2 气温

小理河流域年平均气温在 8~9℃ 之间,由西北向东南递增。极端最高气温为 37.6℃,极端最低气温为 -25.1℃。气温年内变化大,2~7 月气温逐月上升,8 月以后逐月下降。1 月、2 月、12 月平均气温在 0℃ 以下,极端日温差在 20℃ 以上。

4.1.5.3 风向、风力

小理河流域全年以西南风居多,冬春季盛行西北风,夏季多为东南风。7 级以上大风四季均可出现,夏季大风通常与雷雨相伴,范围不大,时间较短,风力强劲。冬、春季主要为寒潮大风,风沙弥漫,并伴有降温,持续时间较长,最大风速达 20m/s 以上。

4.1.5.4 冰、霜冻

小理河流域初霜期一般为 10 月初至 10 月中旬,终霜期在 3 月下旬至 4 月下旬,无霜期 150 天左右,最短的 112 天,多霜冻灾害。无定河流域从 11 月上中旬开始结冰,11 月底至 12 月中旬封冻,实测最大冰厚达 0.85m,次年 3 月上旬解冻,封冻天数长达 85 天左右。

4.1.5.5　蒸发与干旱指数

小理河流域多年平均年水面蒸发量 1 200mm 左右,多年平均年陆面蒸发量 380～400mm,干旱指数(多年可能年蒸发量/多年平均年降水量)2.4～2.9。

4.2　人类活动的影响

小理河流域 1974 年 9 月建成土坝型殿(电)市水库,位于陕西省子洲镇。坝高 39.5m,控制面积 188km^2,最大防洪库容 0.162 5 亿 m^3,正常应用库容 0.089 亿 m^3,最大下泄流量 1 150m^3/s。

小型水库和淤地坝概况:至 1985 年 7 月,小理河建小型水库 2 座,总库容 262 万 m^3。

渠道等引、抽水建筑物概况:子洲—干渠属小理河,位于子洲县,1960 年建成,灌溉面积 180hm^2,灌溉定额 600m^3/hm^2;五星渠属石垛坪,位于子洲县,1971 年建成,灌溉面积 122.7hm^2,灌溉定额 600m^3/hm^2;黄坪渠属殿市水库,位于子洲县,1971 年建成,灌溉面积 89.3hm^2,灌溉定额 600m^3/hm^2;高镇一渠,位于横山县,灌溉面积 66.7hm^2,灌溉定额 600m^3/hm^2;高镇二渠,位于横山县,灌溉面积 86.7hm^2,灌溉定额 600m^3/hm^2。

4.3　站网分布

4.3.1　站网情况

该流域有大路峁台、高镇、李家呱、石窑沟、李孝河和艾好峁 6 个雨量站和李家河 1 个水文站,见表 4.1。雨量站站网密度为 135km/站,水文站站网密度为 807km/站,基本上能满足 WMO 向发展中国家推荐的干旱、半干旱地区最低站网标准,但 6 个雨量站中只有高镇站是全年观测站,另外 5 个雨量站都是汛期观测站,即只有 5～10 月的观测资料。

表 4.1　小理河流域雨量站情况

水系	河名	站名	观测场地点	坐标		设立年份	领导机关	是否报汛	雨量	
				东经	北纬				全年	汛期
无定河	小理河	大路峁台	陕西省横山县高镇乡大路峁台村	109°31′	37°43′	1979	黄委			√
无定河	小理河	高镇	陕西省横山县高镇乡高镇村	109°33′	37°40′	1977	黄委		√	
无定河	小理河	李家呱	陕西省横山县高镇乡李家呱村	109°38′	37°37′	1979	黄委			√
无定河	磨石沟	石窑沟	陕西省横山县石窑沟乡石窑村	109°38′	37°45′	1960	黄委			√
无定河	磨石沟	李孝河	陕西省子洲县李孝河乡李孝河村	109°44′	37°43′	1979	黄委			√
无定河	小理河	李家河	陕西省子洲县殿市镇李家河村	109°50′	37°37′	1959	黄委	√	√	
无定河	沙峁沟	艾好峁	陕西省横山县艾好峁乡艾好峁村	109°21′	37°40′	1960	黄委	√		√

该流域没有蒸发站和气象站,为了便于分析蒸发情况,借用大理河绥德站,绥德站离李家河水文站57km,气候条件、地形地貌条件基本相同。

4.3.2 李家河水文站基本情况

为控制小理河的水量、沙量,掌握山溪性河流的水流沙特性,1958 年 10 月设立李家河水文站,该站位于陕西省子洲县殿市镇李家河村,东经 109°50′、北纬 37°37′,至河口距离 3.3km。

4.3.2.1 测验河段上下游河道特性

(1)测验河段上游180m 和150m 处各有弯道,但对测验河段内主流位置影响不大。基本断面上游 2.5km 处有一灌溉引水渠。基下 150m 处河中有石,冰期稍有阻水。

(2)测验河段上游 2.5km 的灌溉引水渠,年引水量约 100 万 m³,对测验河段内水量影响比较大。特别是在枯水季节,大量的引水灌溉,使测验河段经常发生河干现象。

4.3.2.2 本站水、流、沙变化特性

小理河是大理河的一条主要支流,属山溪性河流。李家河站基本控制了小理河的水量。从 1958 年设站以来的资料系列看,本站的大洪水多集中在 6～9 月,其洪水过程陡涨,不仅流速大、波浪高,而且含沙量大、漂浮物多,主流位置时左时右。一般水峰、沙峰同时出现。基下 150m 的弯道具有测站控制作用,其水位—流量关系曲线一般为单一线,有时呈反时针绳套。枯水季节多发生在 6～8 月,主要是干旱引水所致。从 1971 年以来,由于大量引水灌溉工程的兴建,河水常常干涸。

小理河流域由于植被差,水土流失严重。下暴雨时,大量的沃土随波逐流,使河水最大含沙量高达 1 000kg/m³,洪水过后涓涓细流清澈见底。1963 年 6 月 17 日流量仅100m³/s 多,含沙量却高达 1 220kg/m³,发生了"浆河"现象。"揭河底"现象设站至今从未发生过。

4.3.2.3 水文特征值

最高水位:1966 年 8 月 15 日,19.23m(1981 年以前);

最低水位:河干;

最大水深:1966 年 8 月 9 日 6.97m;

最大流量:1994 年 8 月 10 日 1 310m³/s;

最大年径流量:1994 年 6 103 万 m³;

最大流速:1966 年 8 月 9 日 6.67m/s;

实测最大输沙率:1967 年 7 月 17 日 113 000kg/s,1968 后停测;

年最大输沙量:1994 年 2 660 万 t;

最大含沙量:1963 年 6 月 17 日 1 220kg/m³;

年最大降水量:1978 年 671.1mm;

最大 1 日降水量:1994 年 8 月 4 日 95.0mm。

4.4 降雨

4.4.1 降雨量插补延展及可靠性分析

由于小理河流域各观测站设站时间及测站类型的不同,降雨资料存在着不一致性,具

体表现为：

(1)不同测站的资料时间不一致。李家河最早,1959 年建站,石窑沟、艾好峁 1960 年建站,但从 1966 年才有观测资料,高镇 1977 年建站,大路峁台、李家呱、李孝河均是 1979 年建站,所以观测资料系列长度不相同,从 1979 年后才有 7 站完整的观测资料,1959～1965 年只有李家河 1 个站的观测资料,1966～1976 年有 3 个站的观测资料,1977～1978 年有 4 个站的观测资料。

如果要对这些年份的降雨资料进行插补,就存在着目标站比参考站多的问题,不符合水文分析中关于资料插补的一般规律,所以本次分析没有对缺测年份进行插补,在计算流域面平均雨量时,采用有几个站的观测资料就用几个站算术平均的方法。

(2)测站的类型不同。该流域由于集水面积较小,只有高镇、李家河两站为全年站,其余 5 站均为汛期站,只有 5～10 月的资料。考虑到本次分析中要用到全年降雨量资料,故对 5 站 11 月～翌年 4 月的降雨量进行了插补延展,并对插补延展后的资料进行了可靠性分析。

4.4.1.1 降雨量的插补延展

本次分析时分两种情况:汛期(6～9 月)和全年。对 5 站年降雨量按高镇、李家河 5～10 月雨量占全年雨量的平均比例进行插补,若无高镇雨量,按李家河雨量进行插补,即 1967、1977～1997 年资料按两站平均比例进行插补,其他年份按李家河站比例进行插补,1969 年李家河只有 5～10 月的资料,取多年比例的平均值 86.8% 进行插补。

4.4.1.2 可靠性分析

为检验上述方法插补延展得来的降雨资料的一致性和可靠性,从两个方面进行降雨资料插补延展的可靠性分析。

1)双累积曲线分析

这是常用的分析降雨多样性的图解法,该法将一站资料与其他资料进行对比,即将某站年、季或月的累积值与相关站或站组的相应值点绘成线,即为双累积曲线,然后检查坡度的趋势和变化。假设 y(纵坐标)和 x(横坐标)的关系可表示为函数 $y = a + bx$,式中 a 为直线的截距,b 为直线的斜率。如果该累积线存在明显的拐点,就需要分析拐点前后直线的斜率,两个斜率的差小于 10%,则认为该资料是可靠的和一致的,如果两个斜率的差大于 10%,则需要对资料进行改正。但是坡度的微小变化可能是偶然因素所致,所以少于 5 个点的线段变化被视为无效变化。另外,Searcy 和 Hardison(1960)认为对降雨量资料而言,a 应该为 0 或接近于 0 的数据,否则双累积曲线可能出现假象。

分别作 5 站累积年降雨量与李家河、高镇两站累积年平均降雨量的双累积曲线(见图 4.2～图 4.6),五幅图的趋势比较接近,如果拟合成一条通过原点的直线(满足 a 应该为 0 或接近于 0),则 5 条直线的相关系数均在 0.99 以上,即相关性极佳,一条直线的坡度只有微小的变化。例如石窑沟站(见图 4.5),从图中看 1973 年左右有一个微小的拐点,以 1973 年为界,分别拟合两条直线,1973 年以前的直线斜率 $b_1 = 1.03$,1973 年以后的直线斜率 $b_2 = 0.95$,两斜率之差 $1.03 - 0.95 = 0.08$,$(0.08/1.03) \times 100\% = 7.8\%$,由于其差小于 10%,故资料具有一致性和可靠性。其他四站的双累积曲线也有类似的情况,直线上虽有微小的拐点,但由于其斜率差均不大于 10%,说明插补延展后的资料是可靠的,可以用来作为以后分析的依据。

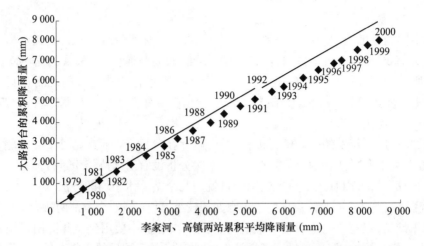

图 4.2　大路峁台站检验降雨插补延展可行性的双累积曲线

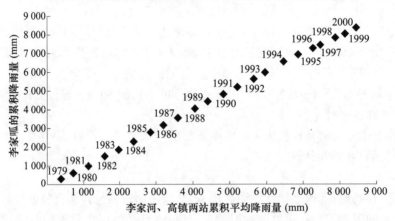

图 4.3　李家呱站检验降雨插补延展可行性的双累积曲线

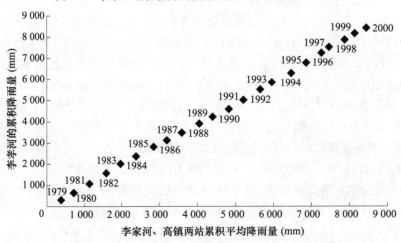

图 4.4　李孝河站检验降雨插补延展可行性的双累积曲线

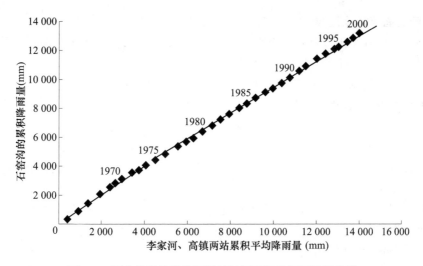

图 4.5　石窑沟站检验降雨插补延展可行性的双累积曲线

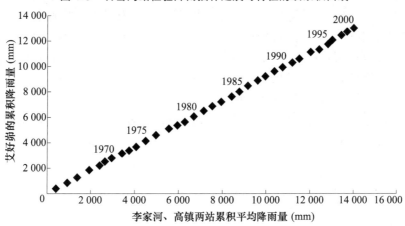

图 4.6　艾好峁站检验降雨插补延展可行性的双累积曲线

2)实际观测降雨资料

虽然艾好峁和石窑沟是汛期站,但 1967 年两站意外的都有全年的降雨资料,所以可以用计算值和实测值进行比较,1967 年李家河站 5～10 月雨量占全年雨量的比例是88.4%,比较结果见表 4.2。

表 4.2　1967 年艾好峁、石窑沟年降雨量计算值与实测值比较

站名	5～10 月降雨量 （mm）	全年降雨量(mm)		
		计算	实测	误差（%）
艾好峁	399.5	451.9	460.3	1.82
石窑沟	494.6	559.5	551.8	−1.40

艾好峁、石窑沟的计算值与实测值的误差均不到 2%,即计算值与实测值极为接近,这一点也证明了降雨资料插补延展是可靠的。

4.4.2　流域面平均降雨量

由该流域内 6 个雨量站和 1 个水文站的实测降雨量记录,计算流域的平均降雨量,本次使用的方法是算术平均法。

当流域内雨量站分布较均匀,地形起伏变化不大时,可根据各站同时段观测的降雨量用算术平均法推求,计算公式如下:

$$\overline{P} = \frac{P_1 + P_2 + \cdots + P_n}{n} = \frac{1}{n}\sum_{i=1}^{n}P_i \tag{4.1}$$

式中:$\overline{P}$ 为流域某时段平均降雨量,mm;P_i 为流域内第 i 个雨量站同时段降雨量,mm;n 为流域内雨量站数,该流域中 $n = 7$。

根据式(4.1)即可计算出流域面平均降雨量,以下所用的面平均降雨量资料均是由此公式计算得出的。

4.4.3　降雨量的年际变化

小理河流域地处大陆腹部,属大陆性气候,受西太平洋水汽影响较小,主要是孟加拉湾水汽在副热带锋区造成的降水,但因水汽到达该流域后已经大大减弱,陕北黄土高原又无大的地形抬升作用,所以降雨较为稀少,多年平均年降雨量变化范围为 150～670mm。

据 1959～1999 年资料统计,流域多年平均降雨量为 397mm,降雨年际变化较大,最小为 1965 年,流域面平均降雨仅 206.8mm,最大为 1961 年,流域面平均降雨高达 670.2mm,最大、最小值比值为 3.24,见图 4.7。由图 4.7 可知,流域降水有较为明显的下降趋势。另据统计❶,流域内多年平均大于 5mm 的降雨日数为 33 天左右,大于 10mm 的降雨日数为 21 天左右。

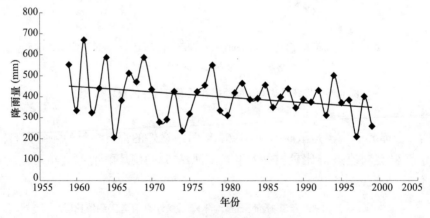

图 4.7　小理河流域年降雨量

用年最大与最小降雨量的比值系数 α、变差系数 C_v、降雨系列均值与年最大降雨的比值系数 η 三种指标来说明降雨年际变化。比值系数 α 反映了流域历年降雨两个极端值的倍数关系,显示了降雨年际变化的程度,α 越大,表明降雨年际变化越大;变差系数 C_v 可表示不同均值系列的降雨离散程度,C_v 越接近 1,表明降雨年际变化越大,C_v 越接近 0,表明降雨年际变化越小;系数 η 也是反映降雨年际变化的程度,η 越接近 1,表明降

---

❶　榆林地区水利水电勘测设计队,榆林地区实用水文手册,1985 年。

雨年际变化越小。

统计表明,该流域年降雨量 α 为 3.2,C_v 为 0.26,η 为 0.60,表明了降雨年际变化幅度较大。降雨量的年内分配也表现出明显的年际变化,汛期(6~9 月)C_v 为 0.29,非汛期为 0.37,汛期降雨量的年际变化比非汛期小。

从图 4.7 看降雨量的年际变化不是很明了,作降雨量的差积曲线,即各年降雨与多年平均降雨之差,按年份顺序累积,见图 4.8。1960~1970 年降雨量处于上升阶段,属于丰水期;1970~1975 年降雨量锐减,至 1975 年降至最低,该阶段属于枯水期;1975~1993 年属于平水期。

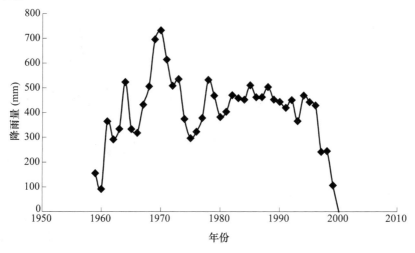

图 4.8 小理河流域年降雨量差积曲线

4.4.4 降雨量的年代变化

分年代统计表明,60(1959~1969)~90 年代降雨量分别为 460.3mm、374.4mm、395.9mm、362.5mm,除 60 年代降雨量较其他年代偏大较多外(也可能是资料原因造成,1965 年以前该流域只有李家河一个雨量站),其他年代变化不大,90 年代最小,较多年均值偏少 9%,80 年代降雨较 60 年代偏少 14%,但较 70、90 年代分别偏多 6%、11%,见表 4.3 和图 4.9。

表 4.3 小理河流域降雨量

年代	全年	6~9 月		7~8 月	
		降雨量	比例(%)	降雨量	比例(%)
60	460.3	325.1	70.6	198.8	43.2
70	374.4	277.2	74.0	190.4	50.9
80	395.9	299.2	75.6	162.1	40.9
90	362.5	260.2	71.8	172.2	47.5
1959~1999	399.7	291.3	72.9	181.3	45.4

注:比例为降雨量占全年的比例。

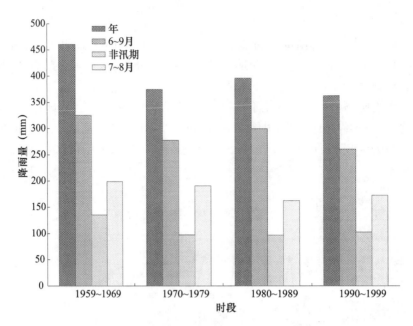

图4.9　小理河流域降雨年代变化示意图

6～9月降雨60～90年代有逐渐减少的趋势,90年代最少,为260mm,较多年均值偏少11%,较60、70、80年代分别偏少20%、6%、13%。

7～8月降雨的变化趋势与6～9月降雨略有不同,70～90年代较60年代分别偏少4%、18%、15%,90年代比80年代略有增加,但仍低于60、70年代,90年代变幅最大,80年代变幅最小。

降雨的年内分配,6～9月降雨占年降雨的73%左右,各年代差别不大。7～8月降雨占年降雨的比例60、80年代为40%,70、90年代为50%左右。非汛期降雨占年降雨的比例在24%～29%之间,年代变化不明显。

从表4.4可以看出,80年代6月份降雨量最大,高达78.2mm,是多年均值的1.6倍,分别比50、70、90年代偏多145%、110%、70%。

表4.4　小理河流域分年代各月降雨量统计　　　　　　　　　　（单位:mm）

年代	1月	2月	3月	4月	5月	6月	7月	8月	9月	10月	11月	12月
60	1.6	2.6	10.3	28.0	39.4	31.9	101.6	105.2	98.5	36.5	14.1	1.2
70	2.7	7.5	8.3	18.0	26.0	36.8	91.7	98.7	46.9	24.2	8.7	3.7
80	1.7	2.8	10.3	11.9	41.8	78.2	88.5	73.6	57.5	20.9	5.0	1.5
90	2.7	3.1	18.2	19.6	33.4	46.2	86.4	85.8	39.5	19.2	9.6	1.6
1959～1999	2.3	4.0	12.0	18.6	34.2	48.3	92.9	88.7	59.8	24.8	9.1	2.0

4.4.5　降雨量的年内分布及变化

小理河流域属大陆性气候,冬春干寒、雨量稀少,夏季炎热、雨量较多。降雨量年内分配极不均匀,主要集中在汛期且多以暴雨形式出现,6～9月降雨量占全年降雨量的73%

左右,而7~8月降雨量又占汛期降雨量的63%,见表4.4及图4.10。

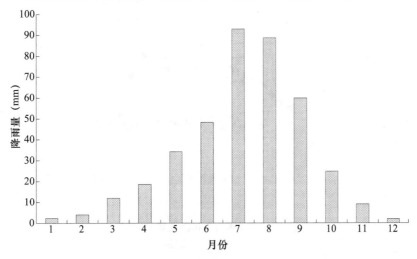

图4.10 小理河流域降雨量年内分布图

全年各月降雨量变化较大,其中最大月雨量出现在7、8月两月,分别为92.9mm和88.7mm,最小降雨量分别出现在1月和12月,分别为2.3mm和2.0mm。

4.4.6 降雨的空间分布

1959~1999年降雨资料统计表明,流域年平均降雨量空间变化不大,各雨量站降雨量由西向东略有增加。

各雨量站多年平均降雨量,最大为李家河站425mm,最小为大路峁台370mm,最大最小比值为1.15,年降雨量比值最大为1995年,降雨空间分布较不均匀,李孝河站降雨量487mm,艾好峁站降雨量206mm,比值为2.37;除李家河站降雨较大外,其他站年平均降雨在370~390mm之间,年降雨量空间分布较均匀。

6~9月降雨量空间分布与年降雨量一致,最大为李家河站309mm,最小为艾好峁站275mm,最大最小比值为1.12,即6~9月流域降雨量分布较均匀。

7~8月降雨量最大为李家河站193.3mm,最小为高镇151.2mm,最大最小比值为1.28,较年降雨量及6~9月降雨量比值略有增加。

由以上分析可知,小理河流域年、6~9月降雨量的空间分布较均匀,7~8月降雨量空间分布略不均匀,由西向东略有增加。

4.5 蒸发

4.5.1 水面蒸发量(E601型蒸发皿)

由于该流域没有蒸发站,用离流域最近的绥德站资料(只有1959~1989年)替代。绥德站不同时期水面蒸发观测皿不同,有20cm、80cm口径和E601型蒸发皿三种,需要对蒸发资料进行换算,凡用20cm口径蒸发皿观测的数值,乘以0.62的系数,凡用80cm口径蒸发皿观测的数值,乘以0.85的系数,统一换算成E601型蒸发皿的水面蒸发值。见图4.11。

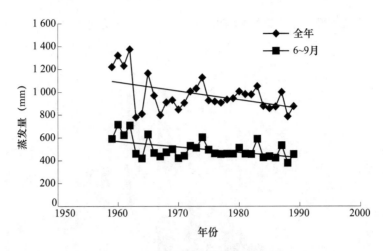

图 4.11　绥德站多年蒸发量示意图

绥德站多年(1959～1989 年)平均蒸发量为 980mm。蒸发量的年际变化较大,1962年蒸发量最大为 1 375mm,最小是 1963 年的 780mm,最大最小比值为 1.76;同时蒸发量年内变化也较大,例如 1962 年 1 月、6 月蒸发量分别为 11.8mm、274mm,6 月蒸发量是 1月的 23.2 倍,多年平均各月蒸发及所占比例见表 4.5 及图 4.12。

表 4.5　绥德站多年平均各月水面蒸发量

月份	1	2	3	4	5	6	7	8	9	10	11	12
蒸发量	16.3	25.6	61.3	116.5	157.5	164.3	138.8	119.3	79.6	56.6	28.7	15.6
比例(%)	1.63	2.57	6.13	11.66	15.76	16.44	13.89	11.94	7.97	5.67	2.87	1.56

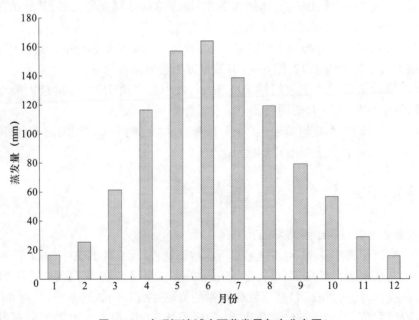

图 4.12　小理河流域水面蒸发量年内分布图

最大蒸发量常集中在 5～6 月,5～6 月平均蒸发量 322mm,占年平均蒸发量的 33%。最小蒸发量常发生在 1 月或 12 月,多年均值分别为 16.3mm、15.6mm。

绥德站的年蒸发量有很明显的逐年代减少的趋势,60(1959～1969 年)、70、80 年代的蒸发量分别为 1 047mm、954mm、932mm,70、80 年代蒸发量相差不大,较 60 年代蒸发量偏少 8.8%、11%。

6～9 月蒸发量分别为 569mm、487mm、468mm,亦呈逐年代下降的趋势,汛期蒸发量占年蒸发量的比例基本不变,维持在 51% 左右。

4.5.2　气温、日照度的变化

从图 4.13 可以看出,1988 年以前,该流域气温、日照度没有明显的变化,1988 年以后,气温明显上升,日照度明显增加。1989～2001 年系列比 1953～1988 年系列平均气温上升 0.67℃,日照度增加 3%,见表 4.6。

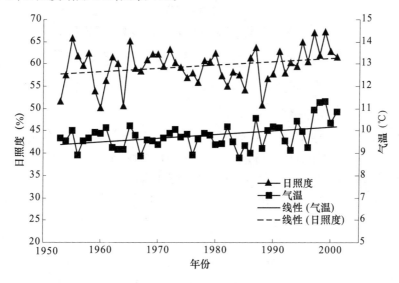

图 4.13　绥德站多年气温、日照度

表 4.6　小理河流域气温、日照度变化

时　段	气温(℃)	日照度(%)
1953～1988	9.60	59
1989～2001	10.27	62

4.5.3　水面蒸发量与气温、日照度等的关系

从图 4.14(图中数字为日照度,%)看,1989 年以前水面蒸发量与气温成一带状,即随气温的增加,水面蒸发量在增加,由于两者关系为一带状,其中必有另外的影响因子,但加入日照度,关系不明显。

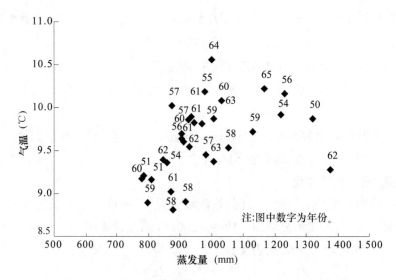

图 4.14 绥德站多年水面蒸发量与气温及日照度关系图

4.6 径流

4.6.1 年最大流量及断流情况

　　李家河水文站 1959~2000 年日均流量大于 1m³/s 的天数平均每年为 55 天,最多的是 1961 年 107 天,最少的 2000 年只有 7 天。按年代平均,60、70、80、90 年代的天数分别为 69 天、58 天、50 天、41 天,有逐年代减少的趋势,特别是 1990 年以后,除 1995 年的 105 天外,其他年份均小于平均数,1999~2000 年锐减,分别为 9 天、7 天。另外,从各月的情况看,3 月、7~9 月日均流量大于 1m³/s 的天数较多,1959~2000 年总的天数分别为 519 天、335 天、524 天、296 天,7~9 月是由汛期降雨较多造成,而 3 月份仅少于 8 月份,比 7、9 月份都多,其原因有待进一步分析。

　　李家河水文站年最大流量排第 1 位的是 1994 年 1 310m³/s,次大是 1960 年 1 260m³/s,李家河站有水文资料以来仅 3 次大于 1 000m³/s 以上的流量,最小的是 1981 年 13.7 m³/s。年最大流量分年代平均 60、70、80、90 年代分别为 439m³/s、151m³/s、84.8m³/s、324m³/s,其中 60 年代最大,80 年代最小,这可能与 1971~1985 年该流域大量引水灌溉工程的兴建有关。另外,年最大流量出现日期基本上都在 7~9 月,92% 以上出现在 7、8 月两月,与暴雨多发生在 7、8 月份相符合,而最小流量出现日期 95% 以上在 5~10 月,只有 1964、1965 年两年例外,这可能与引水有关,该流域的渠道引水多发生在 5~10 月。李家河站自有水文记载以来曾有 7 年断流,分别是 1971~1974 年、1976 年及 1994~1995 年,时间最长的是 1995 年历时 10 天,断流全部发生在 6~8 月。

4.6.2 径流量的年际变化

　　该流域属半干旱地区,蒸发旺盛,径流量小,产流不均匀,年际变化大。流域控制站李家河多年平均径流量 2 823 万 m³,径流量年际变化较大,最大径流量为 1994 年 6 100 万 m³,最小为 1999 年 1 263 万 m³,最大与最小比值为 4.8,90 年代径流量变幅最大,见图 4.15。

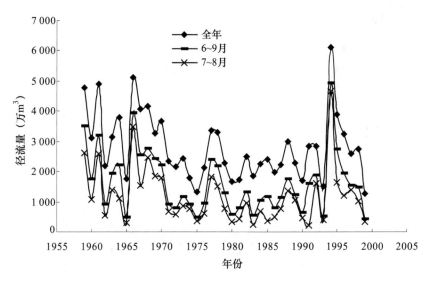

图 4.15　小理河流域 1959~1999 年径流量变化

采用变差系数 C_v 进行分析,年径流量 C_v 为 0.39,6~9 月径流量 C_v 为 0.62,7~8 月径流量的 C_v 为 0.79,非汛期径流量 C_v 为 0.17。径流量的年际变化非汛期最小,汛期大于非汛期,7~8 月径流量年际变化最大。

4.6.3　径流量的年代变化

20 世纪 60~80 年代各年代平均年径流量逐年代减少,80 年代径流量最小,仅 2 184 万 m^3,比多年均值偏少 23%,90 年代年径流量增加,仅次于 60 年代,与多年均值持平,见表 4.7 及图 4.16。

表 4.7　小理河流域径流量年代变化 （单位:万 m^3）

年代	全年	6~9 月		7~8 月	
		径流量	比例(%)	径流量	比例(%)
60	3 668	2 345	63.9	1 729	47.1
70	2 483	1 337	53.8	976	39.3
80	2 185	1 048	48.0	666	30.5
90	2 873	1 770	61.6	1 295	45.1
多年平均	2 823	1 642	58.2	1 180	41.8

6~9 月和 7~8 月径流量与年径流的变化趋势基本一致。6~9 月径流量 80 年代最少,比多年均值偏少 37%,90 年代比多年均值偏多 8%;7~8 月径流量 80 年代最少,比多年均值偏少 43%,90 年代比多年均值偏多 9.7%。

小理河流域径流模数较小,1959~1999 多年平均仅 1.11 $dm^3/(s \cdot km^2)$,且年际变化较大,最大为 1994 年,径流模数高达 2.4 $dm^3/(s \cdot km^2)$,最小为 1999 年的 0.50 $dm^3/(s \cdot km^2)$。各年代平均径流模数见表 4.8,亦是 60 年代最大,80 年代最小。

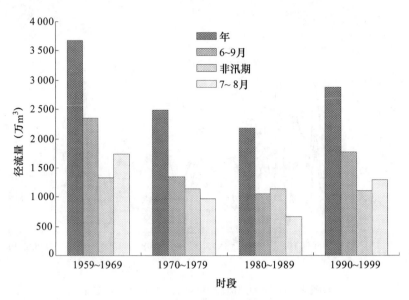

图 4.16　小理河流域径流量年代变化

表 4.8　小理河流域径流模数

年代	径流模数($dm^3/(s\cdot km^2)$)		
	全年	6~9 月	7~8 月
60	1.44	0.92	0.68
70	0.98	0.53	0.38
80	0.86	0.41	0.26
90	1.13	0.70	0.51
多年平均	1.11	0.65	0.46

4.6.4　径流量的年内分布及变化

径流量的年内分配,汛期径流量平均为年径流量的 58% 左右,但历年变化较大,最大为 1994 年的 81%,最小为 1965 年的 28%。汛期径流量的 70% 左右来自 7~8 月,1994 年 7~8 月径流量为汛期径流量的 94%,即汛期径流几乎全部来自 7~8 月,但 1991 年 7~8 月径流量仅为汛期径流量的 14%。非汛期径流量平均为年径流量的 42% 左右,而 1965 年高达 71%。

径流量的年内分配有很明显的年代变化,汛期径流量占年径流量的比例 60 年代最大,为 64%,60~80 年代逐年代减少,到 80 年代降至最低,为 48%,90 年代该比例明显增加,为 62%,基本达到 60 年代的水平;7~8 月径流量占 6~9 月径流量的比例 60 年代最大,为 74%,80 年代最小,为 64%,该比例的年代变化同 6~9 月;非汛期径流量占全年径流量的比例,60 年代最小,仅 36%,80 年代最大,为 52%。多年平均各月径流量见表4.9、图4.17。

表4.9　小理河流域各月径流量占全年径流量比例统计　　　　　　　　　（%）

年代	1月	2月	3月	4月	5月	6月	7月	8月	9月	10月	11月	12月	6~9月	7~8月	非汛期
60	1.5	4.0	9.8	5.4	3.8	4.1	17.0	30.1	12.7	6.7	4.6	2.9	63.9	47.1	36.1
70	3.8	5.5	10.3	5.5	3.7	4.5	13.0	26.3	10.0	7.2	5.9	4.3	53.8	39.3	46.2
80	3.9	5.4	12.3	6.6	4.9	7.6	14.7	15.8	9.9	7.3	6.6	4.9	47.9	30.5	52.0
90	3.0	5.4	7.5	5.2	3.6	8.2	14.7	30.3	8.3	5.4	4.5	3.6	61.6	45.1	38.4
1959~1999	2.9	4.9	9.8	5.6	4.0	5.8	15.2	26.6	10.5	6.6	5.2	3.8	58.1	41.8	41.9

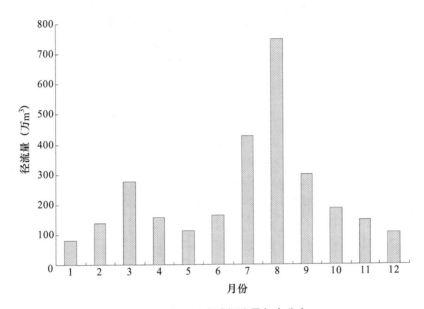

图4.17　小理河流域径流量年内分布

4.6.5　径流系数及其变化

小理河流域年径流系数多年变化不大,在0.05~0.17之间,平均在0.09左右,只有少数年份偏差较大,如1966、1994、1997年分别为0.17、0.15、0.16,年径流系数80年代明显偏小,在0.05~0.09之间,90年代点据较散乱,但1994~1997年年径流系数明显偏大,均在0.1以上,平均达0.137,见图4.18。60~90年代各年代年径流系数分别为0.10、0.08、0.07、0.10,与径流量的年代变化相同。

7~8月径流系数的变化趋势同年径流系数,见图4.18,但多年变化较大,最大为0.26,最小仅0.03,各年代径流系数分别为0.10、0.06、0.05、0.09。年、7~8月径流系数60~80年代逐年代减小,而90年代又有增大趋势,这与径流量的表现一致。

4.6.6　年月降雨径流关系及径流变化的驱动力因子

对小理河流域1959~1999年平均径流系列和相应面雨量系列进行相关分析,两者的相关系数为0.71,即降雨量能表示径流量的71%,另外29%则与蒸散发、人类活动等影响有关,相对而言,相同降雨90年代产生的径流量略大于其他年代。图4.19为小理河流

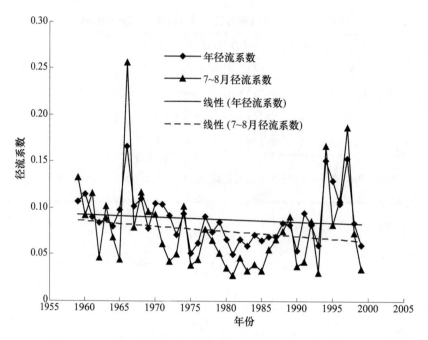

图 4.18 小理河流域年径流系数变化

域年降雨与径流相关图,各年代相关系数依次为 0.89、0.73、0.61、0.67(见表 4.10),其相关程度随年代逐渐减小,80 年代最小,90 年代又略有回升,表明了 60~80 年代径流量受降雨量的影响逐渐减弱,而受其他因素(如人类活动等)的影响在加强。另外,从图 4.19 可以看出,60~80 年代降雨径流关系点群随年代向左偏离,表明了在相同降雨条件下,不同时期径流量是不同的,即径流量呈减小趋势,如 80 年代与 60 年代相比,降雨减少 14%,而径流量减少 40%,径流量的减幅大于降雨量的减幅。

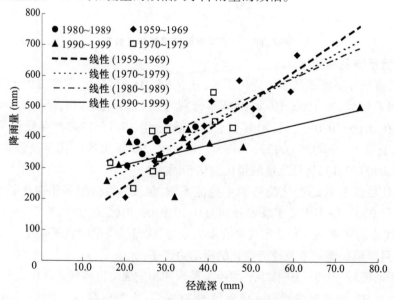

图 4.19 小理河流域年降雨与径流关系

表 4.10　小理河流域年降雨径流关系

年代	相关方程	相关系数
60	$R = 0.084\ 1P + 4.829\ 4$	0.89
70	$R = 0.069P + 4.936\ 2$	0.73
80	$R = 0.060\ 2P + 3.267\ 5$	0.61
90	$R = 0.138\ 6P - 14.65$	0.67
1959～1999	$R = 0.091\ 8P - 2.318\ 3$	0.71

　　7～8 月降雨径流关系与年降雨径流关系相似(见图 4.20),但其相关程度比年降雨径流好,各年代相关系数依次为 0.91、0.84、0.64、0.84(见表 4.11),降雨与径流具有较好的相关关系,表明了在 7～8 月径流量主要受降雨的影响,也就是径流量随降雨量的增大而增大,说明了该流域的水利工程对降雨集中的 7～8 月降雨径流关系影响不大。

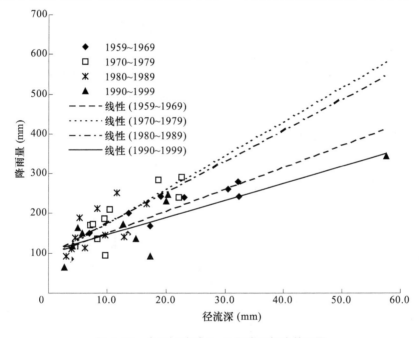

图 4.20　小理河流域 7～8 月降雨径流关系图

　　上述降雨径流系数的变化,充分反映了人类活动对径流的影响。60 年代该流域内水利工程很少,这一时期可以认为是天然状态,径流量的大小主要取决于降雨量,降雨与径流关系较好。1971～1985 年该流域兴建了大量的水利水保工程,如修建水库、淤地坝(至 1985 年,建成中型水库 1 座、小型水库 2 座)及渠道等引抽水建筑物,流域的下垫面条件发生了较大的变化,此时,径流受降雨和人类活动的双重影响,降雨与径流的关系也随之改变。由于该流域的水利水保工程以引水灌溉为主,引水多发生在 4～10 月,而 7～8 月降雨较多,需要的引水灌溉量相应减小,故 7～8 月该流域降雨径流相关关系密切。另外,中常降雨条件下,水利水保工程减水作用对径流的影响较大,而当大雨年份,水库拦蓄能力有限且此时不需要引水灌溉,其减水对径流的影响相对减弱,由于70、80年代洪水较少而90年代洪水较多,故70、80年代降雨径流相关系数减小而90年代增加。

表4.11　小理河流域7～8月降雨径流关系

年代	相关方程	相关系数
60	$R = 0.148\,7P - 10.77$	0.91
70	$R = 0.083P - 3.701\,6$	0.84
80	$R = 0.053\,5P - 0.409\,9$	0.64
90	$R = 0.163\,1P - 0.706\,1$	0.84
1959～1999	$R = 0.126\,4P - 9.048\,6$	0.78

4.7　输沙

小理河流域由于植被差,水土流失严重。下暴雨时,大量的沃土随波逐流,使河水含沙量高达1 000kg/m³以上,洪水过后涓涓细流清澈见底。1963年6月17日流量仅100多m³/s,含沙量却高达1 220kg/m³,发生了"浆河"现象。1997年5月6日流量仅37.4m³/s,含沙量高达1 140kg/m³,仅次于1963年的1 220kg/m³。

4.7.1　年际变化

小理河流域多年平均输沙量646万t,最大输沙量为1994年2 656万t,最小为1983年27.5万t,最大输沙量为最小输沙量的96.6倍,反映出输沙量的年际变化极大,见图4.21。

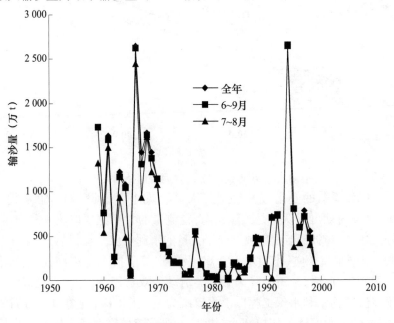

图4.21　小理河李家河站输沙量

另外,1971～1993年输沙量明显偏少,平均年输沙量仅251万t,仅为多年均值的

39%,见表 4.12 及图 4.22。1971~1993 年输沙量比前一系列(1959~1970 年)偏少 80%,比后一系列(1993~1999 年)偏少 72%。

表 4.12　小理河流域输沙量年际变化统计

实测系列	年均输沙量(万 t)	与 1959~1970 年比较	
		减少量(万 t)	减少比例(%)
1959~1970	1 264		
1971~1993	251	1 013	80
1993~1999	921	343	27

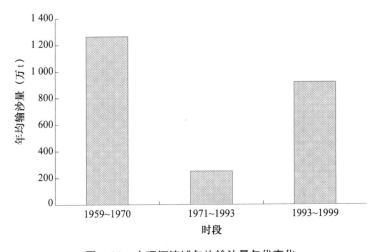

图 4.22　小理河流域年均输沙量年代变化

采用比值系数 α 及变差系数 C_v 进行分析,年输沙量 α 为 96.6, $C_v = 1.056$;汛期输沙量 α 为 114, $C_v = 1.059$;7~8 月输沙量 α 为 239, $C_v = 1.20$;非汛期 α 为 139.0, $C_v = 1.72$。7~8 月的年际变化最大。

4.7.2　年代变化

60~90 各年代的年输沙量分别为 1 275 万 t、325 万 t、197 万 t、722 万 t,60~80 年代锐减,80 年代最少,仅 197 万 t,比 60 年代偏少 85%,90 年代比 60 年代偏少 48%,比 70、80 年代偏多 122%、266%。70 年代输沙量变幅最小,最大最小值之比为 16,90 年代变幅最大,最大最小值之比为 27。输沙量的年代变化与径流过程基本一致,但其减少幅度比径流量减少幅度大。

6~9 月和 7~8 月输沙量与年输沙量的变化趋势一致。6~9 月输沙量 60 年代最大,比多年均值偏多 102%,80 年代最少,比多年均值偏少 70%,90 年代比多年均值偏多 11%;7~8 月输沙量 60 年代最大,比多年均值偏多 95%,80 年代最少,比多年均值偏少 69%,90 年代比多年均值偏多 7.6%。

小理河流域属于过渡区甚强侵蚀区,强降雨对地表的侵蚀作用很剧烈,故其年侵蚀模数较大,1959~1999 年平均年侵蚀模数为 8 000t/km²,最大为 1994 年的 32 917t/km²,最小为 1983 年的 340.2t/km²。各年代侵蚀模数见表 4.13。年输沙量年代变化见图 4.23。

表 4.13　小理河流域侵蚀模数

年代	侵蚀模数(t/km²)		
	全年	6~9月	7~8月
60	15 799	15 316	12 739
70	4 027	4 002	3 693
80	2 441	2 404	2 032
90	8 947	8 724	7 026
多年平均	8 000	7 794	6 530

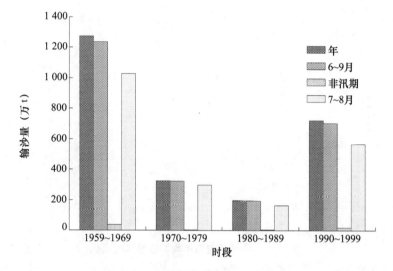

图 4.23　小理河流域输沙量年代变化

4.7.3　年内分布及变化

由于输沙与洪水关系密切,年输沙量几乎完全来自 6~9 月。从输沙量的年内分配看,汛期输沙量占年输沙量的 98% 左右,最大可达 100%,最小为 1967 年的 68.5%。非汛期输沙量仅占年输沙量的 2% 左右。

7~8 月输沙量占汛期输沙量的 85%,历年变化较大,最大为 100%,最小为 1991 年仅 4%(1991 年属于比较特殊的一年,该年 6 月份输沙量最大,达到全年输沙量的 82% 以上)。输沙量年内分布见图 4.24 及表 4.14。8 月份输沙量最大,多年均值为 332.3 万 t,为年输沙量的 51.4%;7 月份次之,多年均值为 194.5 万 t,为年输沙量的 30.1%。

输沙量的年内分配,汛期及非汛期年代变化不大,7、8 月份年代变化较大,7 月份输沙量占全年的比例 60~80 年代逐渐增加,90 年代锐减,为各年代的最小值;8 月份输沙量占全年的比例 60 年代最大为 60.4%,80 年代最小为 37.8%。

4.7.4　径流量、输沙量与降雨量变化趋势不一致的原因分析

径流量、输沙量的年际变化过程与降雨量变化过程略有不同(见表 4.15),80 年代降雨量最大而径流量最少,90 年代降雨量最少而径流量仅次于 60 年代,比 70、80 年代都大,其原因主要是:

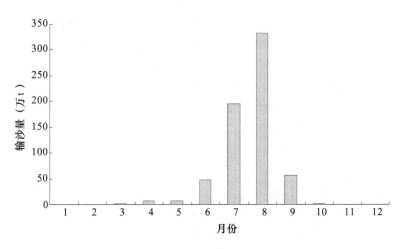

图 4.24 小理河流域输沙量年内分布图

表 4.14 小理河流域各月输沙量占全年比例统计 （%）

年代	1月	2月	3月	4月	5月	6月	7月	8月	9月	10月	11月	12月	6～9月	7～8月	非汛期
60	0.0	0.0	0.4	1.1	1.1	4.6	30.0	50.7	11.7	0.3	0.0	0.0	97.0	80.7	3.0
70	0.0	0.0	0.2	0.0	0.1	5.5	31.4	60.4	2.0	0.3	0.0	0.0	99.3	91.8	0.6
80	0.0	0.0	0.5	0.2	0.9	9.6	45.3	37.8	5.2	0.5	0.0	0.0	97.7	83.0	2.0
90	0.0	0.0	0.0	1.3	1.2	12.4	25.7	52.7	6.6	0.0	0.0	0.0	97.5	78.5	2.5
1959～1999	0.0	0.0	0.3	1.0	1.0	7.2	30.1	51.4	8.6	0.2	0.0	0.0	98.0	81.6	2.5

表 4.15 小理河降雨量、径流量及输沙量统计

年代	降雨量(mm)			实测径流量(万 m³)			输沙量(万 t)		
	全年	6～9月	7～8月	全年	6～9月	7～8月	全年	6～9月	7～8月
60	460.3	325.1	198.8	3 668	2 345	1 729	1 275	1 236	1 028
70	374.4	277.2	190.4	2 483	1 337	976	325	323	298
80	395.9	299.2	162.1	2 185	1 048	666	197	194	164
90	362.5	260.2	172.2	2 873	1 770	1 295	722	704	567
多年平均	399.7	291.3	181.3	2 823	1 642	1 180	646	629	527

(1)该流域 1971～1985 年兴建了大量的水利(引水灌溉)工程,渠道引水多发生在 4～10 月。据统计,有引水记录的工程引水量占年径流量的比例,从 1%到 12%不等,平均年引水量在 4%左右,1975～1987 年引水量较大,这一时期平均年引水量约 150 万 m³。引水量的增大相应削减了径流量,使 70、80 年代径流量较少。

(2)70、80 年代虽然年降雨量比 90 年代偏多,但分配较均匀,不易产生大洪水。对该流域各年最大流量分析可知,李家河站年最大流量排第 1 位的是 1994 年 1 310m³/s,次大是 1960 年 1 240m³/s,最小的是 1981 年 13.7m³/s。年最大流量分年代平均 60、70、80、90 年代分别为 439m³/s、151m³/s、84.8m³/s、350m³/s,其中 60 年代最大,80 年代最小。70～80 年代年最大流量大于 200m³/s 的只有 4 次,最大为 1974 年 294m³/s,而 90 年代年最大流量大于 200m³/s 的有 7 次,有的年份如 1992、1994 年一年有 2～3 次洪水过程。

（3）90 年代虽然年降雨量最少,但 7～8 月降雨量比 80 年代略多,且集中在几次洪水过程。90 年代径流量偏多集中表现在 1994 年,1994 年虽然年降雨量不是最大(排第 7 位),但 8 月降雨量却居历年之首,高达 239mm,比排位第 2 的 1970 年偏多 37%。且 8 月降雨量集中在两次暴雨洪水过程,8 月 4 日 16 时～5 日 8 时该流域平均降雨量 95mm,暴雨中心大路峁台 2h 降雨量 90.6mm,最大雨强 45.3mm/h;8 月 10 日 4 时～11 日 2 时流域平均降雨量 93mm,该次降雨空间分布较均匀,最大雨强为 36.6mm/h(李家河站)。这两次总历时 22h 的降雨过程降雨量占 8 月全月降雨量的 79%。一般一次洪水过程降雨量越大,汇流的水沙也越多,但对下垫面的产流和侵蚀起直接作用,还与雨强有关,尤其是对于以超渗产流为主的黄土丘陵沟壑区,雨量的不同分配将引起不同的效果,降雨越集中,雨强越大,形成的地表径流越多,对地表的侵蚀作用也越剧烈,故 1994 年径流量、输沙量、最大洪峰流量均居多年之首,从而使得 90 年代径流量、输沙量偏多。

小理河年降雨量、径流量、输沙量变化过程见图 4.25。

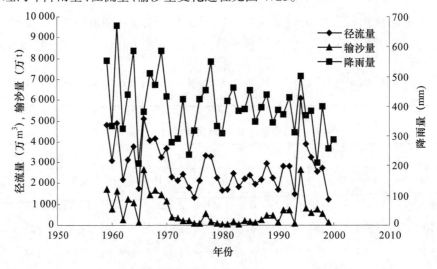

图 4.25 小理河年降雨量、径流量、输沙量变化过程线

4.8 水沙关系分析

从小理河流域 1959～1999 年系列平均径流量、输沙量的相关分析中可以看出,小理河年产沙量可由年径流量表述的程度为 90% 以上;相同径流量,60～80 年代产沙逐年代下降,90 年代产沙高于 70 年代和 80 年代,但低于 60 年代。各年代的水沙关系见图 4.26 及表 4.16。60 年代和 90 年代,年产沙量可由年径流量表述的程度为 92%、95%,

70年代最低为72%,这一时期人类活动对产沙的影响较大。另外,对主要产沙月份7~8月水沙关系分析,7~8月产沙量可由年径流量表述的程度为95%以上,各年代演变趋势同年水沙关系,60~90年代7~8月产沙量可由年径流量表述的程度分别为98%、71%、91%、98%,除70年代外,其他年份的7~8月水沙关系均较年水沙关系密切。

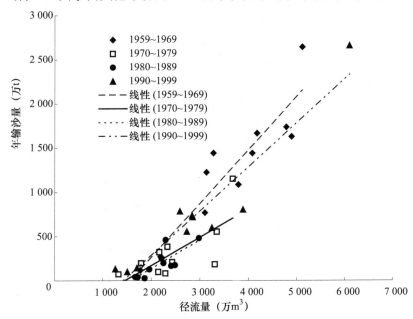

图4.26 小理河流域年水沙关系

表4.16 小理河流域年水沙关系

年代	相关方程	相关系数
60	$W_s = 0.6W - 926.69$	0.92
70	$W_s = 0.3166W - 461.65$	0.72
80	$W_s = 0.3258W - 515.07$	0.80
90	$W_s = 0.5002W - 715.18$	0.95

4.9 暴雨

4.9.1 影响暴雨的天气系统

该流域7、8月受西伸的太平洋副热带高压的影响,将孟加拉湾和西太平洋水汽输送到该流域,往往造成大暴雨。由于中低层中小系统的辐合及地形对气流的影响,常形成历时短、强度大、笼罩面积小的局部暴雨。

一般暴雨系统多为切变线、低槽,而大暴雨的天气系统是竖切变线和低槽,由于副热带高压变化较大,冷空气势力强,暖空气较弱,移动速度快,故多为短历时、小面积的暴雨,暴雨的水汽入流方向,70kPa以西南气流为主,85kPa多为偏东气流。

4.9.2 暴雨极值

实测(调查)7日最大点雨量:艾好峁146mm(1982年7月),石窑沟146.9mm(1969年9月),李家河184.4mm(1961年9月);

实测(调查)5日最大点雨量:艾好峁146mm(1982年7月),石窑沟134.8mm(1982年7月),李家河139.5mm(1982年7月);

实测(调查)3日最大点雨量:艾好峁121.8mm(1982年7月),石窑沟94mm(1969年9月),李家河136.2mm(1994年8月);

实测(调查)12h最大点雨量:李家河90mm(1974年7月);

实测(调查)6h最大点雨量:李家河89.8mm(1974年7月);

实测(调查)3h最大点雨量:李家河72mm(1977年8月);

实测(调查)1h最大点雨量:李家河63mm;

实测(调查)20min最大点雨量:李家河32mm(1994年8月);

实测(调查)10min最大点雨量:李家河19mm(1973年7月);

多年平均年降水日数(日降水量≥5mm):23天;

多年平均年降水日数(日降水量≥10mm):8天。

4.10 洪水

由于流域面积较小,选取次洪最大流量大于200m³/s的洪水,据1959～1999年的实测资料统计分析,小理河流域共出现34次洪峰流量大于200m³/s的洪水,最大为1994年8月洪峰流量1 310m³/s。另据陕西省水利厅调查,该流域1931年8月11日曾发生2 570 m³/s的洪峰流量,但没有与之匹配的降雨及输沙资料,本次洪水分析未考虑该历史调查最大洪水。

4.10.1 洪水的时间分布

4.10.1.1 年内分布

发生在7～8月份的洪水共29次,占洪水总次数的85%;9月份发生洪水3次,占洪水总次数的8.8%;5、6月份各发生洪水1次。

大于1 000m³/s的洪水3次,均发生在8月中旬;大于500m³/s的洪水7次,除1995年发生在9月2日外,其他均发生在8月,占86%;大于300m³/s的洪水18次,发生在7～8月份的16次,占89%。

从以上统计可以看出,小理河流域的洪水多发生在7～8月,这与降雨量的年内分配相吻合。

4.10.1.2 年代变化

各年代洪水差异很大,60年代洪水较多,共发生20次,占洪水总次的59%,其中大于1 000m³/s的2次,大于500m³/s的4次,大于300m³/s的12次;70年代洪水较少,共发生4次且洪峰流量小,均在200～300m³/s;80年代洪水最少,仅1989年发生一次,洪峰流量只有208m³/s;90年代发生洪水9次,占洪水总次数的26%,其中大于1 000m³/s的1

次,大于 $500m^3/s$ 的 3 次,大于 $300m^3/s$ 的 6 次。具体见表 4.17。

表 4.17 李家河站洪水统计

年代	洪水次数	>1 000m³/s	>500m³/s	>300m³/s	5 月	6 月	7 月	8 月	9 月	10 月
60	20	2	4	12	1	0	7	10	2	0
70	4	0	0	0	0	0	2	2	0	0
80	1	0	0	0	0	0	1	0	0	0
90	9	1	3	6	0	1	4	3	1	0
合计	34	3	7	18	1	1	14	15	3	0

洪水的年代变化与该流域 1971~1985 年兴建了大量的水利水保工程及降雨量的时空分布有关(前面在径流量、输沙量与降水量变化趋势不一致的原因分析中已说明,在此不再赘述)。

4.10.2 年最大洪峰流量频率分析

年最大洪峰流量频率分析用的是目估适线法,频率曲线选用 P-Ⅲ型,具体步骤如下:

(1)将实测资料由大到小排列,计算各项的经验频率,在频率格纸上点绘经验点据(纵坐标为变量的取值,横坐标为对应的经验频率)。

(2)选定水文频率分布线型(采用 P-Ⅲ型)。

(3)假定一组参数 $\bar{x}$、C_v 和 C_s。为了使假定值大致接近实际,可用矩法求出 3 个参数的值,作为第一次 $\bar{x}$、C_v 和 C_s 的假定值,因 C_s 的抽样误差太大,一般不计算 C_s,而是根据经验假定 C_s 为 C_v 的某一倍数。

(4)根据假定的 $\bar{x}$、C_v 和 C_s,查 P-Ⅲ型频率曲线表,计算 x_P 值,以 x_P 为纵坐标、P 为横坐标,即可得到频率曲线。将此线画在绘有经验点据的图上,看与经验点据配合的情况,若不理想,则修改参数,再次进行计算。

(5)根据频率曲线与经验点据的配合情况,从中选择出一条与经验点据配合较好的曲线作为采用曲线,相应于该曲线的参数看做是总体参数的估值。

(6)在选定的曲线上求出指定频率的水文变量设计值。

按照以上步骤,进行李家河水文站年最大洪峰流量频率计算,优选出三参数: $\bar{x}$ = 305,C_v = 1.25,C_s/C_v = 2.5,见图 4.27,得出各频率下的洪峰流量见表 4.18。

即小理河流域1 000年一遇洪水洪峰流量为 3 070m³/s,100 年一遇洪水洪峰流量为 1 860m³/s,10 年一遇洪水洪峰流量为 747m³/s。调查的 1931 年洪水(洪峰流量 2 570 m³/s)相当于 500 年一遇洪水,而实测最大洪水 1994 年的 1 310m³/s 为 50 年一遇洪水。本次分析时选用大于 200m³/s 作为洪水,200m³/s 相当于 2.2 年一遇洪水。

表 4.18 小理河流域不同频率 P 的年最大洪峰流量

P(%)	0.1	0.2	0.5	1	2	5	10
流量(m³/s)	3 070	2 710	2 220	1 860	1 510	1 070	747

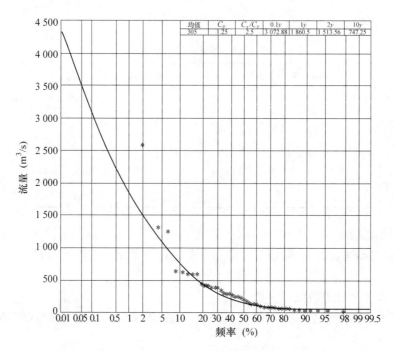

均值	C_v	C_s/C_v	0.1y	1y	2y	10y
305	1.25	2.5	3 072.88	1 860.5	1 513.56	747.25

图 4.27　李家河站年最大洪峰流量频率曲线

4.10.3　洪水特征值分析

小理河流域的洪水 70％为连续双峰或多峰，少数连续洪水能人为地分割出来，但大部分无法分割，仅 10 次为单峰过程，与该流域常发生流域性暴雨有关。

4.10.3.1　洪水历时与涨洪历时

34 次洪水历时在 2.8～23.7h 之间，平均为 11.0h，单峰（包括人为分割的）洪水历时 3.5～13.4h，平均 8.73h，连续多峰洪水历时 2.8～23.7h，平均为 11.9h。见表 4.19。

34 次洪水涨洪历时在 0.3～12h 之间，平均为 1.6h，单峰（包括人为分割的）洪水涨洪历时 0.3～2.6h，平均 0.91h，连续多峰洪水涨洪历时 0.3～12h，平均为 1.9h，见表 4.19。

表 4.19　小理河流域次洪统计

序号	年份	起讫时间 （月-日T时:分～月-日T时:分）	洪峰流量 （m^3/s）	峰现时间 （月-日T时）	总径流量 （万 m^3）	洪水历时 （h）	涨洪历时 （h）
1	1960	07－31T20:00～08－01T03:30	405	07－31T20:54	348	7.5	0.9
2	1960	09－24T04:24～09－24T18:00	255	09－24T07:18	402	13.6	2.9
3	1961	07－30T18:42～07－31T06:00	460	07－30T19:00	366	11.3	0.3
4	1961	08－01T18:00～08－02T06:00	590	08－01T19:36	634	12	1.6
5	1963	08－28T17:00～08－28T20:00	411	08－28T17:39	149	3	0.6
6	1963	08－28T20:00～08－28T23:00	630	08－28T20:45	341	3	0.7

序号	年份	起讫时间 （月－日 T 时:分~月－日 T 时:分）	洪峰流量 （m³/s）	峰现时间 （月－日 T 时）	总径流量 （万 m³）	洪水历时 （h）	涨洪历时 （h）
7	1963	08－28T23:00~08－29T07:00	218	08－29T01:30	267	8	2.5
8	1964	09－17T01:24~09－17T08:00	386	09－17T01:48	285	6.6	0.4
9	1966	08－09T15:18~08－10T00:00	1 240	08－09T16:12	888	8.7	0.9
10	1966	08－14T16:24~08－14T19:11	256	08－14T17:24	119	2.8	1
11	1966	08－14T19:11~08－15T08:00	498	08－14T19:54	348	12.8	0.7
12	1966	08－15T18:24~08－16T11:30	1 260	08－15T19:42	1 154	17.1	1.3
13	1967	07－17T16:36~07－18T02:06	382	07－17T18:36	350	9.5	2
14	1967	08－26T15:06~08－23T03:00	284	08－26T16:48	207	11.9	1.7
15	1968	07－26T16:24~07－27T08:00	234	07－26T16:51	216	15.6	0.3
16	1968	08－13T15:30~08－14T12:00	319	08－13T18:06	377	20.5	0.6
17	1969	05－11T16:30~05－11T21:00	237	05－11T16:47	74	4.5	0.3
18	1969	07－26T21:00~07－27T08:00	221	07－26T21:30	178	11	0.5
19	1969	07－28T07:30~07－28T20:00	264	07－28T07:48	267	12.5	0.3
20	1969	07－28T22:30~07－29T04:30	342	07－28T22:54	58	6	0.4
21	1970	08－10T18:57~08－11T08:00	265	08－10T19:54	276	13	1
22	1970	08－27T17:00~08－28T08:00	274	08－27T20:18	375	15	3.3
23	1971	07－24T06:20~07－24T10:00	288	07－24T06:36	144	3.7	0.3
24	1974	07－31T02:12~07－31T14:00	294	07－31T06:34	257	11.8	4.4
25	1989	07－21T20:30~07－22T06:00	208	07－21T23:00	290	8.5	2.5
26	1991	06－07T20:00~06－08T08:00	306	06－07T21:48	418	12	1.8
27	1992	07－28T10:30~07－28T14:00	256	07－28T11:12	223	3.5	0.7
28	1994	08－04T19:00~08－05T17:06	505	08－04T21:48	1 073	22.1	2.8
29	1994	08－10T05:20~08－11T06:00	1 310	08－10T17:24	1 993	23.7	12
30	1995	07－17T14:36~07－18T04:00	214	07－17T17:12	356	13.4	2.6
31	1995	09－02T22:54~09－03T05:00	588	09－02T23:30	471	6.1	0.6
32	1997	07－29T19:12~07－30T04:00	396	07－29T22:00	368	8.8	2.8
33	1997	07－30T21:00~07－31T18:36	324	07－30T21:18	355	21.6	0.3
34	1998	08－23T20:36~08－24T08:00	246	08－23T21:00	281	11.4	0.4

4.10.3.2 峰量关系

图 4.28 为小理河流域次洪洪峰流量与水量相关图,峰量相关方程:$Q_m = -0.001W^2 + 0.882\,6W + 98.812$,相关系数为 0.84。

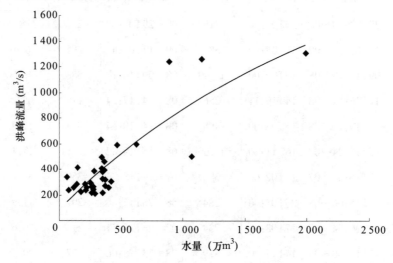

图 4.28 小理河流域次洪洪峰流量与水量相关图

4.10.3.3 峰形系数

以峰前平均流量与洪峰流量的比值作为次洪的峰形系数,见表 4.20。李家河站峰形系数在 0.1~0.87 之间,平均为 0.51,峰形较胖。

表 4.20 小理河流域次洪峰形系数统计

序号	年份	峰形系数 (峰前平均流量/洪峰流量)	序号	年份	峰形系数 (峰前平均流量/洪峰流量)
1	1960	0.50	13	1967	0.28
2	1960	0.36	14	1967	0.29
3	1961	0.74	15	1968	0.42
4	1961	0.32	16	1968	0.67
5	1963	0.26	17	1969	0.44
6	1963	0.72	18	1969	0.60
7	1963	0.62	19	1969	0.64
8	1964	0.46	20	1969	0.79
9	1966	0.61	21	1970	0.77
10	1966	0.41	22	1970	0.39
11	1966	0.68	23	1971	0.64
12	1966	0.29	24	1974	0.24

序号	年份	峰形系数 (峰前平均流量/洪峰流量)	序号	年份	峰形系数 (峰前平均流量/洪峰流量)
25	1989	0.73	30	1995	0.56
26	1991	0.68	31	1995	0.48
27	1992	0.87	32	1997	0.28
28	1994	0.10	33	1997	0.64
29	1994	0.17	34	1998	0.60

4.10.4 典型洪水

由于小理河流域雨量站多是 1975 年以后设立的,而 60 年代洪水较多,70、80 年代几乎无洪水过程,给洪水分析带来了困难,60 年代的多场洪水只有李家河一个雨量站资料,降雨资料代表性差,如 1960 年洪水,只有李家河一个站 3h 的过程降雨量,降雨量仅 5.2mm,以此计算出的径流系数高达 0.83,明显不合理,所以典型洪水分析中侧重于 1975 年以后洪水的分析。

4.10.4.1 1994 年 8 月洪水

1994 年 8 月小理河流域发生了两次大的降雨过程,面平均降雨量分别为 93mm、93.2mm,极为接近,但由此产生的洪水却有很大的差别,见表 4.21,"940801"洪水洪峰流量仅 505m³/s,相当于中常洪水,而"940802"洪水却是小理河流域有实测资料以来的最大洪水,且两次洪水的径流系数也相差很大。

表 4.21　1994 年 8 月两次洪水比较

洪号	洪峰流量 (m³/s)	峰现时间 (月-日T时:分)	总径流量 (万 m³)	沙量 (万 t)	降雨历时 (h)	降雨量 (mm)	径流系数
940801	505	08-04T21:48	1 073	698	16	93	0.14
940802	1 310	08-10T17:24	1 993	1 607	22	93.2	0.27

1)"940801"洪水

区域性降雨从 4 日 16 时~5 日 8 时,历时 16h,平均降雨量 93mm,见图 4.29 各雨量站累积雨量过程线,从图中可以看出,降雨很明显地分为两个阶段,分隔点在 5 日 0 时,几乎整个流域 5 日 0~2 时降雨停止,2 时后又开始降雨,4 日 16 时~5 日 0 时面平均雨量 63.3mm,5 日 2~8 时面平均雨量 29.7mm。另外,前一阶段降雨主雨历时很短,大强度降雨集中在 4 日 18~20 时,面平均雨量 42mm,暴雨中心大路峁台 2h 降雨量 90.6mm,降雨的阶段性使产生的洪水明显地形成双峰过程(见图 4.30)。

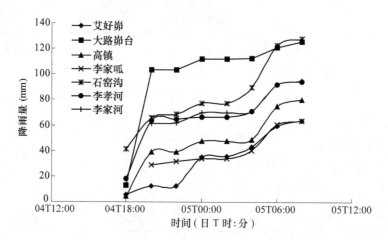

图 4.29 "940801"洪水各雨量站累积雨量过程线

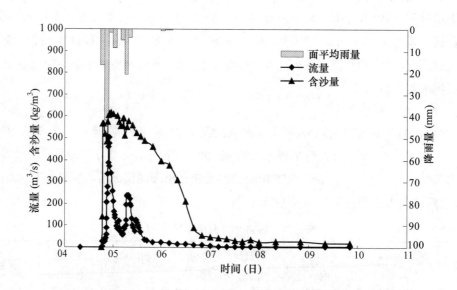

图 4.30 李家河站"940801"洪水雨水沙过程线

本次降雨暴雨中心在大路峁台和石窑沟,次洪降雨量分别为 125.7mm、127.9mm,但这两个雨量站位于河道北面上游,离河道较远。

该次洪水历时 22.1h,涨洪历时 2.8h,主雨结束到洪峰出现历时 1.8h,洪水总量 0.11亿 m³,沙量 0.07 亿 t,最大含沙量 616kg/m³。

2)"940802"洪水

区域性降雨从 10 日 4 时~11 日 2 时,历时 22h,平均降雨量 93.2mm,见图 4.31 各雨量站累积雨量过程线,从图中可以看到过程线图上有明显的拐点,即 10 日 4~14 时降雨较大,平均降雨量为 80.4mm,10 日 14 时以后降雨变缓。降雨量较大的艾好峁、高镇、李家呱均位于紧邻上中游河道的南北两岸,河道北部及下游降雨偏小。

该次洪水历时 23.7h,涨洪历时 12h,涨洪段前面有 2 个小峰,若不计这 2 个小峰,涨洪历时应为 1.5h,主雨结束到洪峰出现历时 3.5h,洪水总量 0.20 亿 m³,沙量 0.20 亿 t,最大含沙量 877kg/m³。洪水和降雨、输沙过程线见图 4.32。

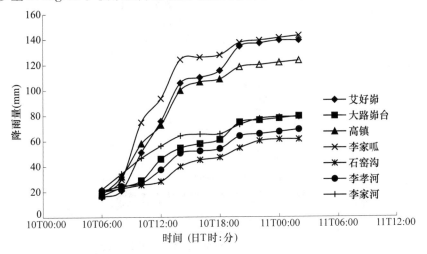

图 4.31　1994 年 8 月洪水各雨量站累积雨量图

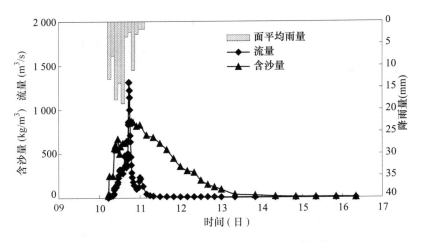

图 4.32　李家河站"940802"洪水雨水沙过程线

4.10.4.2　1995 年 9 月洪水

1995 年 9 月 2 日 23 时 30 分李家河洪峰流量 588m³/s,且为典型的单峰过程,该次洪水降雨历时短而强度大,径流系数高达 0.30。

该次洪水降雨时间为 2 日 20～24 时,主雨历时仅 2h,流域内降雨分布不均,下游李孝河站 2h 降雨量 51.7mm,平均雨强 25.6mm/h,其他雨量站降雨量均在 10mm 左右,面平均雨量 19.5mm。

该次洪水历时 6.1h,涨洪历时 0.9h,主雨结束到洪峰出现历时 1.5h,洪水总量 0.047 亿 m³,沙量 0.035 亿 t,最大含沙量 770kg/m³。洪水和雨水沙过程线见图 4.33,属典型的超渗产流。

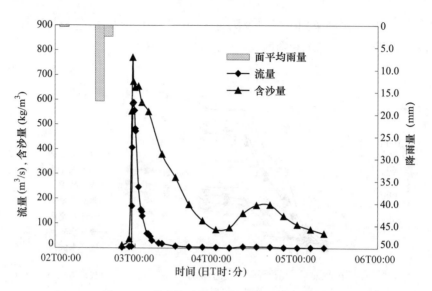

图 4.33 李家河站"9509"洪水雨水沙过程线

4.11 次洪产流机制分析

选取 1960~1998 年 34 场洪峰流量大于 200m³/s 的洪水,对次洪的径流量、输沙量、降雨量、主雨历时、平均雨强、径流系数等进行分析,见表 4.22、表 4.23。

4.11.1 次洪径流系数

次洪径流系数在 0.03~0.83 之间,变化极大,但径流系数大于 0.3 的 5 场洪水均发生于 60 年代,该流域只有 1 个或 2 个雨量站,降雨量的代表性不够好,不考虑这 5 场洪水,次洪径流系数平均为 0.15。90 年代以前洪水径流系数平均为 0.13,90 年代不仅洪水次数多,径流系数也大,平均为 0.18,最大为 1995 年 9 月洪水,径流系数为 0.30。

4.11.2 次洪降雨径流关系

小理河流域次洪降雨量—径流深相关图见图 4.34,两者关系可表示为线性,即:

$$R = 0.186\ 7P + 0.049\ 7 \tag{4.2}$$

式(4.2)的相关系数为 0.76,表示小理河流域次洪产流机制可由次洪降雨量表示程度达 76%。

但对于小理河流域这种典型的超渗产流区,产流不仅仅受次洪降雨量的影响,还受降雨强度的影响,即次洪径流深应表达为 $R = f(P, I)$,其中 I 为次洪平均雨强。考虑次洪平均雨强的相关分析图见图 4.35,图中数字为平均雨强。

考虑次洪平均雨强后,分 $I < 10\text{mm/h}$ 及 $I = 10 \sim 20\text{mm/h}$ 两种情况,分别拟合线性方程,相关系数分别为 0.80、0.85,比不考虑平均雨强提高了 4~9 个百分点,相关方程及相关系数见表 4.24。

表4.22 李家河站历年洪水水沙量统计

序号	年份	水量起讫时间 (月-日T时:分~月-日T时:分)	洪峰流量 (m³/s)	峰现时间 (月-日T时:分)	总径流深 (mm)	总径流量 (万m³)	最大含沙量 (kg/m³)	出现时间 (月-日T时:分)	沙量起讫时间 (月-日T时:分~月-日T时:分)	沙量 (万t)
1	1960	07-31T20:00~08-01T03:30	405	07-31T20:54	4.31	348	405	07-31T20:54	07-31T20:00~08-02T20:00	223
2	1960	09-24T04:24~09-24T18:00	255	09-24T07:18	4.98	402	495	09-24T09:24	09-24T05:24~09-25T08:00	194
3	1961	07-30T18:42~07-31T06:00	460	07-30T19:00	4.54	366	898	07-31T00:00	07-30T18:00~08-03T18:00	914
4	1961	08-01T18:00~08-02T06:00	590	08-01T19:36	7.86	634	868	08-02T00:00		
5	1963	08-28T17:00~08-28T20:00	411	08-28T17:39	1.85	149	820	08-28T18:18		
6	1963	08-28T20:00~08-28T23:00	630	08-28T20:45	4.23	341	978	08-28T21:06	08-28T17:00~08-30T08:00	683
7	1963	08-28T23:00~08-29T07:00	218	08-29T01:30	3.31	267	808	08-29T02:00		
8	1964	09-17T01:24~09-17T08:00	386	09-17T01:48	3.53	285	1 040	09-17T02:42	09-17T01:24~09-19T00:00	331
9	1966	08-09T15:18~08-10T00:00	1 240	08-09T16:12	11	888	829	08-09T20:00	08-09T15:00~08-10T20:00	716
10	1966	08-14T16:24~08-14T19:11	256	08-14T17:24	1.47	119				
11	1966	08-14T19:11~08-15T08:00	498	08-14T19:54	4.31	348	931	08-14T19:54	08-14T16:00~08-18T08:00	1 427
12	1966	08-15T18:24~08-16T11:30	1 260	08-15T19:42	14.3	1 154				
13	1967	07-17T16:36~07-18T02:06	382	07-17T18:36	4.34	350	978	07-17T18:36	07-17T16:24~07-19T00:00	340
14	1967	08-26T15:06~08-26T22:00	284	08-26T16:48	2.57	207	910	08-26T15:18	08-26T09:06~08-28T20:00	175
15	1968	07-26T16:24~07-27T08:00	234	07-26T16:51	2.67	216	945	07-25T19:52	07-25T19:36~07-29T08:00	266
16	1968	08-13T15:30~08-14T12:00	319	08-13T18:06	3.44	377	1 030	08-13T18:42	08-13T08:00~08-16T08:00	280
17	1969	05-11T16:30~05-11T21:00	237	05-11T16:47	0.92	74	939	05-11T16:47	05-11T16:30~05-12T08:00	62

续表 4.22

序号	年份	水量起讫时间 (月-日T时:分~月-日T时:分)	洪峰流量 (m³/s)	峰现时间 (月-日T时:分)	总径流深 (mm)	总径流量 (万m³)	最大含沙量 (kg/m³)	出现时间 (月-日T时:分)	沙量起讫时间 (月-日T时:分~月-日T时:分)	沙量 (万t)
18	1969	07-26T21:00~07-27T08:00	221	07-26T21:30	2.21	178	1 010	07-26T22:30		
19	1969	07-28T07:30~07-28T20:00	264	07-28T07:48	3.31	267	914	07-28T12:00	07-26T21:00~07-31T20:00	844
20	1969	07-28T22:30~07-29T04:30	342	07-28T22:54	0.72	58	1 090	07-28T23:06		
21	1970	08-10T18:57~08-11T16:00	265	08-10T19:54	3.42	276	1 050	08-11T00:00	08-10T18:57~08-12T20:00	238
22	1970	08-27T17:00~08-28T20:00	274	08-27T20:18	4.65	375	966	08-28T00:00	08-27T17:00~08-29T20:00	302
23	1971	07-24T06:20~07-24T10:00	288	07-24T06:36	1.79	144	997	07-24T06:36	07-24T00:00~07-27T08:00	278
24	1974	07-31T02:12~07-31T14:00	294	07-31T06:34	3.18	257	780	07-31T12:00	07-31T02:00~08-01T20:00	196
25	1989	07-21T20:30~07-22T06:00	208	07-21T23:00	3.59	290	765	07-21T22:30	07-21T20:30~07-22T20:00	198
26	1991	06-07T20:00~06-08T08:00	306	06-07T21:48	5.18	418	951	06-07T20:30	06-07T00:00~06-10T02:00	425
27	1992	07-28T10:30~07-28T14:00	256	07-28T11:12	2.76	223	871	07-28T11:12	07-28T05:54~07-30T08:00	327
28	1994	08-04T19:00~08-05T17:06	505	08-04T21:48	13.3	1 073	616	08-04T23:00	08-04T18:40~08-07T00:00	698
29	1994	08-10T05:20~08-11T06:00	1 310	08-10T17:24	24.7	1 993	877	08-10T17:30	08-10T05:20~08-13T08:00	1 607
30	1995	07-17T14:36~07-18T04:00	214	07-17T17:17	4.41	356	687	07-17T20:00	07-17T14:36~07-18T12:00	191
31	1995	09-02T22:54~09-03T05:00	588	09-02T23:30	5.84	471	770	09-02T23:18	09-02T22:00~09-04T00:00	348
32	1997	07-29T19:12~07-30T04:00	396	07-29T22:00	4.56	368	790	07-29T22:24	07-29T19:12~07-30T08:00	579
33	1997	07-30T21:00~07-31T18:36	324	07-30T21:18	4.4	355	931	07-30T21:42	07-30T20:00~07-31T08:00	
34	1998	08-23T20:36~08-24T08:00	246	08-23T21:00	3.48	281	648	08-23T21:06	08-23T20:36~08-25T20:00	175

表 4.23 李家河站次洪降雨径流统计

序号	年份	水量起讫时间 (月-日T时:分~月-日T时:分)	洪峰流量 (m³/s)	峰现时间 (月-日T时:分)	总径流深 (mm)	总径流量 (万m³)	降雨起讫时间 (月-日T时:分~月-日T时:分)	降雨量 (mm)	平均雨强 (mm/h)	径流系数
1	1960	07-31T20:00~08-01T03:30	405	07-31T20:54	4.31	348	07-31T19:50~07-31T22:24	5.2	2.1	0.83
2	1960	09-24T04:24~09-24T18:00	255	09-24T07:18	4.98	402	09-24T02:35~09-24T12:10	35.1	3.7	0.14
3	1961	07-30T18:42~07-31T06:00	460	07-30T19:00	4.54	366	07-30T17:15~07-30T17:50	10.1	16.8	0.45
4	1961	08-01T18:00~08-02T06:00	590	08-01T19:36	7.86	634	08-01T17:00~08-01T19:36	25.4	9.8	0.31
5	1963	08-28T17:00~08-28T20:00	411	08-28T17:39	1.85	149				
6	1963	08-28T20:0~08-28T23:00	630	08-28T20:45	4.23	341				
7	1963	08-28T23:00~08-29T07:00	218	08-29T01:30	3.31	267				
8	1964	09-17T01:24~09-17T08:00	386	09-17T01:48	3.53	285	09-17T21:52~09-17T23:35	24.1	18.3	0.46
9	1966	08-09T15:18~08-10T00:00	1 240	08-09T16:12	11	888	08-09T14:41~08-09T16:00	27.5	23.6	0.05
10	1966	08-14T16:24~08-14T19:11	256	08-14T17:24	1.47	119	08-14T15:50~08-14T17:00			
11	1966	08-14T19:11~08-15T08:00	498	08-14T19:54	4.31	348				
12	1966	08-15T18:24~08-16T11:30	1 260	08-15T19:42	14.3	1 154	08-15T18:38~08-15T21:00	38.7	16.1	0.37
13	1967	07-17T16:36~07-18T02:06	382	07-17T18:36	4.34	350	07-17T14:08~07-17T20:00	36.1	6.2	0.12
14	1967	08-26T15:06~08-26T22:00	284	08-26T16:48	2.57	207	08-26T14:00~08-26T17:00	14.6	12.5	0.18
15	1968	07-26T16:24~07-27T08:00	234	07-26T16:51	2.67	216				
16	1968	08-13T15:30~08-14T12:00	319	08-13T18:06	3.44	377	08-13T13:10~08-13T15:50	14.4	5.5	0.24
17	1969	05-11T16:30~05-11T21:00	237	05-11T16:47	0.92	74	05-11T16:00~05-11T17:00	30.3	30.3	0.03

续表 4.23

序号	年份	水量起迄时间 (月-日T时:分~月-日T时:分)	洪峰流量 (m³/s)	峰现时间 (月-日T时:分)	总径流深 (mm)	总径流量 (万m³)	降雨起迄时间 (月-日T时:分~月-日T时:分)	降雨量 (mm)	平均雨强 (mm/h)	径流系数
18	1969	07-08T18:54~07-09T06:00	185	07-08T22:54	0.85	69	07-08T14:50~07-08T21:10	24.9	0.4	0.03
19	1969	07-28T07:30~07-28T20:00	264	07-28T07:48	3.31	267			0.0	
20	1969	07-28T22:30~07-29T04:30	342	07-28T22:54	0.72	58	07-28T18:38~07-28T20:15	6.45	4.0	0.11
21	1970	08-10T18:57~08-11T16:00	265	08-10T19:54	3.42	276	08-10T13:15~08-11T10:26	21.1	1.0	0.16
22	1970	08-27T17:00~08-28T20:00	274	08-27T20:18	4.65	375	08-27T16:00~08-27T22:55	31.6	4.6	0.15
23	1971	07-24T06:20~07-24T10:00	288	07-24T06:36	1.79	144	07-23T20:05~07-24T08:00	23.5	2.0	0.08
24	1974	07-31T02:12~07-31T14:00	294	07-31T06:34	3.18	257	07-31T01:10~07-31T06:50	35.6	5.3	0.09
25	1989	07-21T20:30~07-22T06:00	208	07-21T23:00	3.59	290	07-21T14:00~07-21T22:00	18.4	2.3	0.20
26	1991	06-07T20:00~06-08T08:00	306	06-07T21:48	5.18	418	06-07T16:00~06-07T18:00	27.6	13.8	0.19
27	1992	07-28T10:30~07-28T14:00	256	07-28T11:12	2.76	223	08-28T02:00~08-28T08:00	29.6	4.9	0.09
28	1994	08-04T19:00~08-05T17:06	505	08-04T21:48	13.3	1 073	08-04T16:00~08-05T08:00	93	5.8	0.14
29	1994	08-10T05:20~08-11T06:00	1 310	08-10T17:24	24.7	1 993	08-10T04:00~08-11T02:00	93.2	4.2	0.27
30	1995	07-17T14:36~07-18T04:00	214	07-17T17:12	4.41	356	07-17T02:00~07-17T18:00	43.3	2.7	0.10
31	1995	09-02T22:54~09-03T05:00	588	09-02T23:30	5.84	471	09-01T18:00~09-02T24:00	19.5	1.2	0.30
32	1997	07-29T19:12~07-30T04:00	396	07-29T22:00	4.56	368	07-29T18:00~07-29T20:00	20.6	10.3	0.22
33	1997	07-30T21:00~07-31T04:00	324	07-30T21:18	2.31	186	07-30T16:00~07-31T10:00	12.7	0.7	0.18
34	1998	08-23T20:36~08-24T08:00	246	08-23T21:00	3.48	281	08-23T16:00~08-23T20:00	22.6	5.7	0.15

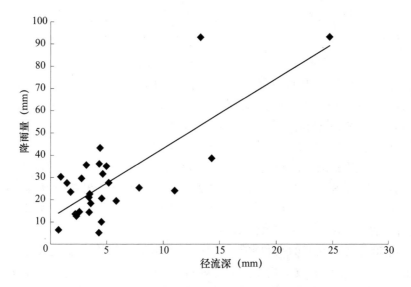

图 4.34　小理河流域次洪降雨量—径流深相关图

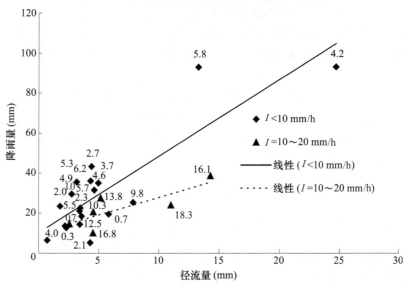

图 4.35　小理河流域次洪降雨、径流、平均雨强相关图

表 4.24　次洪降雨、径流、平均雨强相关

情况	相关方程	相关系数
$I < 10 \text{mm/h}$	$R = 0.189\ 4P - 0.453\ 2$	0.85
$I = 10 \sim 20 \text{mm/h}$	$R = 0.363\ 2P - 1.189\ 7$	0.80

流域的次洪径流受很多因素限制,如下渗强度、降雨位置、最大雨强等,但限于时间,本次不再作深入研究。

4.12　结论

(1)小理河流域年、6~9月径流量的变化与降雨量的变化趋势不一致,降雨量呈逐年代减少的趋势,而径流量60~80年代逐渐减少,90年代有所增大,但还未达到60年代水平;7~8月径流量的变化与降雨量的变化趋势一致。

(2)与60年代相比,70、80、90年代年均降雨量减少的幅度并不大,分别只有19%、14%、22%;年均径流量减少的幅度较大,分别为32%、40%、22%;年均输沙量减少则非常显著,分别为75%、85%,43%。这种变化从一定程度上反映出70年代以后小理河流域水沙量的减少,除受降雨偏少影响外,兴建水利水保工程等人类活动也起了一定作用,并且人类活动的减沙作用大于减水作用。

(3)流域70年代后兴建的水利水保工程减小了小水年份的径流量,对大洪水年份影响不大,故对70、80年代的减水减沙作用比对90年代大,而且水利水保工程都有一定的防御标准,如遇大暴雨有可能出现溃坝、决口现象,反而加大径流量。

(4)流域年径流可由年降雨表述的程度为66%,表明人类活动等因素对降雨径流关系的影响较大;相对而言,相同降雨90年代产生的径流量略大于其他年代;该流域年产沙量可由年径流量表述的程度为90%以上;相同径流量,90年代产沙高于70年代和80年代。

(5)流域次洪径流系数平均为0.15,70~80年代洪水极少,90年代洪水较多,且径流系数较大。该流域次洪径流可由降雨表达的程度为76%,考虑次洪平均雨强,次洪径流可由降雨表达的程度提高到80%以上。但次洪径流受多种因素影响,如降雨位置、下渗强度、最大雨强等,均是本次研究没有涉及到的。

参 考 文 献

[1] 汪岗,等.黄河水沙变化研究.郑州:黄河水利出版社,2002
[2] 史辅成,等.黄河流域暴雨与洪水.郑州:黄河水利出版社,1997
[3] Vijag P S.水文系统:流域模拟.赵卫民,戴东,王玲,等译.郑州:黄河水利出版社,2000
[4] 詹道江,叶守泽.工程水文学.北京:中国水利水电出版社,2000

第5章 汾川河流域产汇流规律分析

5.1 流域综述

5.1.1 流域概况

汾川河又名云岩河,发源于崂山东麓后九龙泉,向东流经宜川县,在西沟村 1km 处注入黄河,是延安市第四条大河流。河流全长 112.5km,集水面积 1 781km²,多年平均流量 1.46m³/s,多年平均径流量 4 618 万 m³,多年平均输沙量 479 万 t,输沙模数 2 690t/(km²·a)。水力蕴藏量约 0.68 万 kW。下游新市河水文站实测最大流量(1988 年)1 500m³/s(见图 5.1)。

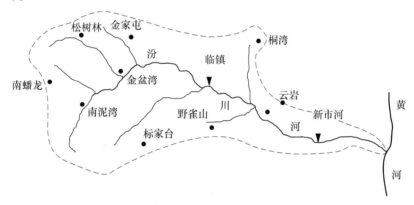

图 5.1 汾川河流域图

按河谷发育形态划分,河源到临镇为上游区,河道海拔由 1 000m 降至 820m,平均比降 4.3‰~8.9‰,谷宽一般在 120~540m 之间,谷坡介于 15°~20°之间。临镇至峁儿为中游区,河床海拔 720~675m,河道平均比降 5.3‰~5.62‰。此段河床多跌水,跌差 2.5~5.0m,河谷宽 400~700m,河道弯曲度大。峁儿至河口为下游区,河床高程 675~545m,河道比降反比中游剧增,在 6.6‰~19.73‰ 之间,河谷宽仅 30~60m,河道深切成峡谷。

汾川河的较大支流几乎都集中分布在临镇以上,主要支流有南川(临镇川),河长 54.8km,集水面积 600km²;松树林川,河长 20.9km,集水面积 139km²,多年平均径流量 360 万 m³;九龙泉川,河长 12.2km,集水面积 152km²;固县川,河长 29.4km,集水面积 317.7km²,多年平均径流量 823 万 m³。

流域内总人口 6.09 万人,其中农业人口 5.57 万人,人口密度 34.2 人/km²。涉及宝塔区 5 个乡镇,3.53 万人,土地面积 1 327.5km²;宜川县 5 个乡镇,48 个行政村,2.56 万人,土地面积 453.5km²。

汾川河多年平均径流量为 4 618 万 m³,径流模数为 0.000 603 5m³/(s·km²)。实测年最大径流量,临镇站为 5 094 万 m³,新市河站 6 027 万 m³;实测年最小径流量,临镇站为 846 万 m³,新市河站 1 444 万 m³。

汾川河多年平均流量,临镇为 0.64m³/s,新市河为 1.06m³/s。实测最大流量,临镇 339m³/s,新市河为 1 410m³/s(发生于 1988 年 8 月 25 日),实测最小流量,临镇为 0m³/s,新市河为 0.030m³/s。

汾川河流域水土流失严重,河流含沙量较大,多年平均含沙量,临镇为 20.0kg/m³,新市河为 65.7kg/m³;实测最大含沙量,临镇为 682kg/m³(1972 年 7 月 1 日),新市河为 745kg/m³(1966 年 6 月 14 日)。临镇站多年平均输沙量为 40.2 万 t,新市河站多年平均输沙量为 268 万 t。临镇站多年平均输沙模数为 398t/(km²·a),新市河站多年平均输沙模数为 1 620t/(km²·a)。泥沙多为悬移质。

5.1.2 自然地理

5.1.2.1 地理位置

汾川河位于延安市东南部,北与延河、雷多河流域接壤,东邻黄河,南与仕望川流域接壤,西以崂山为分水岭与北洛河流域相隔。地处北纬 36°29′15″~36°10′45″、东经 109°31′45″~110°27′30″之间。

5.1.2.2 地形地貌

汾川河流域上游北部一带为黄土梁峁状丘陵沟谷区,上游南部一带为黄土破碎塬沟谷区,下游黄河沿岸部分为黄土覆盖石质丘陵沟谷区。地质属鄂尔多斯台地的组成部分,在中生代基岩和新生代红土层所构成的地形上覆盖有深厚的风成黄土。由于新构造运动的升降和长期内、外力作用,其进一步演变为现在的梁峁起伏、沟壑纵横、沟谷深切、地形破碎。黄土覆盖深为 50~150m。因沟谷长期冲刷下切严重,边坡重力侵蚀活跃,易发生崩塌、滑坡,塬面相对平缓。上游河谷较宽阔,一级阶梯发育形成川、台地。下游新市河一带川道狭窄,基岩裸露,川地极少。汾川河流域水系特征见表 5.1。

表 5.1　汾川河流域水系特征

河名	面积 (km²)	河长 (km)	比降 (×10⁻⁴)	河网密度 (km/km²)	不均匀系数	形状系数	发源地
汾川河	1 781	112.5	80.5	1.22	0.07	0.746	崂山东麓后九龙泉

5.1.2.3 河流沟道分级分布

汾川河流域各级沟道分布密集,且主要分布在上游部分的左右两侧,按其汇入顺序划分各级支流,2km 长以上沟道划分为 1、2、3、4 级,共计 354 条,1~2km 长沟道 396 条。河流左岸 2km 以上一级支流 55 条,右岸 57 条。

5.1.2.4 泉、井分布

汾川河上游地下水较丰富,区内三叠系、侏罗系、白垩系砂质岩孔隙裂隙含水层分布较广,水质亦好,承压水分布也较广泛。上游地下水较丰富,泉、井数量及涌水量均大于下游。发源地在九龙泉,日涌水量为 100m³。日涌水量在 30~50m³ 的 4 个泉也在上游的宝塔区境内。流域内共有井 395 眼,最大日涌水量为 36m³。共有泉 258 个,流域下游只有两个较大的泉,日涌水量为 24m³,其余泉、井涌水量都较小,供乡村人畜饮用。

5.1.2.5　土壤与植被分布

1)土壤

汾川河流域土壤主要有三大类,即黄绵土、普通黑垆土及灰褐土。

黄绵土主要分布在区域内的梁、峁顶部,侵蚀塬的边缘及二级阶地上。该土物理性状良好,质地轻壤,疏松,孔隙度大,通气良好,渗水性强;缺点是有机质含量低,水稳性差,见水容易分散,易造成水土流失。

普通黑垆土主要分布在破碎残塬上。该土质地轻壤,疏松,通透性好,保水保肥,剖面层次明显,腐质层深厚(一般在 34～70cm);抗旱御涝,肥力高,耕性好,适种性广,是良好的耕植土壤,适宜于种植玉米、小麦、糜谷、豆类等作物。

灰褐土,亦称灰褐色森林土,主要分布在流域内林、灌植被覆盖下的土质山区。土壤发育在黄土母质和页岩母质上,剖面层明显,质地轻壤或中壤,上部紧实,土壤养分含量高,水分条件好,热量稍低,是良好的森林土壤。

2)植被

汾川河流域植被极不均匀,上游宝塔区(临镇以上)部分植被良好,以天然次生林及灌木为主,林草面积为 42 880hm²,覆盖率为 72.4%。流域中下游植被较差,连片的林草地较少,只有一些零星的分块苹果、刺槐、核桃、杨树等人工林木,林草面积为 1 920hm²,覆盖率仅为 9.5%。再加近年来人为的乱砍滥伐和过度放牧等破坏,使林地面积逐年减少,水土流失严重。

5.1.2.6　气候因素

汾川河流域总属暖温带与中温带过渡区的大陆性季风气候,气候特点为春季风沙多,气候干燥,冷空气频现,温度变化大,易出现霜冻,寒潮;夏季温热,炎暑期短(15～20 天),降水集中且多暴雨、雷阵雨;秋季温凉,多连阴雨;冬季寒冷干燥,雨雪少,长达六七个月。

(1)日照及辐射量。本流域年日照时数为 2 300～2 500h,年总辐射量为 531.7～561kJ/cm²,其年内变化以夏季为大,总辐射达 167.5～180kJ/(cm²·季度)。春季次之,冬季最小,总辐射量为 83.7～92kJ/(cm²·季度)。

(2)气温。流域多年平均气温 9.9℃;最高气温 39.9℃;最低气温 -22.4℃。

(3)降水。由于本区地处大陆内部,东南季风影响较弱,多年平均降水量为573.3mm,且由南向北递减,降水量年内分布不均,年际变化大,6～9 月由于受西伸的西太平洋副热带高压的影响及中低层中小系统的辐合与地形对气流的抬升作用,常常形成历时短、强度大、笼罩面积小的局部暴雨,降水量约占年降水量的 75%。50%保证率年降水量 559.9mm、75%年降水量 466.2mm、95%年降水量 353.4mm。

(4)风力、风向。区域内全年以西南风居多,冬季盛行西北风,夏季多为东南风。7 级以上大风四季均可出现,夏季大风通常与雷雨相伴,范围不大,历时短,风力强劲。冬季主要是寒潮大风,常伴随降温出现,持续时间较长。

(5)冰、霜冻。区域内初霜日期一般为 10 月初,终霜期在 4 月中旬。以区域内临镇为代表,初霜期最早日期为 9 月 15 日,平均在 10 月 8 日;终霜期最晚日期为 5 月 12 日,平均在 4 月 9 日。无霜日期最长 225 天,最短 157 天,平均 182 天。

(6)蒸发与干旱。流域内多年平均水面蒸发量在 1 000mm 左右,下游大于上游。多年平均年陆地蒸发量为 550mm 左右,由北向南递增,流域平均干旱指数 1.75,上游较小,中下游逐渐递增。

(7)主要自然灾害。流域内由于受地理位置及自然环境的影响,自然灾害时有发生。

干旱:在本区域内程度不等,每年、每季都有发生,特别是春、夏季节更是干旱发生最多时期,对农作物的适时播种、小麦的灌浆影响极大。

冰雹:是与干旱并齐的主要灾害之一,虽历时、范围不大,但造成损失且十分严重。冰雹日数多年平均为 1.3~3.7 天,但有的年份可达 4~9 天,一般从 3 月份开始,5~9 月是最易发生的时期,特别是发生在夏收及秋季作物灌浆、成熟时期的雹灾,有时造成部分范围颗粒无收。"雹打一条线",临镇、宫庄至云岩一带是延安市主要的受雹灾区。

雨涝:主要有两种,一是大雨和暴雨型雨涝,主要发生在 7、8、9 月份的短历时暴雨或短连阴雨后的暴雨,造成山洪暴发,冲毁农田、道路、水土流失、经济损失严重;二是连阴雨型雨涝,连阴雨在 3~10 月常有出现,其中 3~6 月以 5~7 天的短连阴雨最多,7~10 月以 8~15 天的中连阴雨较多,15 天以上的较长连阴雨较少出现。连阴雨季,造成部分低洼地积水,影响农作物生长。

冻害:主要有霜冻、雪冻及冬、春季低温造成的冻害,其受灾范围广,损失严重。霜冻终止的推迟,造成夏季小麦及春播作物幼苗受灾。初霜冻的提前到来造成秋季农作物在未成熟之前被冻死,粮食严重减产。雪冻,即初冬和晚春降雪过大则对小麦越冬期十分不利。它的危害一方面表现在突然降温引起的低温寒害,另一方面因雪消使麦苗"胀死"。冬季本来是小麦等越冬作物的休眠期,往往由于冬季温度的过低而冻死小麦;春季小麦开始返青、拔节,由于骤然降温,小麦返青后较长时间内处于低温条件下,发育受到抑制,造成减产。

其他灾害也时有发生,一般 5~6 月份的高温、低湿和干热风以及雷阵雨伴随着狂风等,往往造成植物蒸散加大引起失水、倒卧等,导致小麦灌浆受碍和青干,粮食大幅度减产。

5.2 水利水保工程

5.2.1 水利工程

汾川河流域现有小型水库两座(胜利水库、汉庄水库),总库容 612 万 m³,以蓄水灌溉为主,设计灌溉面积 1 200hm²,有效灌溉面积 750hm²,年供水量 176 万 m³。

胜利水库原为 1959 年用水中倒土法筑 13m 高的金星水库,库容 85 万 m³,坝址在松树林乡老虎沟村,1970 年水库淤满,9 月加高 9.6m。集水面积 137.5km²,主沟长 21km,比降 1.1‰。水库原按 20 年一遇洪水设计,100 年一遇洪水校核,后按部颁标准(SDJ12—78)定为 500 年洪水校核,50 年洪水设计。流域多年平均径流量 308 万 m³,年输沙量 10.1 万 t。水库总库容 582 万 m³,有效库容 398 万 m³,滞洪库容 284 万 m³,已淤 75 万 m³。枢纽由土坝、输水洞、溢洪道组成。土坝为黄土均质坝,河底高程 1 051.4m,坝高 22.6m,坝顶长 240m、宽 3.5m,坝底宽 148m。坝后排水采用爬坡式反滤设备。迎水坡用干砌石护坡,背水坡采用草皮护坡。输水洞位于坝的左端,为卧管放水结构,由卧管涵洞组成,为钢筋混凝土涵洞,管径 0.8m,全长 206m,设计泄水量 1.5m³/s。溢洪道位于坝的右端,为河岸开闭式,全长 115m,由宽顶堰、平流段、陡坡段、消力池组成,基础为红胶土,最大泄洪能力 160m³/s。

灌区主要有汾川灌区和云英灌区。还有一条小型引水渠,南泥湾灌区与胜利水库相配套,引水库蓄水灌溉。区域引水工程总设计灌溉面积 1 110hm²,有效灌溉面积 690hm²,库总引水量 271.6 万 m³。

汾川渠:跨宝塔区的松树林、麻洞川、临镇、官庄 4 乡(镇)的 17 个行政村,工程于 1958 年开工,分两期进行,第一期 1958~1960 年,第二期 1970~1973 年。设计灌溉面积 1 000hm²,配套灌溉面积 170hm²。灌区工程由两大部分组成:一是渠首枢纽工程、渠首蓄水工程胜利水库;二是小型多渠道工程。渠道工程为多首制引水,分布于云岩河南北,顺川道东西走向贯穿,主要靠胜利水库调供水量,引用汇入云岩河各支流水供给各渠,共 3.3m³/s。由 7 条渠组成多渠道,总长 51.7km,全灌区有渡槽 92 座、排洪桥 109 座、跌水 84 个、涵洞 14 个、闸门 121 处、退水 30 处、倒虹 2 座,各种建筑物共 452 座,绝大部分为傍山土渠。7 条渠道情况介绍如下:

汾川一渠:由胜利水库直接引水,经金盆湾、赵家河、胡屯、老沟,全长 4km,引水流量 0.5m³/s,可灌 68hm²。

汾川二渠:从金盆湾背滩滚水坝(坝高 5m)起水,流经金盆湾、胡屯、老沟、麻洞川到桥梁设支渠,向东直下,绕石窑湾背川地,同时从倒虹穿汾河灌三合、石窑湾、西村阳川地,渠全长 16.7km,引水量 0.7m³/s,可灌地 240hm²。

汾川三渠:从西村背滩滚水坝(坝高 5m)起水,流经羹村、姚家坡背滩后,以倒虹过河,伸向曲里到临镇付家湾,汇入五渠,全长 6km,引水 0.4m³/s,可灌地 165hm²。

汾川四渠:从曲里背川滚水坝(坝高 7m)起水,顺背川直下流经付家湾、曲里、石村至黑舍退水。全长 6km,引水 0.4m³/s,可灌地 90hm²。

汾川五渠:从付家湾汾河上筑滚坝(坝高 1.5m)起水,顺河东下,流经付家湾、石村、临镇、觉德等,全长 32km,引水量 0.3m³/s,可灌地 182hm²。

汾川六渠:从临镇河道筑滚水坝(坝高 1m)起水,顺背川流经河南坪到官庄乡王家沟,全长 6km,引水量 0.7m³/s,可灌地 64hm²。

汾川七渠:由"八一"水库引水,全长 4.5km,流经王家崖、麻洞川到胡家湾退水,可灌地 26hm²。

流域内现有小型抽水站 16 个,总设计灌溉面积 244hm²,总有效灌溉面积 244hm²,年总供水量为 946.78 万 m³。其主要集中在上游宝塔区,共有 13 个抽水站,设计灌溉面积 204hm²,有效灌溉面积 204hm²,年总引水量 937 万 m³。下游宜川境内只有 3 处,设计灌溉面积 40hm²,年引水量 10.68 万 m³。

汾川河河槽比降大,特别是下游河段,河槽深切,多有跌水,水能储量 4 521kW,可开发水力资源 770kW,现有蓝水月水电站一处,装机容量 55kW。

1996 年建成云岩镇供水工程。采用自流引水,建 80m³ 蓄水池一座。埋设供水管网 3.5km,供云岩镇 1 700 余人饮用,年供水能力 1.82 万 m³。

随着人民生活水平的提高、乡镇企业的不断兴起及小城镇人口的不断增加,小城镇的供水问题已成为制约乡镇经济发展的关键。为促进乡镇经济的进一步发展,迎接国家西部大开发的良好机遇,宝塔区人民政府已规划建设临镇供水工程与麻洞川供水工程,总投资 1 220 万元,设计供水量 1 200m³/d,建成后年新增可供水量 45 万 m³。

规划恢复云英渠毁坏渠道 1.5km,新增有效灌溉面积 57hm²,使云英渠总有效灌溉面积达到 147hm²。

对云岩镇供水工程进行改建、扩建,以提高供水能力,同时筹建一批塬区集中供水工程,改善农村供水条件和质量,重点在区内五个乡镇打水窖 1 000 眼,实施节灌面积 200hm²。发挥河流特性,新建新市河、井家峁、太木三个水电站,总水头 58m,总引用流量 3.2m³/s,总装机容量 420kW,总投资 444.1 万元。

5.2.2 水保工程

近年来,在党和政府的重视下,一批批水保工程得到实施,已逐步发挥其应有的效益。采取以小流域为单元,以村庄为依托,实行工程措施和生物措施相结合的综合治理。平整土地,修水平梯田,打淤地坝,植树种草,使流域水土流失现象得到了明显的改变。流域治理已初见成效。

从小流域治理入手,进行山坡植树种草、修水平梯田、沟底打淤地坝的全面治理。

有小水库 2 座,总库容 612 万 m³;打淤地坝 29 座,总库容 1 333.2 万 m³,已拦截泥沙 870.4 万 m³,淤地 133hm²。

山坡地退耕还林种草,人工育林面积达 4 330hm²,占总林草地面积的 9.7%。

该区是国家计委立项的生态环境建设综合治理工程项目区,规划 3 年内完成第一期工程,总治理面积 180km²。自 1998 年实施的云岩镇南摘村西沟小流域治理,流域面积 7.23km²,现已基本完成。1999 年实施新市河乡西良沟流域治理,流域面积 16.7km²,现已完成任务的 30% 左右。

5.3 水系河谱

汾川河流域共有 1~2km 长沟道 396 条;2km 以上一级支流 112 条、二级支流 183 条、三级支流 54 条、四级支流 5 条。其中 2~10km 长沟道 13 条;20~30km 长沟道 2 条;30~40km 长沟道 1 条,即刘村沟 34.3km。集水面积 100km² 以上一级支流 2 条,即松树林川 139.0km²、固县川 317.7km²。集水面积在 50~100km² 的一级支流 5 条,即阳岔沟 52.13km²、阳湾沟 73.45km²、岳家屯沟 74.64km²、北沟 62.58km²、神仙河 89.05km²;二级支流 1 条,即汉庄川 92.83km²。集水面积在 10~50km² 的一级支流 23 条,二级支流 9 条,三级支流 1 条。集水面积在 1.0~10.0km² 的一级支流 82 条,二级支流 176 条,三级支流 54 条,四级支流 5 条。

5.4 水文站网

汾川河共设水文站 2 处。临镇站设于 1958 年 10 月 21 日,位于延安市宝塔区临镇,东经 109°59′,北纬 36°20′,集水面积 1 121km²,至河口距离 59km。新市河站设于 1966 年 5 月 1 日,位于延安市宜川县新市河乡新市河村,东经 110°16′,北纬 36°14′,集水面积 1 662km²,至河口距离 23km。

5.4.1 临镇水文站

临镇水文站基本情况见表 5.2。

表 5.2 临镇水文站基本情况

汾川河临镇站测验河段情况统计

项目	位置		需要测量的数据	控制作用情况			水工建筑 桥梁时间
	基上(km)	基下(km)	(长、宽、高、半径等)	高水	中水	低水	
桥梁	1		27m×7.3m×3.8m (5 孔)	无控制	无控制	无控制	1970 年
	2		14m×4.0m×3.0m (3 孔)	无控制	无控制	无控制	
弯道							
石梁							
卡口							
跌水	0.8		落差 3.0m	无控制	无控制	无控制	
水工							
建筑							
其他							

汾川河临镇站测流槽情况统计

位置		测流槽测量数据		建成时间	最大过水		完好情况
基上(km)	基下(km)	宽度(m)	高度(m)		面积 (m²)	流量 (m³/s)	
0.125		2.6	1.2	1977 年	1.4	设计 2.0 实际 1.8	出水口破损

临镇站系按区域代表原则布设,控制汾川河的水沙量变化,为汛期间测站,非汛期简化测验站。本站为国家基本水文站、黄河水情报汛站、三类精度流量站、三类精度泥沙站。其基本任务有:水位、流量、降水观测;单沙、水面比降观测;水准点测量、水尺零点高程测量、大断面测量;水文普查和重点调查、暴雨洪水调查;水情拍报、电台值机、水情报表填报、水情值班;原始资料整理、中间和辅助性图表绘制、整编成果表编制。水位、降水量为全年观测项目;流量为汛期间测、非汛期简化测验项目;泥沙为 5~10 月汛期观测项目。

水位观测 1～4、11、12 月根据水位变化情况每日观测测流槽水位 1～2 次,相应基本断面水位停测。5～10 月低水在测流槽观测水位,相应基本断面水位停测;洪水期超过测流槽过水能力在基本断面观测水位,测次布设按洪峰的起涨、峰顶、峰谷、转折变化观测。

1～4、11、12 月采用水位流量综合线法推流,每月在测流槽测流 2 次。5～10 月水位在 8.20m(或流量在 140m³/s)以下,实行流量间测,一般停测 3 年检测 1 年。停测年份流量测验按水位在 8.20m 以上时,用全断面浮标法按 0.40m 左右的水位级差布置测次,峰顶或峰顶附近必须有 1 次,洪水过后实测断面。停测期间,当发生异常洪水或因人类活动等对测站控制条件产生显著影响时,应立即恢复流量测验。检测年份流量测验水位在 6.60m 以下时,在测流槽观测水位进行推流,相应基本断面水位停测;水位在 6.60～8.20m 时,全年测流 4～6 次。

5～10 月单样含沙量测次布设的原则是应能测到完整的单样含沙量变化过程。1～4、11、12 月单沙停测。

5.4.2　新市河水文站

新市河水文站基本情况见表 5.3。

表 5.3　新市河水文站基本情况

汾川河新市河站测验河段情况统计

项目	位　置		需要测量的数据	控制作用情况			水工建筑
	基上(km)	基下(km)	(长、宽、高、半径等)	高水	中水	低水	建筑时间
桥梁		0.28	34m×5m×2m(7孔过水桥)		有控制	有控制	1985 年 1 月
弯道	0.16		半径约 30m	有控制	有控制		
石梁							
卡口							
跌水		0.32	落差 1.2m	有控制	有控制		
水工建筑							
其他							

汾川河新市河站测流槽情况统计

位　置		测流槽测量数据		建成时间	最大过水		完好情况
基上(km)	基下(km)	宽度(m)	高度(m)		面积(m²)	流量(m³/s)	
	0.32	上宽 3.2下宽 3.2	0.8	1989 年 5 月	2.2	3.51	良

本站系按区域代表原则布设,控制汾川河的水沙量变化,为汛期驻测站、非汛期简化测验站。本站为国家基本水文站、黄河水情报汛站、三类精度流量站、三类精度泥沙站。其基本任务有:水位、流量、降水观测;单沙、水面比降观测;水准点测量、水尺零点高程测量、大断面测量;水文普查和重点调查、暴雨洪水调查;水情拍报、电台值机、水情报表填报、水情值班;原始资料整理、中间和辅助性图表绘制、整编成果表编制。

水位、降水量为全年观测项目;流量为汛期驻测、非汛期简化测验项目;泥沙为5~10月汛期观测项目。

水位观测1~4、11、12月,根据水位变化情况在测流槽每日观测水位1~2次,基本断面水位停测。5~10月低水基本断面水位在1.93m以下可在测流槽观测水位,相应基本断面水位停测;洪水期超过测流槽过水能力在基本断面观测水位,测次布设按洪峰的起涨、峰顶、峰谷、转折变化观测。

流量测验1~4、11、12月,采用水位流量综合线法推流,每月在测流槽测流2次。5~10月平水期流量测验测次布设按基本水位在1.93m以下时,在测流槽观测水位,每月测流1次。5~10月洪水期流量测验测次布设按水位在2.40m以下时,每个峰测流1~2次,峰顶或峰顶附近必须有1次。水位在2.40m以上6.50m以下时,按0.50m左右的水位级差布设测次,峰顶或峰顶附近必须有1次。水位在6.50m以上时,可用全断面浮标法按0.40m左右的水位级差布设测次,借用洪水后实测断面计算流量。

5.5　径流

表5.4为汾川河汛期、年降水量、径流量、泥沙量多年均值基本情况统计。

表5.4　汾川河汛期、年降水量、径流量、输沙量多年均值统计

河名	站名	降水量(mm)		径流量(万 m³)		输沙量(万 t)	
		汛期值	年值	汛期值	年值	汛期值	年值
汾川河	新市河	354.7	545.5	1 748	3 696	232.2	272.0

汾川河流域地处干旱、半干旱地区,冬长而干冷,夏短而多暴雨。据统计,流域内多年平均降水量为573.3mm(1967~2000 年),从降水空间看变化不大,由北向南略有增加,但降水的年际变化较大,最大年降水量为760.7mm(1975 年),最小年降水量为316.7mm(1995 年),最大最小比值为2.4(见图5.2);降水的年内分配也非常不均,降水量主要集中于汛期,且多以暴雨形式出现,降水量占全年的68%,其中又集中于7~8月,占年降水量的48%,最大月降水多发生在8月份。

黄河中游各支流的地理地貌千差万别,但总的来看同属于一个大的气候带。整个中游区由于受季风影响,各地多年平均汛期降水量占年平均水量的60%以上。汾川河属半干旱地区,暴雨最明显的特性是历时短、强度大、年际间的变差大,一次降雨过程的洪水、泥沙特征很多方面派生于暴雨。

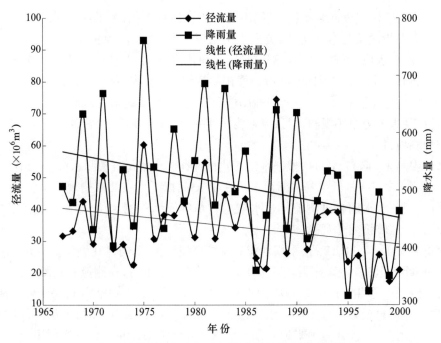

图5.2 汾川河新市河站年降水量和径流量过程线

5.6 暴雨

5.6.1 暴雨特性

夏季太平洋高压西进北上,西南和东南气流将大量海洋暖湿空气向北输送,与北方南下的干冷空气交缓形成不同的降雨过程。西太平洋副热带系统的进退变化,直接影响黄河中游大面积暴雨的强度、位置和走向。黄河中游发生的较大面积暴雨,从环流形势可分为经向型和纬向型,经向型受西太平洋暖湿气流支配,纬向型受南海和孟加拉湾暖湿气流支配。汾川河位于吴龙(吴堡—龙门,下同)区间,河龙(河曲—龙门,下同)区间是黄河主要的洪水、泥沙来源区,暴雨的强度和位置,暴雨的发生时刻和笼罩面积对黄河的防洪和泥沙产量最关紧要。

黄河汛期(7~10月),也就是黄河的雨季,在这4个月中还有一个大洪水多发期,即7月下半月至8月上半月,其频率为75%,即4年中有3年的最大洪峰出现在7月下旬至8月上旬。

汾川河各年代降水量中,60年代年均降水量最大,为566.1mm;70年代与80年代年均降水量接近;90年代量最小,为452.5mm。从7~10月降水量所占年降水量的百分比看,变化不大,60年代所占比例为68%左右;70年代所占比例为65%左右;80年代最小,仅占61%;90年代又增大到68%左右。7~8月降水量所占比例除90年代稍低外,其他年代变化不大,为50%左右。汾川河汛期、年降水量变化统计见表5.5。

表 5.5　汾川河汛期、年降水量变化统计　　　　　　　　　　（单位:mm）

河名	站名	年降水量				汛期降水量			
		1956～1969	1970～1979	1980～1989	1990～1999	1956～1969	1970～1979	1980～1989	1990～1999
汾川河	新市河	566.1	530.9	536.6	452.5	383.9	344.9	329.8	311.5

　　汾川河流域降水多以暴雨形式出现。统计汾川河 5 个主要雨量站最大 1 日、3 日、7 日降水量,各站平均最大 1 日降水量为 50mm 左右,最大值达到 200mm 以上;平均最大 3 日、7 日降水量分别在 70、90mm 左右,比最大 1 日降水量分别大 20、40mm 左右。

5.6.2　暴雨产水影响因素分析

5.6.2.1　降雨落区及其空间分布和集中程度

1)降雨落区

由于下垫面条件的不同,在降雨条件基本相同的情况下,其产水产沙量可以有很大差异。吴龙区间为黄土丘陵沟壑区第二副区,汾川河属过渡区土石山林区。土壤侵蚀程度相对较轻,而且其年降水量相对较大,暴雨强度相对较低,地面植被覆盖也要好一些,输沙模数相应减小。

2)降雨空间分布和集中程度

同一类型区由于降雨空间分布和集中程度的不同,其产流产沙量也可有明显差别。有些年份雨区范围很广,但强度不大,输沙模数也低。黄河中游次产沙量较大的暴雨多为雨区达到一定面积,其中心最大雨量超过 100mm 左右。特大产沙量则是雨区范围较大,暴雨中心最大雨量达 200mm 左右或更大。据对几次特大产沙量进行分析,河龙区间雨深 ≥25mm 的雨区面积可达 50 000～80 000km^2,其中雨深≥100mm 的面积只有 5 000～10 000km^2,雨深 200～300mm 的面积一般都很小,即特大暴雨的雨深面积关系曲线的梯度很大。

5.6.2.2　降雨强度

黄河中游输沙模数最高的黄土丘陵沟壑区第一副区,其产流方式属超渗产流,降雨强度对产流产沙的影响很重要。关于降雨强度对产流产沙的影响曾用不同方法进行计算,所得的结论不同

暴雨次数多少、雨量大小和降雨强度高低是影响径流量和产沙量多少的主要因素。

5.6.2.3　人类活动影响

水土保持和人类破坏作用对产流和产沙的影响不可低估。

暴雨产水产沙关系受到各种错综复杂因素的影响,其中汛期有效雨量、雨强和产流方式(超渗产流和蓄满产流)是基本因素,另有一些特殊情况下的附加因素。

5.7　洪水

表 5.6、表 5.7 为汾川河历年洪水基本情况统计表。

表 5.6　汾川河临镇站历年洪水基本情况统计

年份	时间(月-日 T 时:分)	洪峰流量(m³/s)	年份	时间(月-日 T 时:分)	洪峰流量(m³/s)
1966	07-26T08:06	114	1978	06-02T16:30	135
1969	07-25T15:42	153	1979	08-03T05:36	156
1970	07-01T20:18	136	1980	06-28T17:06	114
1971	08-22T17:36	131	1981	07-03T20:30	147
1975	07-28T21:00	586	1985	08-05T23:00	133
1975	08-12T04:54	244			

表 5.7　汾川河新市河站历年洪水基本情况统计

年份	时间(月-日 T 时:分)	洪峰流量(m³/s)	年份	时间(月-日 T 时:分)	洪峰流量(m³/s)
1966	07-26T10:06	434	1977	06-24T07:00	192
1966	08-30T14:54	234	1978	08-26T14:00	147
1966	06-29T01:24	202	1978	07-19T19:18	141
1968	07-19T09:36	415	1979	06-28T17:36	1 120
1968	08-13T18:18	131	1979	07-29T18:36	317
1969	07-25T17:30	423	1979	08-03T08:24	127
1969	09-26T04:00	312	1980	06-28T19:30	189
1970	07-01T22:24	287	1981	07-03T22:30	427
1971	09-02T01:18	714	1981	08-15T16:42	208
1971	08-23T14:18	611	1981	06-20T16:30	133
1971	07-06T19:18	472	1982	08-02T20:36	275
1971	06-27T15:48	139	1984	06-05T05:18	101
1972	07-01T07:42	333	1985	08-17T00:30	253
1973	06-02T17:12	164	1988	08-25T04:42	1 500
1973	07-24T16:36	110	1991	07-28T01:36	439
1974	07-03T01:30	268	1992	08-11T15:30	422
1974	08-08T16:06	139	1993	07-12T06:00	618
1975	07-28T22:48	1 150	1994	08-06T02:42	244
1975	08-12T02:18	304	1995	08-05T19:12	181
1975	09-18T10:12	278	1996	07-12T18:06	214
1976	10-01T18:36	130	2003	08-08T07:18	255
1977	07-05T17:48	1 120			

汾川河洪水主要由大面积短时暴雨形成。由于降雨历时短、强度大,形成的洪峰过程往往呈尖瘦型。从洪水发生频次看,基本每隔几年就发生一次较大洪水。

70 年代是汾川河流域洪水频繁发生的年代。该年代大于 300m³/s 的洪水共发生 9 次,其中大于 500m³/s 的洪水 5 次,1975 年发生了 1 150m³/s 的洪水,1977 年和 1979 年又发生了 1 120m³/s 的大洪水。进入 80 年代,大于 300m³/s 的洪水发生 5 次,其中 1988 年发生了大于 300m³/s 的洪水 4 次,并于 8 月 25 日发生了 1 500m³/s 的历史最大洪水。90 年代大于 300m³/s 的洪水有 3 次,其中 1993 年洪水洪峰流量为 618m³/s。

1988 年 8 月 25 日的洪水是 1966～2000 年汾川河最大的一次洪水,洪峰流量达 1 500m³/s,其中临镇以上来水 236m³/s。流域面平均最大 1 日降水量为 64mm,暴雨中心殿市雨量站最大 1 日降水量达 129mm。1977 年洪水洪峰流量为 1 120m³/s,最大 1 日面平均降水量为 55mm,暴雨中心雨量站最大 1 日降水量达 107mm。可见,汾川河暴雨特性决定着洪水特性。

5.8 典型洪水分析

5.8.1 1975 年洪水

1975 年 7 月 28 日汾川河局部地区降暴雨,28 日 16 时 18 分至 29 日 8 时金盆湾站降雨量为 90.6mm,最大雨强达 127mm/h(19min);临镇站降雨量为 67.9mm,最大雨强达 7.6mm/h。临镇站 28 日 21 时洪峰流量 586m³/s,新市河站 28 日 22 时 48 分洪峰流量 1 150m³/s。临镇以上来水主要是金盆湾局部强暴雨形成,雨强是临镇站洪水过程的重要致洪因子。临镇局部降雨量及其以上来水是新市河站洪水过程的重要影响因素(见图 5.3)。

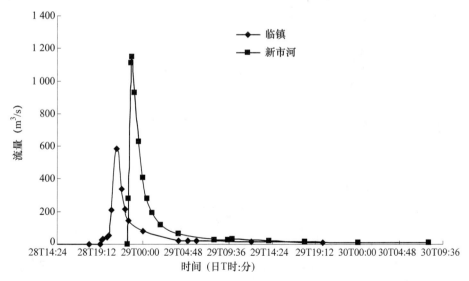

图 5.3 1975 年 7 月洪水过程线

5.8.2 1977 年洪水

1977 年 7 月 5 日汾川河局部地区降暴雨,5 日 8 时至 6 日 2 时南蟠龙站降雨量为

19.5mm;5 日 16 时 18 分至 18 时 12 分金盆湾站降雨量为 21.4mm,最大雨强达 22.1mm/h;5 日 17 时至 19 时新市河站降雨量为 45.4mm,最大雨强达 35.8mm/h。新市河站局部强降雨形成此次洪水过程,新市河站 5 日 17 时 48 分洪峰流量 1 120m³/s(见图 5.4)。

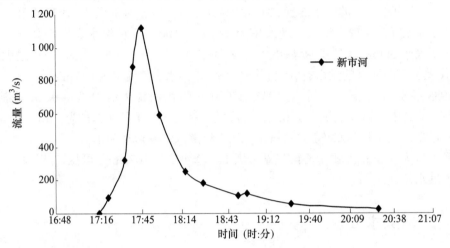

图 5.4　1977 年 7 月 5 日洪水过程线

5.8.3　1979 年洪水

1979 年 6 月 28 日汾川河局部地区降暴雨,28 日 16 时至 18 时南蟠龙站降雨量为 14.8mm;28 日 15 时 18 分至 28 日 18 时 12 分临镇站降雨量为 31.5mm,最大雨强达 31.2mm/h;28 日 16 时至 17 时 36 分新市河站降雨量为 12.5mm。新市河站 28 日 17 时 36 分洪峰流量 1 120m³/s(见图 5.5)。之前 22、23 日全流域有约 30mm 的降雨过程。该次洪水致洪因子不明显。

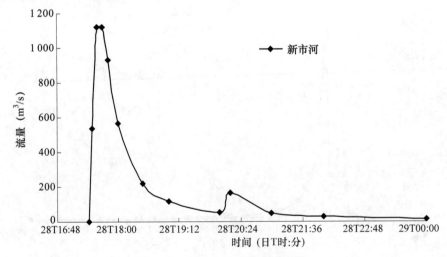

图 5.5　1979 年 6 月洪水过程线

5.8.4　1988 年洪水

1988 年 8 月 25 日汾川河局部地区降暴雨,25 日 0 时至 25 日 4 时松树林站降雨量为

40.3mm,最大雨强 14mm/h;25 日 1 时至 25 日 2 时金家屯站降雨量为 40.3mm,最大雨强 40.3mm/h;25 日 0 时至 25 日 2 时临镇站降雨量为 30.7mm,最大雨强 23.3mm/h;25 日 3 时 至 25 日 5 时临镇站降雨量为 21.5mm,最大雨强 13.0mm/h。临镇站 25 日 3 时 12 分洪峰流 量 236m³/s,新市河站 25 日 4 时 42 分洪峰流量 1 500m³/s(见图 5.6)。

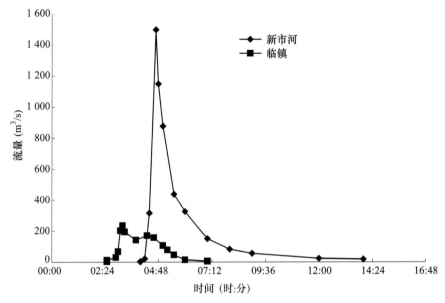

图 5.6 1988 年 8 月 25 日洪水过程线

5.9 降雨径流关系

表 5.8 所示为汾川河流域径流系数、径流模数。图 5.7 为汾川河流域年降雨量与径 流量相关关系图。从图 5.7 中可以看出,降雨量与径流量关系较好,说明该流域受人类活 动及水利水保工程的影响较小,产流变化不大。当 7~8 月降雨量小于 230mm 时,随着降 雨量增加,相同降雨条件下径流量减少幅度明显增加;当 7~8 月降雨量大于 230mm 后, 产流量有所增加。

表 5.8 汾川河流域平均年径流系数、径流模数

年代	平均年径流系数	平均年径流模数(dm³/(s·km²))
70	0.042	0.70
80	0.042	0.74
90	0.038	0.57

汾川河产流在相同降雨条件下,主要决定于降雨强度。如 1988 年,虽然年降雨 639.9mm,但降雨强度大,6~8 月有 6 次较大洪水过程,并出现了洪峰流量达 1 500m³/s 的历史最大洪水;年径流量达 7 440 万 m³,远大于相同降雨条件下的产流。又如 1969 年

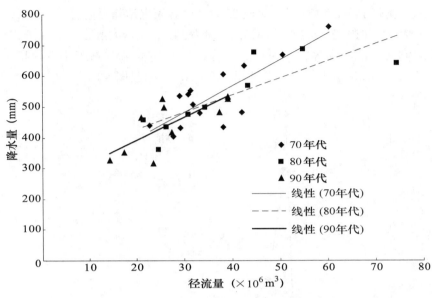

图 5.7 汾川河流域年降水量与径流量相关关系

降水量为 632.9mm,与 1988 年基本相同,但产流量仅 4 250 万 m³。其主要原因是 1988 年降雨强度大,洪水场次多,说明当降雨强度特大时,在相同降雨条件下,产流增加。

5.10 认识

(1)汾川河流域年降雨量 70、80 年代差别不大,90 年代降雨明显偏少。流域多年降雨、径流均有较明显的减小趋势,降雨的减小幅度大于径流。

(2)降雨空间分布对产流影响较大,来水量分布不均,汾川河(新市河站)洪水主要来自临镇—新市河区间,临镇以上来水较少。

(3)降雨量及其强度是影响径流的主要因素。汾川河年径流可由年降雨表述的程度为 80%,降雨径流关系较为稳定,无明显变化。

(4)该流域属半干旱地区,蒸发旺盛、径流量小,产流不均匀,年际变化大。

(5)汛期降雨往往以暴雨形式出现,形成尖瘦型洪水,并引起严重的土壤侵蚀,对次洪而言,相同降雨量产生的洪水变化较大,主要取决于雨强。

第6章 马莲河合水川流域

6.1 自然地理

合水川为泾河水系马莲河流域的一级支流,发源于甘肃省合水县城关镇西岔以上,位于东经 108°04′~108°25′、北纬 35°50′~36°10′。河流自东北向西南,全长 53.1km,集水面积 836km², 海拔 1 100~1 500m,河道平均比降 6.34‰。

合水川位于黄土高原腹地,子午岭西麓。地形以黄土梁峁丘陵地形为主,冲沟异常发育。

该流域内子午岭有天然次生林广泛分布,植被良好,次生林面积占流域的 62%。

该流域地处大陆内部,受大陆性季风影响,属中温带大陆性季风气候区,气候特点是四季分明,雨热同季,光照充足,冬冷漫长,夏热短促。春季干旱少雨,干燥多风,天气多变;夏秋季多东南风,雨量相对集中,夏季酷热,伏旱、雹洪为灾,秋凉阴雨,气候湿润;冬季多西北风,干旱少雪。

板桥水文站是合水川流域唯一一个水文站,也是合水川的控制站,于 1958 年 6 月由黄河水利委员会设立,位于合水川距河口 4.8km 处,集水面积 807km²,占该流域集水面积的 93.4%。现有雨量站 10 个,大部分为 20 世纪 80 年代设立。80 年代以前,雨量站仅有二三个,且设站年份不一。站网分布见图 6.1。

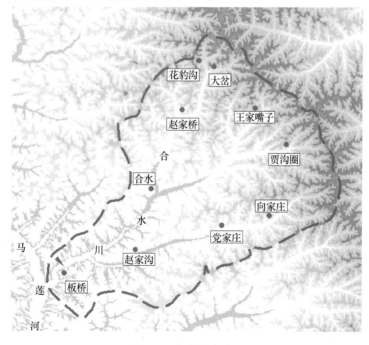

图 6.1 合水川流域图

6.2 降雨

根据 1981～1997 年的 10 站 17 年资料统计,合水川流域多年平均降雨量为 506.3mm,据有关文献资料,多年平均降雨量为 550mm。逐年降雨见表 6.1 和图 6.2。

表 6.1 合水川流域各站年降雨量统计

年份	各站年降雨量(mm)										站数	年平均 (mm)
	贾沟圈	王家嘴子	大岔	花豹沟	赵家桥	合水	向家庄	党家庄	赵家沟	板桥		
1981	655.7	511.8	693.7	629	652.8	546.7	617.7	667.9	584.4	584.4	10	614.4
1982	340	359.2	423.9	312.6	385	435.6	419.1	495	430.8	370.3	10	397.2
1983	543.1	463.2	516.2	568.2	578.1	569.4	689.5	687.2	702.4	610.2	10	592.8
1984	589.8	680	684.5	665.2	647.6	637.5	615.9	718.2	624.1	541.5	10	640.4
1985	600.9	589	575	607	530.1	491.2	—	661.6	555.2	548.1	9	573.1
1986	342.4	324.9	342.9	380.2	349.4	349.2	350	381.4	396.7	379.6	10	359.7
1987	379.9	393.4	382.6	385	370.4	309.2	341.8	454.8	468.8	442	10	392.8
1988	572	555	617.8	737.5	624	438.6	—	775.5	635.8	715.4	9	630.2
1989	436.1	359.4	459.5	469	477.8	402.7	344.3	418	499.3	466.2	10	433.2
1990	620.4	634.3	692.4	683.7	726	532.4	544.7	630.2	571.3	615.4	10	625.1
1991	465.3	457.6	460.7	447.4	399.9	525	548.5	563.1	575.7	490.7	10	493.4
1992	604.1	438.8	511.7	805.9	530.6	573.1	475.9	623.7	584.6	563.3	10	571.2
1993	552.7	409.5	480.3	461.7	449.7	495.4	539.1	556.8	578	497	10	502
1994	475.8	474.9	529.8	488.5	475.4	450.4	617.3	520.3	522.7	527.7	10	508.3
1995	354.9	375.2	424.4	369.7	361.2	387	484.8	306.7	279.6	279.8	10	362.3
1996	764.1	469.6	597.1	900.4	535.6	647.3	544	420.6	580.9	566.8	10	602.6
1997	325.3	291.1	309.5	494.8	306.8	306.4	273.8	311.3	351.9	299.9	10	327.1
合计	8 622.5	7 786.9	8 702.0	9 405.8	8 400.4	8 097.1	7 406.4	9 192.3	8 942.2	8 498.3		
年数	17	17	17	17	17	17	15	17	17	17		17
平均	507.2	458.1	511.9	553.3	494.1	476.3	493.8	540.7	526	499.9		506.3

6.2.1 降雨年际变化

通过对合水川流域年降雨量的变化分析,年际变化较大,最小为 1997 年,降雨量 327.1mm,最大为 1966 年,降雨量 763.6mm,为最小年份的 2.3 倍。从合水川流域年降雨量年际变化图(图 6.2)可以看出,从 60 年代以来,总体上有减小的趋势,但减小的幅度并不明显。

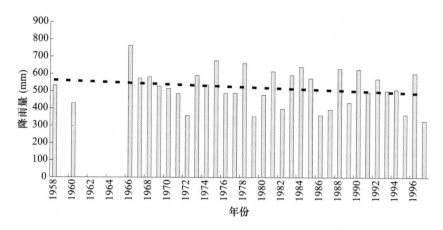

图6.2 合水川流域年降雨量年际变化

由图6.3可以看出,板桥站实测年降雨量与流域年平均降雨量有较好的相关关系,即板桥站的年降雨量可以较好地代表流域的年平均降雨量。

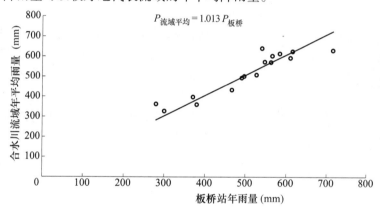

图6.3 板桥站与合水川流域年平均雨量关系

两者相关系数$R=0.91$。因此,80年代前流域年平均降雨量可用板桥站实测降雨量代替。这样我们就可以将降雨资料延长至1966年,由此计算流域多年平均降雨量为535.9mm,较10站17年资料计算结果偏大29.6mm,初步分析原因为1981～1997年年降雨量较常年偏小。

6.2.2 降雨的年代变化

从合水川流域降雨量年代变化图(图6.4)可以看出,1966～1969年(图中的60年代)年平均降雨量为612.5mm,70年代为515.2mm,80年代511.2mm,1990～1997年(90年代)为499mm,降雨量有逐步减少的趋势,但90年代以来各个年代的年平均雨量变化不大。

6.2.3 降雨的年内分布

该流域多年平均降雨量535.9mm,降雨量多集中在6～9月,全年无霜期166天。汛期(6～9月)372mm,占多年平均降雨量的69.4%,非汛期(10月～次年5月)163.9mm,占多年平均降雨量的30.6%。见图6.5。

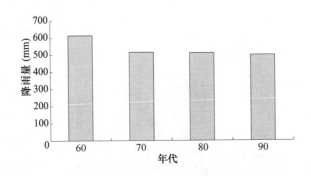

图6.4 合水川流域降雨量年代变化

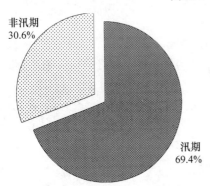

图6.5 合水川流域多年平均降雨量年内分配

全年各月降雨量变化较大,其中最大月雨量出现在 7、8 两月,分别为 113.3mm 和 114.2mm;最小降雨量分别出现在 1 月和 12 月,分别为 4.3mm 和 3.8mm。7、8 两月降雨量 227.5mm,占汛期降雨量的 61.2%。见图 6.6。

从 1981 年以来 10 个雨量站各个多年平均降雨量来看,最大为 540.7mm,最小为 434.9mm,对于仅有 807km² 的区域来讲,雨量分布还是不均匀的。这与这一区域的气候特点有关,该区域在盛夏季节多局地对流天气,降雨基本为阵性降雨,且地区分布不均。

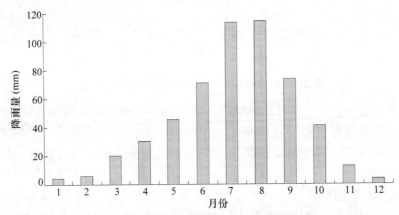

图6.6 合水川流域各月多年平均降雨量

6.3 蒸发

据有关资料显示,合水川流域多年年平均蒸发能力 1 592.5mm。年平均气温 9.1℃,本文尚无得到流域内蒸发量资料,故采用相邻的平凉、环县、西峰蒸发资料,并以此粗略分析蒸发能力的变化情况。

从平凉、环县、西峰历年水面蒸发量变化图(图 6.7)可以看出,三站蒸发能力自

1951～2002年总体上没有明显的增加和减少的趋势,这与该流域大的气候背景无大的变化有关,但是,从年际的变化来看,年与年的蒸发能力还是有较大的差别。特别是1974年三站蒸发能力与其他年份相比明显减小。

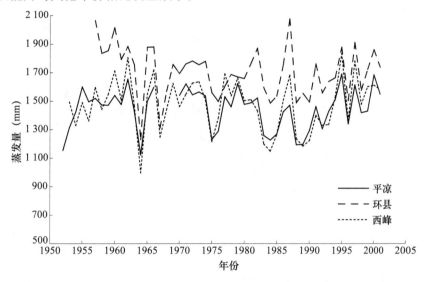

图 6.7　平凉、环县、西峰历年水面蒸发量变化

通过对平凉、环县、西峰历年各月蒸发能力的统计,可以看出随着季节和月份的不同,多年平均月蒸发能力有显著差异,从 3 月份开始,随着春夏季节的到来和气温的逐步升高,三站的月蒸发能力不断增加,其中 4～8 月份月蒸发能力都在 150mm 以上。而 10 月份以后,随着冬季的到来,蒸发能力又开始减小,这说明蒸发能力的大小主要与季节的变化即气温的高低有关,如图 6.8 所示。

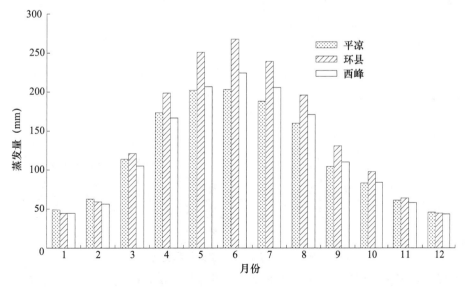

图 6.8　水面蒸发多年平均年内分布

由图 6.9 可以看出,1951~2002 年平凉、环县、西峰的年平均气温有升高的趋势,特别是 80 年代以后,气温明显偏高。

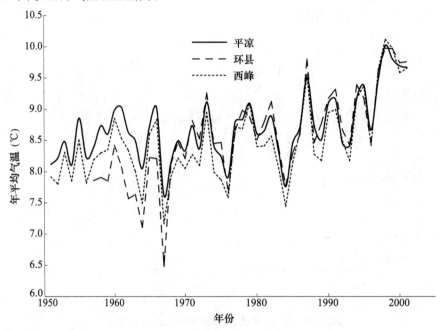

图 6.9　平凉、环县、西峰历年气温变化

6.4　径流

根据现有实测资料统计,板桥站 1959~1997 年多年平均径流量为 1 488 万 m^3,平均径流深 18.4mm,但年际变化很不均匀,最大为 1966 年,径流量 4 804 万 m^3,最小为 1972 年,径流量为 635.8 万 m^3,相差 6.6 倍之多。从时间序列来看,从 60 年代以来,年径流量有减少的趋势,这与流域降雨量变化趋势一致(见图 6.10)。

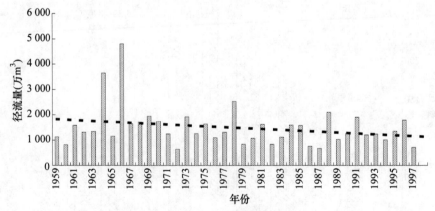

图 6.10　板桥站径流量年际变化

由板桥站径流量年代变化(见图 6.11)可以看出,60 年代年平均径流量为 1 994 万 m^3,而自 70 年代以来,径流量明显偏小,70、80、90 年代径流量虽有变化,但差别不大,平

均为 1 320 万 m³,较 60 年代减少 33.8%。

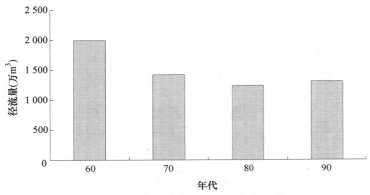

图 6.11　板桥站年平均径流量年代变化

板桥站多年平均径流量主要集中在 6～9 月,径流量为 839 万 m³,占全年径流量的 56.4%,6～10 月为 963 万 m³,占全年径流量的 64.7%,而 11 月～翌年 5 月仅 552 万 m³,占全年径流量的 35.3%。在汛期,7、8 两月的径流量为 551 万 m³,占整个汛期(6～9 月)的 65.7%,占 6～10 月 5 个月的 57.2%,同时也与 11 月～翌年 5 月的径流量相当。这与降雨的年内分配也基本一致,只有 6 月和 10 月的降雨不相符。

从板桥站多年平均径流量各月分布(见图 6.12、图 6.13 和表 6.2)来看,随着盛夏季节暴雨期的来临,7 月份径流量较 6 月份明显增大,并且为全年各月径流量最大。

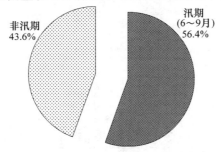

图 6.12　板桥站径流量年内变化

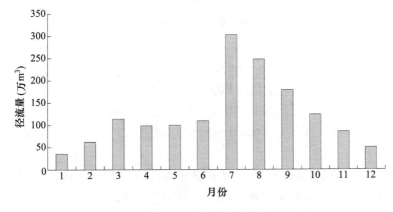

图 6.13　板桥站多年平均径流量各月分布

表 6.2　板桥站多年平均流量、径流量成果

月份	1月	2月	3月	4月	5月	6月	7月	8月	9月	10月	11月	12月	多年平均
流量（m³/s）	0.15	0.23	0.43	0.37	0.37	0.41	1.13	0.93	0.67	0.46	0.32	0.19	0.47
径流量（万 m³）	36	62	114	99	100	110	303	248	179	124	86	50	1 488

6.5　输沙量

1960～2000 年板桥站多年平均输沙量为 150 万 t,平均输沙模数为 1 859t/km²,年际变化极不均匀,最大为 1966 年,年输沙量 1 255 万 t,最小为 1997 年,仅 9 万 t,相差约 138 倍。多沙年份主要集中于多水年份,多年平均含沙量 101kg/m³,历年最大年输沙模数 15 600t/km²,属于水土流失较严重地区。板桥站年输沙量和平均含沙量见图 6.14、图 6.15。

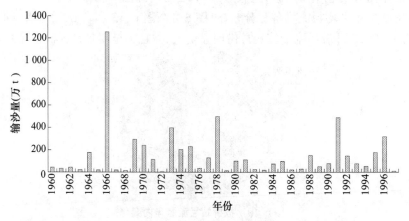

图 6.14　板桥站年输沙量变化

从板桥站年输沙量与年平均含沙量关系(见图 6.16)可以看出,年输沙量与年平均含沙量有正相关关系,即年输沙量大,相应的年平均含沙量也大,但当年输沙量达到 600 万 t 以上时,年平均含沙量大致在 250kg/m³ 左右,变化不大。

从板桥站各年代年平均输沙量(见图 6.17)可以看出,60 年代、70 年代年平均输沙量 190 万 t 左右,80 年代以后有所减少,80 年代仅为 67.3 万 t,90 年代又有所增加,为 158.8 万 t。

从板桥站多年平均输沙量年内分布(见图 6.18、图 6.19)可以看出,多年平均情况下,93％的输沙量集中在汛期,而非汛期只占 7％,其中 7、8 月份输沙量合计 119 万 t,占汛期的 85％,占全年的 79％。说明流域的年内输沙量主要集中在 7、8 月份的主汛期。

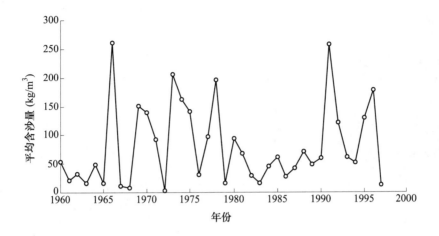

图 6.15　板桥站年平均含沙量年际变化

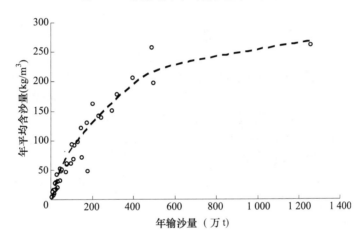

图 6.16　板桥站年输沙量与年平均含沙量关系

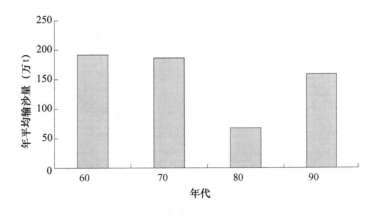

图 6.17　板桥站输沙量年代变化

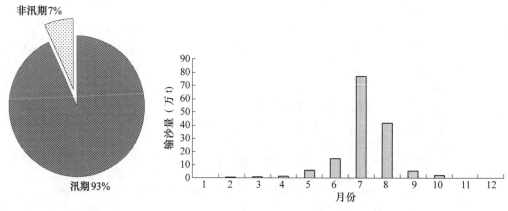

图 6.18　板桥站多年平均
输沙量年内分布

图 6.19　板桥站多年平均输沙量年内分布

6.6　流域降雨及水沙特点分析

6.6.1　径流系数变化及径流与输沙量的关系

由图 6.20 可以看出,流域年平均降雨量与年径流量关系呈带状分布,说明径流量与降雨量有正相关关系,但关系点据较为散乱,说明影响径流量的因素不仅仅是降雨量的大小,还与降雨的强度、空间分布等特性有关。而多年平均径流系数为 0.032,80 年代较 70 年代和 90 年代略小,相应年输沙模数也有变化(见图 6.21、表 6.3)。

因此,影响合水川流域年、月尺度降雨径流关系及径流变化的主要驱动力因子是暴雨的次数、量级、强度及空间分布。

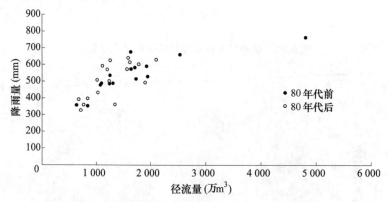

图 6.20　合水川流域年平均降雨量与年径流量关系

从平均年输沙模数来看,70 年代为 23t/km², 80 年代降为 8.3t/km², 而 90 年代又恢复为 19t/km²,初步分析为 70 年代后期人工水土保持措施在 80 年代作用明显,而在 90 年代部分已失去作用。

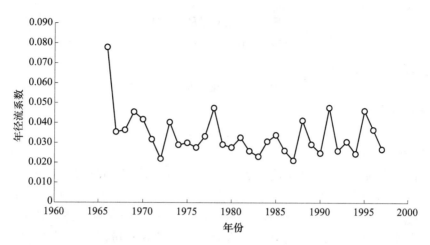

图 6.21　合水川流域历年年径流系数变化

表 6.3　合水川流域平均年径流系数、径流模数、输沙模数

年代	平均年径流系数	平均年径流模数 （$dm^3/(s \cdot km^2)$）	平均年输沙模数 （t/km^2）
70	0.033	0.56	23
80	0.029	0.49	8.3
90	0.033	0.51	19

　　从图 6.22 板桥站径流量—输沙量关系也可以看出,60 年代和 70 年代水沙关系分别为：

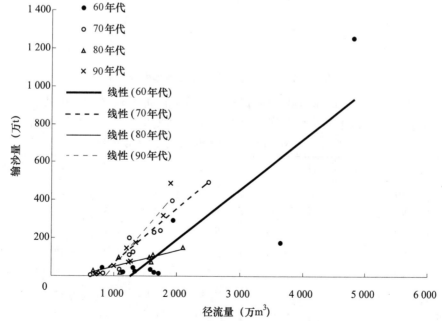

图 6.22　合水川板桥站径流量—输沙量关系

$$W_s = 0.262\,2R - 331$$
$$W_s = 0.285\,8R - 219$$

80年代水沙关系为：

$$W_s = 0.086\,3R - 39$$

90年代水沙关系为：

$$W_s = 0.338\,6R - 340$$

6.6.2　暴雨

以板桥站为例,通过对60年代以来33年的资料统计,降雨日数为2 897天,平均每年降雨日数为87.8天;日雨量大于10mm的天数仅531天,年平均为16.1天;日雨量大于25mm的天数仅105天,年平均为3.2天;日雨量大于50mm的天数仅23天,年平均为0.7天。日雨量大于50mm的降雨绝大部分发生在7、8月份,其中7月和8月各为10天,其余3天发生在5、6月份。

根据1981~1997年日降雨量资料分析,流域暴雨站日数共89个,各站降暴雨的日数主要集中在7、8月盛夏季节,暴雨站日数为71个,占全年的80%,见图6.23。

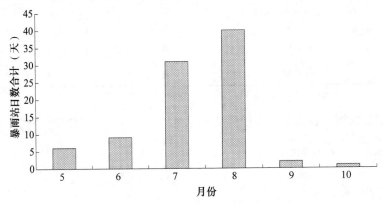

图 6.23　合水川流域暴雨站日数年内分布

根据1981~1997年日降雨量资料分析,大于50mm的全流域性暴雨共有8次(大于50mm的站数在5个以上),平均两年不到1次,且大多发生在7、8月份,详见表6.4。

表6.4　1981~1997年合水川流域各站暴雨统计

站号	年	月	日	日雨量	站号	年	月	日	日雨量
贾沟圈	1981	7	3	68.3	赵家沟	1983	5	13	55.9
王家嘴子	1981	7	3	58.5	板桥	1983	5	13	62.4
大岔	1981	7	3	65.1	王家嘴子	1988	8	17	57.1
花豹湾	1981	7	3	61.9	花豹湾	1988	8	17	57.2
赵家桥	1981	7	3	68.6	赵家桥	1988	8	17	56.9
合水	1981	7	3	73.4	合水	1988	8	17	53
向家庄	1981	7	3	84.7	党家庄	1988	8	17	58.3
党家庄	1981	7	3	85.3	赵家沟	1988	8	17	71.4

站号	年	月	日	日雨量	站号	年	月	日	日雨量
赵家沟	1981	7	3	61.3	板桥	1988	8	17	69.8
板桥	1981	7	3	76.5	王家嘴子	1991	6	9	51
贾沟圈	1981	8	14	80.2	大岔	1991	6	9	66.4
王家嘴子	1981	8	14	72.9	赵家桥	1991	6	9	82.3
大岔	1981	8	14	152.1	合水	1991	6	9	68.1
赵家桥	1981	8	14	115.1	党家庄	1991	6	9	68
合水	1981	8	14	61.7	赵家沟	1991	6	9	50
向家庄	1981	8	14	75.3	板桥	1991	6	9	68.4
党家庄	1981	8	14	61	贾沟圈	1992	8	9	75.7
赵家沟	1981	8	14	53.7	花豹湾	1992	8	9	59.9
板桥	1981	8	14	51.4	赵家桥	1992	8	9	52.2
花豹湾	1981	8	15	100.4	合水	1992	8	9	57.1
向家庄	1981	8	15	62.3	党家庄	1992	8	9	65.7
党家庄	1981	8	15	61.2	赵家沟	1992	8	9	82.8
赵家沟	1981	8	15	58.8	板桥	1992	8	9	71.4
板桥	1981	8	15	57.9	贾沟圈	1996	7	26	63.7
大岔	1983	5	13	52	大岔	1996	7	26	51.5
赵家桥	1983	5	13	52.3	花豹湾	1996	7	26	98
合水	1983	5	13	53.9	向家庄	1996	7	26	59
向家庄	1983	5	13	100.2	板桥	1996	7	26	78.8

表6.5显示了各雨量站1981～1997年日雨量大于50mm的暴雨日数。从表中可以看出,合水川流域暴雨的空间分布不均,最多与最少暴雨日数相差2倍多。在一次暴雨过程中,暴雨的空间分布也极不均匀,比如1990年7月25日,暴雨中心在赵家桥站,日降雨量153.3mm,为大暴雨,也是1981～1997年所有站中最大日雨量;大岔站51.2mm,其他各站均不超过50mm,最小的贾沟圈站仅为8.4mm,属于小雨量级。如表6.6所示。

表6.5 合水川流域各雨量站暴雨日数统计
(1981～1997年)

站号	站名	暴雨日数
41230050	贾沟圈	7
41230100	王家嘴子	5
41230150	大岔	9
41230200	花豹沟	16
41230250	赵家桥	10
41230300	合水	6
41230400	向家庄	7
41230450	党家庄	8
41230500	赵家沟	9
41230550	板桥	12
合计		89

表6.6 1990年7月25日暴雨分布

站号	站名	日雨量
41230050	贾沟圈	8.4
41230100	王家嘴子	32.8
41230150	大岔	51.2
41230200	花豹沟	38.6
41230250	赵家桥	153.3
41230300	合水	25.9
41230450	党家庄	18.3
41230500	赵家沟	11.2
41230550	板桥	10

根据 1981~1997 年降雨资料统计,发生大于 50mm 暴雨的站日数为 89 个,大于 100mm 大暴雨的站日数为 5 个,其中赵家桥 1990 年 7 月 25 日降雨量 153.3mm 为最大,大岔站 1981 年 8 月 14 日 152.1mm 次之,第三位为赵家桥 1981 年 8 月 14 日的 115.1mm。

从时段降雨资料分析,该流域发生的大暴雨往往历时短、强度大。比如 1981 年 8 月 14 日赵家桥暴雨,从降雨开始到结束只有 12h,主雨峰历时仅 4h,降雨量达 143.9mm。该站 1990 年 7 月 25 日整个降雨历时也只有 14h,主雨峰历时 8h,降雨量 93.5mm。见图 6.24 和图 6.25。

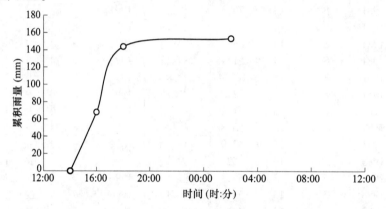

图 6.24　赵家桥 1990 年 7 月 25 日降雨量累积曲线

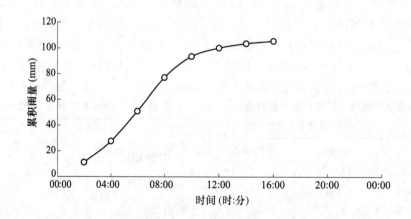

图 6.25　赵家桥 1981 年 8 月 14 日降雨量累积曲线

6.6.3　洪水

受其特殊的地理位置、气候特点、降雨特性的影响,板桥站的洪水特点表现为峰高量小、陡涨陡落,洪水历时短,以单峰为主,很少有复式洪水过程。如板桥站 1966 年和 1996 年汛期洪水过程线(见图 6.26 和图 6.27)。年最大洪峰流量相差较大,有实测资料以来最大洪峰流量为 1966 年的 1 190m³/s,最小为 1972 年 3.92m³/s,变差系数为 1.33。见图 6.28。

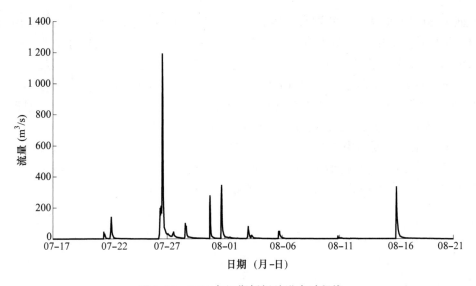

图 6.26　1966 年汛期板桥站洪水过程线

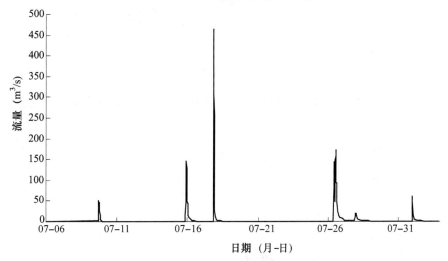

图 6.27　1996 年汛期板桥站洪水过程线

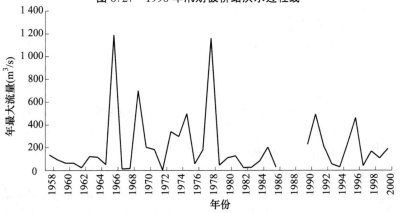

图 6.28　板桥站年最大流量变化

据 1960～2000 年板桥站洪水资料统计,板桥站发生洪峰流量大于 100m³/s 的洪水共38 次,绝大部分集中在 7、8 月份,其中 7 月份为 21 次,占 55.3%,8 月份为 13 次,占34.2%,其余 4 次分别发生在 4、5、6 月份。见图 6.29。

由于本流域一般情况下降雨历时较短,流域面积小,流域内地形以黄土梁峁丘陵地形为主,冲沟异常发育,属于超渗产流地区,且汇流速度快,因此洪水的突出特点是陡涨陡落,一般洪水历时不超过 12h,最短的只有 1h 左右。从主雨峰到出口断面形成洪峰一般历时为 1～2h,如果暴雨中心在下游,暴雨强度又较大,则在十几分钟内即可涨至峰顶。

从板桥站 1960～2000 年 38 次洪峰流量大于 100m³/s 的洪水峰量关系来看,洪峰流量与次洪量有一定的相关关系,但关系比较散乱。见图 6.30。

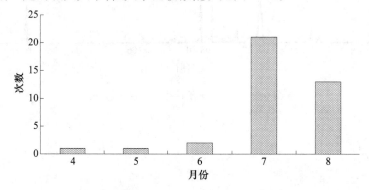

图 6.29　板桥站洪峰流量大于 100m³/s 洪水发生月份分布

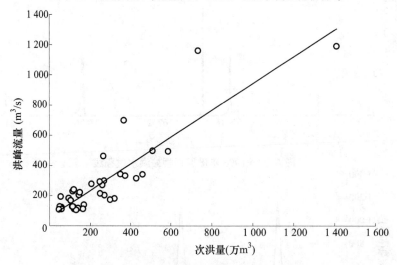

图 6.30　板桥站洪峰流量—次洪量关系

6.7　次洪产汇流机制分析

合水川流域属于较为典型的超渗产流区,次洪总量基本由地表水和壤中流组成,地下径流很少,如 1991 年 6 月 8 日和 10 日连续两次洪水过程中,第一次洪峰为 8 日 23 时的

292m³/s,第二次洪水 10 日 24 时开始起涨,起涨流量仅 1.6m³/s,其落峰至起涨为 25h,见图 6.31。在没有降雨期间,板桥站断面基本处于断流状态,因此合水川季节性较强。

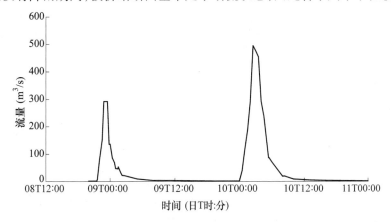

图 6.31　1991 年 6 月 8～10 日洪水过程线

6.7.1　产流现象

超渗产流区影响产流的主要条件是降雨强度,从时段降雨量和洪水资料分析,当降雨强度较大时,即使次降雨量不大,也会有较大产流,如 1996 年 7 月 17 日洪水(见图 6.32)。

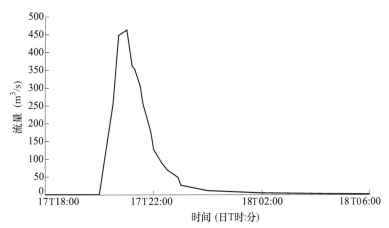

图 6.32　1996 年 7 月 17 日洪水过程线

本次洪水由流域内局地暴雨产生,降雨笼罩面积只占全流域的 50%,全流域平均雨量 16.3mm,但暴雨中心位于有利于产流的下游,降雨强度也较大,相应板桥站洪峰流量 463m³/s,次洪量达 266 万 m³,径流系数高达 0.37。

而当降雨强度不大,虽然次降雨量较大,产流量(即次洪量)也很少,相应径流系数也很小,如 1981 年 8 月 15 日洪水(见图 6.33)。

本次洪水是由合水川全流域持续性降雨形成的。本次降雨持续时间相对较长,各雨量站一般降雨历时都在 24h 以上,降雨强度较小,最大降雨强度为 15mm/h 左右,因此造成本次洪水虽然历时较长,但峰量均不大,洪峰流量为 128m³/s,次洪量为 265 万 m³,径流系数也只有 0.027,只有 1996 年 7 月 17 日洪水的 1/10。这说明该地区降雨强度和暴

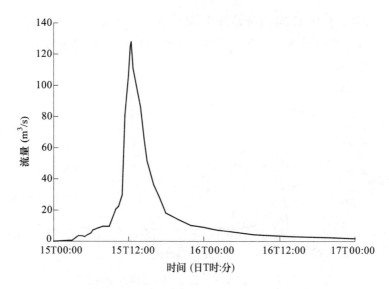

图 6.33　1981 年 8 月 15 日洪水过程线

雨落区对产流有较大影响。

6.7.2　降雨损失

降雨损失主要包括植物截留、地表填洼及土壤下渗。在合水川流域,既有上游子午岭林地区的次生林区,占全流域面积的 62%,也有中下游的黄土丘陵沟壑区,当降雨强度不大时或降雨初期,雨量主要用于植物截留、地表填洼和土壤下渗,由于该流域处于干旱地区,这些水量会在降雨后迅速用于蒸散发,因此除个别次洪水外,径流系数普遍很小,一般只有 0.1 左右。

6.7.3　产流系数的变化分析

表 6.7 列举了 80 年代以来 10 次洪水的主要水文要素,从表中可以看出:

表 6.7　板桥站次洪产流系数统计

日期 (年－月－日)	平均降雨量 (mm)	降雨笼罩面积 (km²)	洪峰流量 (m³/s)	次洪量 (万 m³)	径流系数
1981－08－15	113.6	807	128	265	0.027
1985－08－15	11.2	646	204	144	0.184
1988－07－23	15.5	565	126	118	0.124
1990－07－25	36.5	720	229	115	0.040
1991－06－08	28.3	807	292	247	0.090
1991－06－10	51.8	807	494	586	0.116
1991－07－25	21.5	404	221	148	0.160
1992－08－09	80.7	807	214	250	0.032
1995－07－25	15.1	565	240	119	0.130
1996－07－17	16.3	404	463	266	0.370

(1)降雨空间分布差异较大,有时降雨笼罩面积只有全流域的 50%。

(2)流域平均降雨量与洪峰流量、次洪量关系不明显。

(3)径流系数变化较大。

以上特点也说明合水川流域的产流驱动力因子不仅仅是降雨量的大小。

6.8 结论

通过对 60 年代以来的水沙资料分析,合水川流域降雨、径流、输沙量存在以下特点:①降雨、径流均有逐步减小的趋势,但降雨减小的幅度并不明显;②降雨、径流、输沙年际变化和年内变化不均,汛期降雨占全年降雨的 69%,汛期径流占全年径流的 65%,汛期输沙量占全年输沙量的 93%,降雨、径流大部分集中于汛期,输沙量绝大部分集中于汛期洪水期间,且主要集中于 7、8 月份;③板桥站年最大流量变差较大;④流域输沙模数较大,水土流失较为严重;⑤流域产沙 90 年代基本恢复到了 70 年代的水平。

通过对合水川流域降雨及洪水要素的分析,可以得出一下初步结论:

(1)流域内多短历时局地的阵性降雨,降雨量主要集中在夏秋季的若干次降雨过程。

(2)年径流量主要由几次洪水组成,并主要以地表径流和壤中流的形式出现,地下径流较少,属典型的超渗产流地区。

(3)流域产汇流速度快,洪水过程历时短,陡涨陡落,年最大流量变差较大。

(4)流域产流的主要驱动力因子是降雨强度、降雨空间分布和降雨量级。

第7章 渭河支流黑河流域

7.1 流域概况

7.1.1 地理位置

渭河的一级支流黑河,位于东经 107°42′~108°20′、北纬 33°39′~34°03′(见图 7.1),发源于秦岭北麓,自西南向东北汇入渭河,东接涝河流域,南依秦岭,西靠太白山,北临渭河,在陕西省周至县境内。

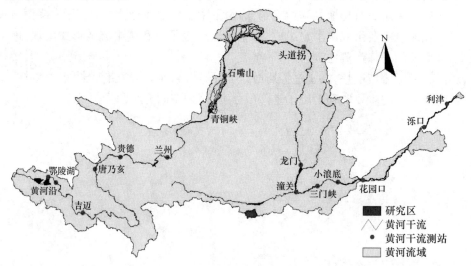

图 7.1 黑河在黄河流域位置示意图

黑河流域面积 2 258km²(黑峪口水文站控制面积 1 481km²),河长 126km,流域山高、坡陡、水流急,河床平均纵比降 8.6‰。干流平均比降 14.5‰。流域内山脉纵横,河系发育充分,有一级支流 120 多条。

7.1.2 地质、土壤、植被

流域内山区分布有质坚抗压强度大的花岗岩、花岗片麻岩、石英岩、石英片麻岩、大理岩及较软的千枚岩、大板状页岩和云母岩等。岩石外露,地表覆盖有 25~50cm 的黄褐色砂土和黑色腐殖质,属岩石风化土类。有大量的变质岩和花岗岩为主的砂砾石堆积,构成冲积–洪积扇形地。

本流域土壤种类主要有黄土、淤土、山地石渣土,大部分属耕地层薄的岩石风化土。

石山林区山高坡陡,土薄石多,其土壤主要由垆土、棕壤和褐土组成,随海拔高度呈垂直地带分布。有"西安市自然风景"之称的石山林区森林资源丰富,流域内山区覆被尚好,梢林灌木丛生,天然森林多分布边远山区。植被垂直分带相对明显,海拔 780~2 200m 之间为松、栎林带,代表植物有油松、华山松、辽东栎等;2 200~2 700m之间为桦木林带,代表植物有牛皮桦、山杨、纸皮桦等;2 700~3 500m之间为针叶林带,代表植物有冷杉、落叶松等;3 500m以上为高山灌丛草甸带,代表植物有密植杜鹃、蒿草等,为我国天然森林区。近些年,因受人为樵采和垦殖,原有的植被破坏严重,现存的植被主要是次生类灌木(铁匠木)、乔木(侧柏、桦树、椴树)和人工植被(柿子、核桃、板栗、山芋)。森林覆盖率达79.9%,但不同区域的植被覆盖率差异很大,深山区为84.9%,浅山区为44.5%,沿山区为16.9%。

7.1.3 地势、地貌

不同的地质地貌对径流的影响也不同,黑河流域地貌类型比较单一,为黄河九大水文分区之一的石山林区,但流域内地形复杂,高低相差悬殊,西南高东北低,沿河地带多为冲积谷地。最高处太白山主峰拔仙台3 767.2m,耸立于秦岭群峰之上,成为我国大陆东半壁的最高山峰;最低处黑峪口海拔468m,高差竟达3 299m,平均海拔2 100m,90%以上的面积海拔在1 200m以上。黑河水系结构为钓钩型,黑峪口(秦岭有七十二峪之称,峪是指短而深的山谷,山上流水汇入其间,坡降大,流速急,峪与平原相接之处就是峪口)上游山岭的降水,径流丰富,是河流的发源地,河床比降大,水流急,水量多,含沙量小,水力资源比较丰富。

7.1.4 气候

气候是影响水文的主要因素,本流域位于北温带,属大陆性气候,具有亚热带气候的特点,四季不分,低温多雨,主要处于高山寒冷湿润气候与高塬低温半湿润气候之间,流域内80%以上处于高山寒冷湿润气候,也就是说黑峪口水文站以上主要是高山寒冷湿润气候,多年平均气温在13.1℃,最高42.4℃(1966年6月19日),最低-18.1℃(1966年1月28日),最早初霜日出现在9月中旬,最晚终霜日延至次年6月。年水面蒸发量817.35mm,年日照时数2 002h,无霜期一般在155~220天。

7.1.5 水系特征

河流水量主要系雨水补给,局部暴雨是发生洪水的主要原因。水系呈羽毛状,河床呈V形,为山区峡谷型河流,洪水汇集快,洪峰高,洪量较大。

黑河流域内一级支流120多条,主要大支流有陈家河、花耳坪沟、蟒河、板房子河、虎豹河、王家河等,主要支流多集中于主河道的右岸,右岸支流集水面积是左岸的3倍,陈家河以下干流较为顺直,无较大支流汇入。黑河主要一级支流特征值统计见表7.1。

7.1.6 人类活动

黑河流域地处石山林区,20世纪70年代之前未修建大型水利工程,人类活动影响不是很大。1987年,为解决西安的城市供水问题,在黑河流域下游距黑峪口以上1.5km处,开始修建金盆水利枢纽工程作为向西安供水的一期工程,坝址以上控制面积1 481km,年平均径流量6.67亿m³,最大流量3 040m³/s,最小流量1m³/s,多年平均流量21m³/s,多年平均含沙量0.378kg/m³。到2003年,已累计向西安引水10.2亿m³,最大日供水能力达60万m³。以金盆水利枢纽工程为主的黑河二期供水工程完成后,日供水能力将达到110万m³,到2010年日供水能力将达到172万m³,与此同时,每年还可提供1.23亿m³的灌溉用水,可灌溉2.47万hm²农田。

表 7.1　黑河主要一级支流特征值统计

一级支流	位置	面积(km²)	河长(mm)	比降(‰)
谢常沟	右	13.4	5.7	80.3
鱼肚河	右	16.5	6.5	76.3
大树沟	左	7.5	7.2	145.6
花耳坪沟	右	91.5	23.6	30.9
后沟	左	23.4	11.6	111.5
清水河	右	26.3	13.8	58.9
太平河	右	55.7	16.1	43.3
大黑沟	右	9.6	4.4	204.0
蟒河	左	177.5	24.4	58.5
大涧沟	左	12.1	6.9	177.0
大干沟	左	13.1	7.1	166.0
板房子河	右	168.0	22.5	31.4
狐狸沟	左	18.9	7.1	146.0
清水河	右	31.8	12.7	96.2
后沟	左	9.4	7.7	181.2
虎豹河	右	122.7	26.0	36.3
王家沟	右	286.3	29.6	37.5
王家河	右	102.6	21.4	39.0
陈家河	左	89.0	22.9	65.5
木匠河	左	13.8	5.9	178.6
柳叶河	右	35.7	12.2	104.8
韩玉沟	右	8.6	6.6	146.0
黄石沟	右	21.3	10.8	82.7
沙河	左	160.2	43.4	16.0
西骆峪河	左	79.7	20.4	50.8
就峪河	右	95.4	39.7	19.9
田峪河	右	258.5	52.2	20.6
赤峪河	右	23.6	23.5	27.2

金盆水利枢纽工程的修建,不仅大大缓解了西安水资源的供需矛盾,且对黑峪口以上的水文情势不会产生大的影响,并可大大减轻黑河下游乃至渭河段的防洪压力。如2002年的"6·9"洪水中,上游最大流量达到1 830m³/s,经过水库的调节,使得最大下泄流量仅434m³/s。2003年主汛期黑河流域普降大到暴雨,暴雨量达到580mm,最大入库流量达1 020m³/s,经过合理调度,最大下泄流量790m³/s,有效地减轻了"华西秋雨"对渭河防洪的压力。

7.2 水文特征

7.2.1 站网

全流域有水文观测站1处、雨量站11处(目前继续观测的有7站),见图7.2。黑峪口水文站控制面积为1 481km²,占黑河全流域面积的81.4%,未控制面积占18.6%。黑峪口水文站设立于1938年10月,位于周至县马召乡武家庄,东经108°12′,北纬34°03′。雨量站绝大部分设立于20世纪50年代,至今已经有40~50年的观测资料。站网布设情况详见表7.2。

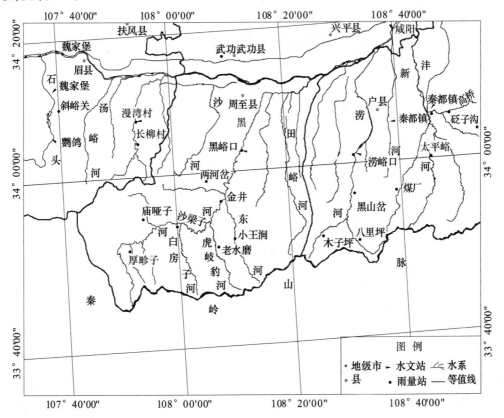

图7.2 黑河流域站网分布

7.2.2 降水量

流域内年降水从面上分布来看,下游少、上游多;从降水量上看,多年平均值从

650mm 到 850mm 以上，见图 7.3。

表 7.2　黄河流域渭河水系黑河流域水文站、雨量站一览表

河名	站名	类别	测站位置	坐标 经度	坐标 纬度	集水面积（km²）	设站时间	说明
黑河	黑峪口	水文	周至县马召乡武家庄	108°12′	34°03′	1 594	1938 年 10 月	
黑河	板房子	雨量	周至县板房子乡板房子	108°00′	34°04′		1953 年	1957 年撤销
黑河	姚家岭	雨量	周至县陈河乡姚家岭	108°10′	34°00′		1953 年	1954 年撤销
黑河	钓鱼台	雨量	周至县厚畛子乡钓鱼台	107°49′	33°44′		1955 年	1959 年撤销
黑河	厚畛子	雨量	周至县厚畛子乡厚畛子	107°51′	33°44′		1955 年	
黑河	庙哑子	雨量	周至县厚畛子乡庙哑子	107°54′	33°54′		1955 年 6 月	
黑河	老水磨	雨量	周至县安家歧乡老水磨	108°07′	33°50′		1955 年 6 月	
黑河	小王涧	雨量	周至县小王涧乡小王涧	108°10′	33°50′		1955 年	
黑河	金　井	雨量	周至县陈河乡金井村	108°08′	33°56′		1955 年	
黑河	沙梁子	雨量	周至县沙梁子乡沙梁子村	108°00′	33°55′		1956 年 5 月	1961 年撤销
黑河	青岗砭	雨量	周至县陈河乡青岗砭	108°06′	33°59′		1956 年 4 月	1960 年撤销
黑河	梁子头	雨量	周至县甘峪湾乡梁子头	108°10′	33°58′		1961 年 5 月	1961 年撤销

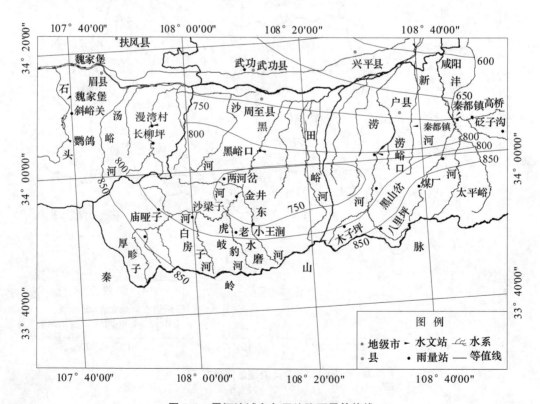

图 7.3　黑河流域多年平均降雨量等值线

从时间分布来看,最大年降水量与最小年降水量相比,可相差 2 倍以上,如表 7.3 所示。黑峪口站 1983 年降水量达 1 242.6mm,而 1995 年仅为 340.6mm,前者是后者的 3.65 倍。就年内情况而言,表 7.4 表明,汛期 6~9 月降水量占年降水量的比例为 55%~70%,与黄河流域的主汛期同步;据有关资料分析,流域多年平均最大 24h 降水量为 60~70mm,占年径流量的近 10%,多年平均最大 7 日降水量为 105~130mm,占年降水量的 15%~20%,说明本区暴雨具有湿润半湿润地区的降水特点,其集中程度不及黄河中游其他地区。

表 7.3　降水量特征值

站 名	实 测 值				最大/最小
	最大(mm)	年份	最小(mm)	年份	
厚畛子	1 047.4	1975	422.5	1976	2.48
沙梁子	1 094.6	1964	352.6	1985	3.10
小王涧	1 098.3	1983	397.6	1995	2.76
金　井	1 180.9	1958	346.0	1962	3.41
庙哑子	1 356.2	1981	422.5	1977	3.21
老水磨	1 150.5	1983	366.6	1997	3.14
黑峪口	1 242.6	1983	340.6	1995	3.65

表 7.4　多年平均月、年降水量变化

年代	年代平均月降水量占全年降水量的百分数(%)												平均年降水量(mm)	6~9月降水量占全年(%)
	1	2	3	4	5	6	7	8	9	10	11	12		
50	1.3	1.1	3.4	5.4	8.4	15.2	21.9	20.3	12.5	6.4	3.5	0.6	846.9	69.9
60	1.1	1.7	4.8	10.1	9.7	8.8	15.2	13.2	18.9	9.8	4.5	0.9	751.2	56.1
70	1.0	1.7	3.4	8.7	10.5	11.0	18.9	12.9	17.9	9.8	3.5	0.8	722.9	60.7
80	0.8	1.2	3.4	5.4	11.1	10.9	21.8	17.8	17.3	7.4	2.4	0.7	811.6	67.8
90	1.0	1.6	5.4	7.4	10.7	14.1	16.4	13.8	14.1	11.2	3.6	0.8	623.1	58.4

从图 7.4 中可以看出,各年代的年均降水量变化,50 年代为 846.9mm,90 年代为 623.1mm,90 年代降雨量比 50 年代减少了 26.4%,其他年代变化不是特别明显。

7.2.3　径流量

根据黑河流域控制站黑峪口水文站的统计资料(见表 7.5、表 7.6),流域多年平均径流量为 6.11 亿 m³,其中汛期 6~9 月占多年平均径流量的 56.4%,与同期降水量所占比重相近。但从时程分配来看,则有较大差别。图 7.5 为黑峪口站年平均径流量分布图,图 7.6 为黑河流域各年代年平均降水量、径流量与 50 年代对比减少百分数比较,可以看出,年径流量减少的幅度要大于同期降水量减少的幅度。如 70 年代降水量减少了 14.6%,而同期径流量则减少了 37.4%;90 年代降水量减少了 26.4%,而同期径流量则

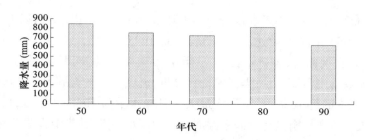

图7.4 黑河流域50~90年代年平均降水量分布

减少了51.6%。具体原因有待分析。

表7.5 黑峪口站径流量年内、年际变化

年代	年代平均月径流量占年径流量的百分数（%）												平均年径流量（亿m³）	6~9月径流量占全年（%）
	1	2	3	4	5	6	7	8	9	10	11	12		
50	1.71	1.77	2.83	6.24	8.13	9.36	20.14	20.37	14.01	9.33	4.20	2.32	7.48	61.0
60	1.78	1.35	2.96	11.72	13.23	6.24	14.79	8.15	18.93	12.80	5.25	2.80	6.54	48.0
70	1.65	1.38	2.30	8.33	11.59	6.57	17.21	12.63	18.22	13.38	4.53	2.22	5.04	54.0
80	1.51	1.21	1.81	5.36	9.16	7.55	22.31	17.04	19.69	8.99	3.34	2.04	7.61	65.6
90	1.83	1.62	3.53	8.89	12.50	11.83	20.44	14.31	9.61	8.64	4.56	2.24	3.90	54.0
多年平均	1.67	1.37	2.64	8.02	10.80	8.18	18.69	14.21	15.89	10.94	4.32	2.29	6.23	56.2

表7.6 黑河流域径流模数及径流系数

年代	年径流模数（dm³/(s·km²)）	6~9月径流模数（dm³/(s·km²)）	年径流系数	6~9月径流系数
50	16.02	30.47	0.60	0.54
60	14.00	20.17	0.59	0.50
70	10.78	17.61	0.47	0.42
80	16.27	32.37	0.63	0.62
90	8.31	13.98	0.42	0.41
多年平均	13.08	22.92	0.54	0.50

从洪水过程来看，由于本区具有湿润、半湿润地区的气候特征，加之本流域处于秦岭北麓，下垫面的植被条件比较好。因此，地表对洪水具有很好的调蓄作用，洪水过程比较平缓，实测多年平均最大洪峰流量仅有765m³/s，相应的洪峰模数仅为0.48m³/(s·km²)。从历史情况来看，黑峪口实测最大洪峰流量及调查最大流量分别为3040m³/s和3860m³/s，相应的洪峰模数分别为1.91m³/(s·km²)和2.42m³/(s·km²)，与黄河中游其他流域相比是比较小的，说明本流域的水文特征不同于黄河中游地区的其他流域。详细情况见表7.7。

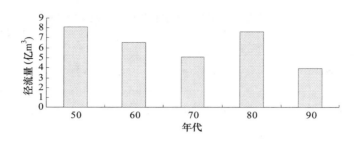

图 7.5　黑峪口站 50~90 年代年平均径流量比较

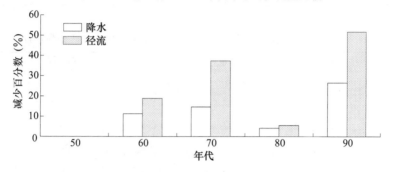

图 7.6　黑河流域各年代年平均降水量、径流量与 50 年代对比减少百分数比较

表 7.7　年最大洪峰流量及特征值

站名	实测资料系列	年最大洪峰流量均值（m³/s）	实测年最大（m³/s）	发生时间（年-月-日）	调查年最大（m³/s）	发生时间（年-月-日）
黑峪口	50 年代至 2000 年	765	3 040	1980-07-02	3 860	1898-08
	50 年代	931.4	1 880	1957-07-16		
	60 年代	571.8	1 020	1962-07-27		
	70 年代	637.4	1 350	1976-08-25		
	80 年代	1 238.2	3 040	1980-07-02		
	90 年代	518.7	1 530	1990-07-06		

7.2.4　泥沙

前已述及,由于黑河流域大部分处于秦岭北麓的天然林区,下垫面的森林覆盖度很大,因此水土流失非常轻微。据黑峪口水文站的观测资料,本流域多年平均输沙总量仅为 22.42 万 t,年输沙模数仅为 153.43t/km²,具体情况见表 7.8。

7.3　产汇流机制

表 7.9 给出了黑峪口水文站年最大次洪径流量及相应的降雨量,图 7.7 给出了次洪降雨与径流量的对应关系。

表 7.8　黑峪口站多年平均悬移质输沙量及年内分配

项目	多年平均输沙量年内分配												年输沙总量（万 t）	年输沙模数（t/km²）
	1	2	3	4	5	6	7	8	9	10	11	12		
输沙量（万 t）	0.009	0.004	0.041	0.475	1.03	1.82	10.1	5.67	2.27	0.86	0.124	0.013	22.42	153.43
百分数（%）	0.04	0.02	0.18	2.12	4.59	8.12	45.06	25.29	10.13	3.84	0.55	0.06	100	

表 7.9　黑河流域黑峪口水文站最大次洪径流量及相应的降雨量统计

年份	降雨量（mm）	径流量（亿 m³）	年份	降雨量（mm）	径流量（亿 m³）
1964	139	1.83	1980	187	2.00
1965	53.3	0.52	1981	148	2.62
1966	62.8	0.461	1982	86.1	1.03
1968	181	2.19	1983	135.5	1.64
1969	23.7	0.296	1984	112.5	1.21
1970	80.1	0.773	1985	43.6	0.295
1971	49.7	0.919	1986	89.9	1.16
1972	57.2	0.955	1987	150.3	1.64
1973	63.3	0.349	1988	140.6	1.42
1974	139.5	1.14	1989	74	0.755
1975	73.1	0.869	1990	75.2	0.428
1976	158.7	2.06	1991	77.8	0.44
1977	50.6	0.268	1993	59.6	0.61
1978	149.6	1.15	1994	38.9	0.35
1979	54	0.293	1995	71.3	0.23

　　图 7.7 表明,黑河流域次洪径流量与相应的降雨量存在较好的对应关系,采用线性回归的办法得到黑峪口站年最大次洪径流量—降雨量关系的表达式为:

$$R = 0.012\,8P - 0.205 \tag{7.1}$$

式中:R 为次洪径流量,亿 m³;P 为与 R 相应的次洪降雨量,mm。

　　P、R 的相关系数为 $r = 0.89$,表明二者之间具有较好的相关关系。

　　下面对式(7.1)进行进一步的分析,如果令 $R = 0$,即:

$$0.012\,8P - 0.205 = 0$$

可得 $P = 16\text{mm}$,也就是说,从统计规律来讲,当流域平均次降雨量 $P \leqslant 16\text{mm}$ 时,流域不

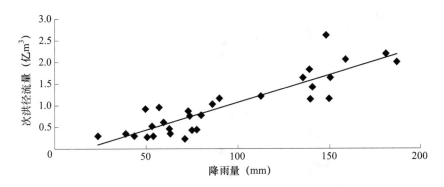

图 7.7　黑峪口站年最大次洪径流量—降雨量关系

产生洪水径流,说明流域具有很大的调蓄能力。从黑峪口站次洪径流量与相应降雨量、降雨历时、平均雨强关系和黑峪口站次洪洪峰流量与相应降雨历时、降雨量、平均雨强关系分析表明,黑峪口站次洪径流量的大小与雨强几乎没有关系,其相关系数只有 0.1,而与降雨量、降雨历时的相关系数则分别为 0.89 和 0.56。图 7.8 为黑峪口站次洪径流量与相应降雨量、降雨历时关系图。

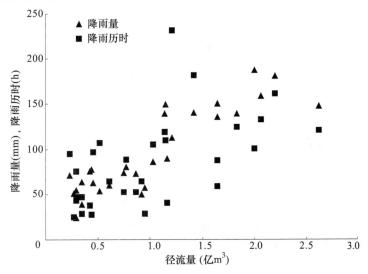

图 7.8　黑峪口站次洪径流量与相应降雨量、降雨历时关系

　　从黑峪口站次洪洪峰流量与相应降雨历时、平均雨强的关系来看,洪峰流量与二者的线性相关系数分别只有 0.2 和 0.3,说明洪峰流量大小受降雨历时及平均雨强的影响很小,主要影响因素为降雨量的大小,二者线性相关系数为 0.7。图 7.9 为黑峪口站次洪洪峰流量与相应降雨历时、降雨量关系。

　　图 7.10 给出的黑峪口站次洪峰量关系表明二者的相关性也很显著,相关系数为0.85。

　　综合分析次洪径流量、洪峰流量与次洪降雨量、降雨历时、降雨强度的关系及下垫面资料,可以认为:

　　(1)次洪径流量、洪峰流量与相应的降雨量具有较好的相关关系。

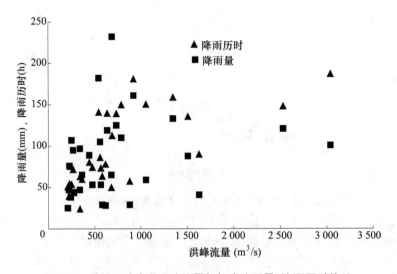

图 7.9　黑峪口站次洪洪峰流量与相应降雨量、降雨历时关系

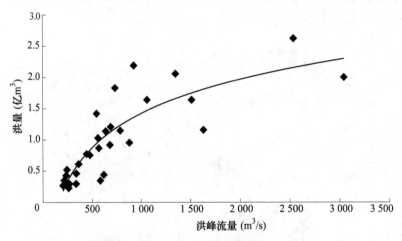

图 7.10　黑峪口站次洪峰量关系

(2)降雨历时、平均雨强对次洪径流量、洪峰流量影响不显著。

(3)流域对径流具有较好的调蓄作用。

(4)洪水峰量关系比较密切。

综观以上情况,可以认为黑河流域由于下垫面植被条件比较好,流域对径流的调蓄作用比较大,相应地产汇流也具有蓄满产流的特点,在流域规划等方面要有别于黄河中游的其他流域。

第8章 沁 河

沁河是黄河三门峡至花园口区间两大支流之一,沁河发源于山西沁源县太岳山(又称霍山)南麓的二郎神沟,河源黄海高程 1 940m。沁河上中游位于太行山腹背的两翼,即沁路高原及太行山南麓,下游属河南省冲积平原。沁河由北向南流经山西省的沁源、安泽、晋城、阳城和河南省的沁阳、武陟等县(市),于武陟县南贾村汇入黄河。

沁河飞岭以上产流较少,而飞岭—五龙口区间是沁河的主要来水区。随着近年来持续干旱少雨、人类活动影响日益加大,沁河流域尤其是飞岭—五龙口区间的产汇流规律发生了一些变化。因此,本文在对流域基本情况作简要统计分析外,重点对飞岭—五龙口区间的产汇流机制进行了初步分析。

8.1 流域基本情况

8.1.1 地形地貌

沁河流域地理坐标在东经 110°55′~113°30′,北纬 35°37′~37°8′。沁河干流大部分为砂页岩地层,水量渗漏较少,几乎支沟都有清水长流,水源丰富。

流域地形北高南低,大部分为山区,尤其是上中游干流两岸,峰峦重叠,山体陡峭,沟壑纵横,地形相当复杂;丹河两岸的高平和晋城地处泽州盆地,是本流域工农业生产和经济文化集中区。流域地貌大致可以划分为以下几种类型:

(1)石质山区。主要分布在流域上中游分水岭一带,面积 6 446km²,约占流域面积的48%。南北两端灰岩出露,中部大都是石炭,二叠、三叠纪砂页岩。该区植被良好,水土流失轻微,由于峰峦重叠,山体陡峭,地形地貌和植被仍然保留着原始的自然景观。

(2)土石丘陵区。主要分布于流域中部的泽州盆地及其附近,相对高差在 300m 以内,面积 4 982km²,约占流域面积的 37%,是沁河流域人类活动影响较为严重的地区。相对本流域其他类型区,该区人类经济活动比较频繁,植被较差,水土流失严重,是本流域的主要产沙区。

(3)平原及其他。包括干支流河谷平川、缓坡地带、扇前洼地及下游冲积平原,面积 2 104km²,约占流域面积的 15%。分布在河谷两岸的洪积平川及缓坡地带,此区土地肥沃、地势平坦,水利条件较好,农业生产发达,是流域农业生产和发展灌溉的主要地区,也是农作物的高产区。近河口为冲积平原,形成"地上河",两岸靠堤防束水。

8.1.2 河流水系

沁河河道全长 485km,总落差 1 844m,流域面积 13 641km²。其中山西境内流域面积 12 304km²,占全流域面积的 90.9%;河南境内面积 1228km²,占全流域面积的 9.1%。

沁河干流按其自然特点,可分为四段:沁源至孔家坡河道长 69km,落差 940m,平均纵坡 13.6‰,植被好,河谷较顺直;孔家坡至润城河道长 235km,落差 531m,平均纵坡 2.26‰,两岸陡峻,河谷弯曲,植被较差;润城至五龙口河道长 92km,落差 328m,平均纵坡 3.57‰,河道切深于太行山中;五龙口至南贾汇入黄河,河道长 89.5km,落差 45m,平均纵坡 0.5‰,为平原型河道,河道两岸筑有堤防。

沁河一级支流在 25km 以上的共计 30 条,总长度 1 029km;较大支流有紫红河、赤石桥河、泗河、蔺河、兰河、沁水河、端氏河、芦苇河、菏泽河、长河、西冶河和丹河等。长度在 2～5km 的支沟 847 条,全长约 5 715km。沁河流域水系见图 8.1 和表 8.1。

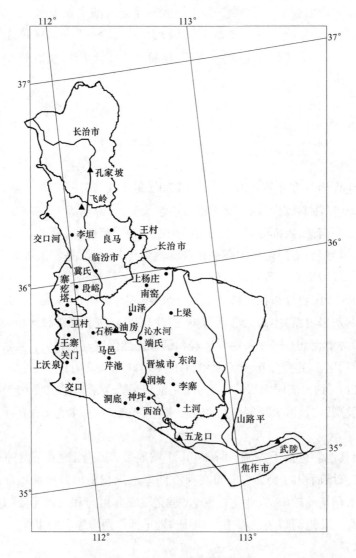

图 8.1　沁河水系及站网分布

表 8.1　沁河流域水系

河流名称	岸别	河长 （km）	流域面积 （km²）	纵坡 （‰）
赤石桥河	左	35.0	410	13.7
紫红河	左	47.3	381	11.0
蔺河	右	37.2	286	9.0
泗河	左	25.9	265	18.2
兰河	左	45.0	361	8.9
龙渠河	左	52.6	469	10.4
沁水河	右	47.0	416	9.9
端氏河	左	56.0	781	10.2
芦苇河	右	51.7	359	8.1
菏泽河	右	84.6	839	5.1
西冶河	右	54.3	259	5.4
长河	左	58.2	317	8.9
丹河	左	129	3 152	6.4

　　丹河是沁河最大的一条支流，发源于山西省高平市丹珠岭，丹河干流全长 169km，落差 1 082m，平均纵坡 6.4‰，流域面积 3 152km²，占沁河流域面积的 23%。

　　沁河干流呈北高南低的地形，使得流域内地下水流向由北向南，枯水季节地下水以泉水形式补给河道。流域内泉水排泄主要以延河泉、三姑泉等大泉为天然排泄中心。延河泉位于阳城县延河村，是沁河八甲口至西磨滩近 20km 范围内一系列出露泉群中最大的一个，泉水流量在 20 世纪 60～80 年代平均为 3～4m³/s，90 年代后仅为 2.6m³/s 左右。在延河泉南部仍有泉群出露，较大的排泄点有下河泉、赵良泉、磨滩泉及黑水泉等。延河泉域的沁河排泄带多年平均泉水流量约 10.29m³/s。三姑泉出露于丹河西岸三姑泉村，泉水呈股状集中涌出，泉水流量多年平均为 3.5m³/s，现已被青天河水库淹没。三姑泉向上沿丹河还出露有较大的郭壁泉、土坡泉、白洋泉、小会泉、台北泉等，三姑泉域的丹河排泄带多年平均泉水流量约 7.2m³/s。

8.1.3　气候

　　沁河流域地处我国东部季风区暖温带半湿润地区的西缘，大陆性季风显著，四季分明，冬长夏短，雨热同季。冬季在蒙古高压和阿留申低压控制下，流域大部盛行西北风，天气寒冷，雨雪稀少。春初，随气温上升，蒙古高压和阿留申低压减弱衰退，太平洋高压和印度洋低压开始在东、西建立并日趋加强。在这一天气形势下，本流域正位于东北—西南走向的气流辐合带内，气旋频频通过，锋面活跃，天气多变，是本流域一年内最多风的季节。至 6 月中，亚洲大陆强烈增温，高纬度的两个大气活动中心趋于消失，低纬度的印度低压和太平洋副热带高压西伸北进，趋向鼎盛时期。在这一环流形势下，盛行偏南的夏季风，向本流域上空不断输送印度洋和西太平洋的暖湿气流,形成多雨季节。至 9 月初,蒙古高压迅速建立,阿留申低压再度出现,太平洋副高南撤东退,印度低压逐渐减弱。这时秋季的大气环流形势虽与春季相似,但其演变趋势和太阳辐射的增减趋势恰好相反,寒冷干燥的蒙古高压迅速从大气下层取代印度低压而成为控制系统,大气层结构稳定,天气晴朗,与春季相比,秋温略低于春温,秋雨多于春雨。

8.1.4 站网分布

8.1.4.1 水文站

沁河流域现有水文观测站 7 处,其中 5 处位于沁河干流,从上至下依次为孔家坡、飞岭、润城、五龙口和武陟。支流丹河上设有山路平水文站,沁水河上设有油房水文站。武陟站是沁河上最早的观测站,始测于 1933 年,但新中国成立前观测资料只有 1934～1937 年的,1950 年恢复观测。其余各站亦在 50 年代陆续开始建站观测。

除上述七个水文观测站外,在干、支流上还设有几处专用测站,系列均较短,且不连续。如张峰水文站始建于 1974 年,是张峰水库专用水文站,后因张峰水库停缓建而撤销,1987 年由山西省晋城市水资源管理委员会办公室委托原晋东南水文分站恢复观测至今,前后只有 16 年的观测资料[1]。

由于沁河流域跨山西、河南两省,且又属黄河流域,因此各水文站的归属也有所不同。上游的孔家坡、飞岭、油房、张峰、任庄等站属山西省水文局管理;中下游的润城、五龙口、山路平、武陟(小董)等站属黄委水文局管理[2]。详见表 8.2。

表 8.2 沁河流域各测站基本情况

站型	河名	站名	集水面积(km²)	实测资料系列	管理部门
基本站	沁河	孔家坡	1 358	1958～2000	山西水文局
		飞岭	2 683	1957～2000	山西水文局
		润城	7 273	1954～2000	黄委水文局
		五龙口	9 245	1953～2000	黄委水文局
		小董	12 880	1934～2000	黄委水文局
				1950～2000	
专用站	丹河	山路平	3 049	1954～2000	黄委水文局
	沁水河	油房	412	1956～2000	山西水文局
	沁河	张峰	4 990	1974～2000	山西水文局
				1987～2000	
	丹河	任庄	1 313	1968～2000	山西水文局

8.1.4.2 气象站

流域内气象站主要有沁水、阳城及安泽等 6 处,各站基本情况见表 8.3。

---

[1] 山西省张峰水库工程可行性研究,山西省水利水电勘测设计研究院,2002 年。
[2] 沁河流域水资源利用修订规划,黄河水利委员会勘测规划设计研究院,2002 年。

表8.3 气象站基本情况

站名	站址	海拔(m)
安泽	安泽县城关镇高必村	857.1
沁源	沁源县城关镇北园村	1 000
沁水	沁水县城关镇庙坡村	901.6
阳城	阳城县西关(山顶)	659.5
高平	高平市城关镇小北庄南	833.2
晋城	晋城市城关(南岭)	742.1

8.1.4.3 雨量站

沁河流域最早于1932年开始设立雨量站,但1932~1950年间仅增设了2个。目前五龙口以上共设有雨量站49处,其中润城以上37处,张峰以上25处,飞岭以上17处,每个雨量站的平均控制面积约200km²。

考虑到不同年代雨量站的代表性尽可能保持一致,以及雨量站的分布尽可能均匀,根据现有资料条件,本次沁河流域飞岭—五龙口区间产汇流机制研究中共选取了31个雨量站,其中飞岭—润城区间21个,润城—五龙口区间10个。雨量站基本情况见表8.4。

表8.4 沁河雨量站基本情况

区间	河名	站名	类别	东经	北纬	设站时间
飞岭—润城	沁河	飞岭	水文	112°16′	36°12′	1956年
	李垣河	交口河	雨量	112°05′	36°20′	1971年
		李垣	雨量	112°11′	36°13′	1971年
	沁河	冀氏	雨量	112°18′	36°02′	1976年
	泗河	良马	雨量	112°26′	36°13′	1959年
	沁河	王村	雨量	112°36′	36°10′	1955年
	马壁河	段峪	雨量	112°10′	35°58′	1962年
	山交河	寨圪塔	雨量	112°06′	35°53′	1976年
	沁河	卫村	雨量	112°06′	35°49′	1960年
	沁水河	关门	雨量	112°00′	35°41′	1966年
		王寨	雨量	112°04′	35°44′	1966年
		石桥	雨量	112°14′	35°44′	1966年
		马邑	雨量	112°16′	35°41′	1979年
		油房	水文	112°22′	35°43′	1957年
	山泽河	山泽	雨量	112°29′	35°48′	1954年
	杨庄河	上杨庄	雨量	112°43′	35°59′	1971年
	端氏河	南窑	雨量	112°36′	35°56′	1960年
	端氏河	上梁	雨量	112°43′	35°47′	1959年
	端氏河	端氏	雨量	112°31′	35°41′	1955年
	芦苇河	芹池	雨量	112°29′	35°36′	1971年
	沁河	润城	水文	112°31′	35°28′	1952年

区间	河名	站名	类别	东经	北纬	设站时间
润城—五龙口	土沃河	上沃泉	雨量	112°03′	35°36′	1971 年
	涧河	交口	雨量	112°05′	35°31′	1979 年
	出水河	洞底	雨量	112°23′	35°22′	1966 年
	西冶河	西冶	雨量	112°27′	35°20′	1971 年
	长河	南庄坪	雨量	112°45′	35°38′	1965 年
		东沟	雨量	112°43′	35°34′	1971 年
	沁河	神坪	雨量	112°32′	35°23′	1960 年
		李寨	雨量	112°41′	35°26′	1960 年
	土河	土河	雨量	112°42′	35°19′	1977 年
		五龙口	水文	112°41′	35°09′	1952 年

8.2 水利工程建设现状

8.2.1 蓄水工程

根据 2000 年资料统计,沁河流域共有中型水库 5 座,总库容为 1.53 亿 m^3,其中兴利库容 0.52 亿 m^3,已淤积库容 0.42 亿 m^3,有效灌溉面积 1.14 万 hm^2,实灌面积 0.88 万 hm^2,详见表 8.5。流域内现有小型水库 103 座,见表 8.6。

表 8.5 2000 年沁河流域中型水库情况

指标	单位	任庄	董封	上郊	申庄	青天河	合计
控制面积	km^2	1 313	332	121	104.5	2 513	4 383.5
所在县市		晋城	阳城县	陵川	陵川	博爱	
所在分区		IV	III	V	IV	VI	
所在河流		丹河	沁河	丹河	丹河	丹河	
总库容	万 m^3	8 340	2 260	1 200	1 400	2 070	15 270
兴利库容	万 m^3	1 730	733	870	780	1 085	5 198
已淤积库容	万 m^3	2 400	740	284	705	20	4 149
设计灌溉面积	万 hm^2	0.133	0.100	0.02	0.047	1.193	1.493
有效灌溉面积	万 hm^2	0.127	0.073	0.007	0.02	0.913	1.140
实灌面积	万 hm^2	0.040	0.060			0.780	0.880

表 8.6　2000 年沁河流域小型水库情况

省区	县市	座数	总库容 （万 m³）	兴利库容 （万 m³）	有效灌溉面积 （万 hm²）
山西省	晋城市	32	2 376	1 433	0.096
	沁水	3	612	350	0.055
	阳城	25	1 229	702.5	0.010
	高平	25	2 873	1 459	0.147
	陵川	11	2 242	1 483	0.008
	沁源	4	362	129	0.007
	小计	100	9 694	5 556.5	0.324
河南省	沁阳	3	404	224	
流域总计		103	10 098	5 780.5	0.324

8.2.2　引水工程

1985 年沁河流域 333.3hm² 以上的自流灌区设计灌溉面积 6.12 万 hm²，有效灌溉面积 3.86 万 hm²（其中流域外 2.99 万 hm²），实灌面积 3.29 万 hm²。2000 年 333.3hm² 以上自流灌区设计灌溉面积 10.02 万 hm²，有效灌溉面积 6.51 万 hm²（流域外 4.61 万 hm²），实灌面积 5.64 万 hm²。由此可见，沁河流域自流灌区发展较快，其发展面积大部分分布在流域外❶ 沁河流域 333.3hm² 以上自流灌区情况详见表 8.7。

表 8.7　沁河流域 333.3hm² 以上自流灌区情况

灌区名称	所在县市	水源名称	建成时间	灌溉面积（万 hm²）			干支渠长（km）	现状灌溉引水量（万 m³）	说明
				设计	有效	实灌			
任庄灌区	晋郊	丹河		0.133	0.079	0.040	28	160	
董封灌区	阳城	菏泽河		0.100	0.073	0.059	46	110	
釜山灌区	高平			0.085	0.140	0.120	91	383	
丹河灌区	高平	丹河	1956 年	0.100	0.106	0.080	52	192	
许河灌区	高平	许河	1958 年	0.067	0.119	0.028	30	60.8	
丁城灌区	沁源	沁河	1958 年	0.068	0.070	0.036	22	61.5	
红卫灌区	阳城	菏泽河	1978 年	0.043	0.019	0.005	17.5		
五一渠	安泽	沁河		0.067	0.013	0.003	7.50		
山西小计				0.663	0.621	0.372	294	967.3	
引沁济蟒	济源、孟县	沁河	1968 年	3.133	2.063	2.035		16 800	流域外
广利灌区	济源、沁阳	沁河	明朝	3.400	2.070	2.070		13 000	部分流域外
丹西灌区	沁阳	丹河	秦朝	0.300	0.213	0.180		2 050	
幸福闸灌区	博爱	沁河	1965 年	0.135	0.078	0.078		120	流域外
丹东	博爱	丹河	春秋	1.844	1.220	0.693		9 600	流域外
白马沟	博爱	沁河	1972 年	0.076	0.026			384	流域外
王召灌区	沁阳	沁河		0.200	0.142	0.140		180	
亢村引沁	温县	沁河	1958 年	0.267	0.072	0.072		450	
河南小计				9.355	5.885	5.269		42 584	
总计				10.019	6.505	5.641	294	43 551.3	

注：包括河南下游流域外引沁灌区。

---

❶ 黄河水利委员会勘测规划设计研究院，沁河流域水资源利用修订规划，2002 年。

8.2.3 提水工程

提水工程包括机电排灌站、水轮泵站和机电井等工程。1985年流域内有机电排灌站和水轮泵站1 386处,其中山西1 233处,河南153处;机电井13 931眼,其中山西1 795眼,河南12 136眼。2000年流域内有机电排灌站和水轮泵站1 084处,其中山西937处,河南147处;机电井15 421眼,其中山西1 874眼,河南13 547眼,井灌面积约5万hm^2,详见表8.8。上述数据表明,近十几年来沁河流域的机电排灌站及水轮泵站有所减少,机电井有所增加,山西省增加了79眼,河南省增加了1 411眼[1]

表8.8 2000年沁河流域提水工程情况

省(区)	提水工程			机电井		
	处数	装机 (kW)	有效灌溉面积 (万hm^2)	眼数	装机 (kW)	有效灌溉面积 (万hm^2)
山西省	937	21 508.2	1.287	1 874	20 959.8	0.998
河南省	147	5 469.6	0.365	13 547	94 731.7	3.996
全流域	1 084	26 977.8	1.652	15 421	115 691.5	4.994

8.3 降水

沁河的气候属半湿润半干旱地区,年降水量一般在550~700mm,流域中下游稍大。流域内降水在空间分布上表现为山区大于平原,上中游的差异以及东西向差异并不十分明显;在时间分布上表现为汛期大于非汛期,其中6~9月降水量占全年降水量的70%左右。年降水量的地区分布一般北部靠近分水岭及中部谷地张峰—郑庄偏小(550~600mm),东西两山地区较大且分布不均匀,一般达600~650mm,个别暴雨中心区达700~800mm,南部偏大而分布相对均匀,达650~700mm。

流域内多年平均降水日数为90~95天,大于10.0mm的降水日数为16~19天,大于50.0mm的降水日数在1天左右。其中,五龙口站多年平均降水日数为82天,大于10.0mm的降水日数为19天,大于50.0mm的降水日数约2天;润城站多年平均降水日数为79天,大于10.0mm的降水日数为18天,大于50.0mm的降水日数约1天。

8.3.1 年际变化

8.3.1.1 飞岭—五龙口区间年际变化

根据流域内飞岭—五龙口区间31个雨量站1954~2000年同期资料来看,各站多年平均降水量一般在510~750mm之间。年最大降水量发生在王村,其值为1 494mm(1962年);最低的润城站,降水量为229mm(1997年)。

飞岭—五龙口区间1954~2000年多年平均年降水量为626mm。该区间降水年际变化很大,最大年降水与最小年降水之比一般为3,最大达4,如王村站最大年降水量为1 494mm,最小年降水量为374mm,二者之比为4.0。

---

[1] 黄河水利委员会勘测规划设计研究院,沁河流域水资源利用修订规划,2002年。

为了研究降雨年际变化,这里选用年最大与最小降雨量的比值系数 α、变差系数 C_v、降雨系列均值与年最大降雨的比值系数 η 三种指标来说明降雨年际变化。比值系数 α 反映了流域历年降雨两个极端值的倍数关系,显示了降雨年际变化的程度,α 越大,表明降雨年际变化越大;变差系数 C_v 可表示不同均值系列的降雨离散程度,C_v 越接近1,表明降雨年际变化越大,C_v 越接近0,表明降雨年际变化越小;系数 η 也是反映降雨年际变化的程度,η 越接近1,表示降雨年际变化越小。沁河飞岭—润城、润城—五龙口和飞岭—五龙口区间降雨年际变化参数统计见表8.9。

表8.9　沁河流域飞润、润五、飞五区间降雨年际变化参数统计

区间	参数	1月	2月	3月	4月	5月	6月	7月	8月	9月	10月	11月	12月	全年	汛期	非汛期
飞润	α	28.7/0	36.7/0	88	17	26	13	6.6	10	66	50	78.4/0	24.6/0	2.5	3.1	4.1
	C_v	1.14	0.88	0.74	0.61	0.71	0.60	0.40	0.55	0.66	0.78	0.94	1.29	0.20	0.25	0.32
	η	0.23	0.27	0.30	0.37	0.39	0.31	0.51	0.45	0.37	0.28	0.29	0.24	0.72	0.64	0.54
润五	α	31.7/0	41.5/0	51	23	29	14	8.6	22	24	76	229	23.1/0	3.1	3.7	4.1
	C_v	1.09	0.93	0.68	0.60	0.77	0.66	0.48	0.64	0.67	0.78	1.04	1.19	0.21	0.28	0.34
	η	0.24	0.27	0.40	0.44	0.35	0.30	0.42	0.49	0.39	0.25	0.25	0.29	0.69	0.66	0.53
飞五	α	29.4/0	36.1/0	73	16	27	12	6.7	11	41	57	287	24.2/0	2.6	3.2	3.9
	C_v	1.10	0.88	0.71	0.60	0.72	0.61	0.40	0.56	0.65	0.76	0.96	1.24	0.19	0.25	0.32
	η	0.23	0.29	0.33	0.41	0.37	0.31	0.51	0.47	0.41	0.27	0.28	0.25	0.73	0.67	0.54

注:飞润指飞岭—润城;润五指润城—五龙口;飞五指飞岭—五龙口。

由表8.9可知,飞岭—五龙口区间年降雨量 α 为2.6,C_v 为0.19,η 为0.73,表明了降雨年际变化幅度较大。从逐月降雨量来看,其变化幅度较年降雨大,且汛期逐月 C_v 值小于非汛期逐月 C_v 值,呈现以7、8月份为最小(相对),其前、后月份分别递增的趋势,如1、2、12月份 C_v 值都在0.88以上,而7、8月份为0.40~0.56,即夏季降雨年际变化较其他季节小。

降雨量年际分布还有一个特点,连续多水年和持续干旱年往往交替出现,如端氏站,自1954年至1975年的22年中仅有6年小于多年均值,而自1976年至2000年的35年中,却只有8年大于多年均值。

8.3.1.2　1986年前后比较

根据沁河流域飞岭—五龙口区间31个雨量站同步实测降雨资料计算的1986年前后多年平均降雨量见表8.10。三个区间1986年前后多年平均降雨量及减少百分比分别见图8.2和图8.3。由表8.10、图8.2和图8.3可以看出,1987~2000年系列降雨量持续偏少。飞岭—润城区间1954~1986年多年平均降雨量为629mm,1987~2000年系列多年平均降雨量为567mm,减少62mm,减少百分比为10.0%;润城—五龙口区间1954~1986年多年平均降雨量为678mm,1987~2000年系列多年平均降雨量为602mm,减少76mm,减少百分比为11.2%;飞岭—五龙口区间1954~1986年多年平均降雨量为646mm,1987~2000年系列多年平均降雨量为577mm,减少69mm,减少百分比为10.6%。

表 8.10　沁河流域不同系列多年平均降雨量

区　间	集水面积 （km²）	降雨系列	多年平均降雨量 （mm）	1986 年前后降雨量变化	
				减少量 （mm）	减少百分比 （%）
飞岭—润城	4 590	1954～1986 1987～2000	629 567	62	10.0
润城—五龙口	1 972	1954～1986 1987～2000	678 602	76	11.2
飞岭—五龙口	6 562	1954～1986 1987～2000	646 577	69	10.6

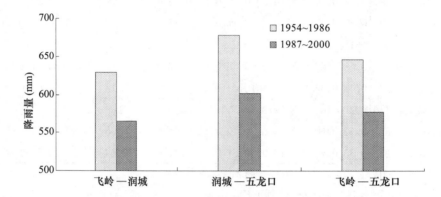

图 8.2　三个区间 1954～1986 年和 1987～2000 年多年平均降雨量

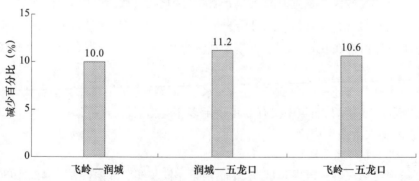

图 8.3　三个区间 1986 年前后降雨量减少百分比

8.3.2　年代变化

表 8.11 给出了飞岭—润城、润城—五龙口和飞岭—五龙口区间不同时期的降水量特征值。由该表可以看出，飞岭—润城区间 50、60 年代平均降水量为 660mm 以上，70、80 年代有所下降，约为 590mm，90 年代减少为 560mm；润城—五龙口区间 50、60 年代平均降水量为 710mm 以上，70、80 年代有所下降，约为 630mm，90 年代减少为 590mm；飞岭—五龙口区间 50、60 年代平均降水量为 680mm 以上，70、80 年代有所下降，约为 600mm，90

年代减少为570mm。降水量的持续偏少,直接导致了流域产流量的减少、河谷盆地地下水水位下降等变化。由此可见,沁河流域近十几年实测径流的衰减与降水偏枯有着直接的关系,且降水偏枯起着主导作用。

表8.11 三个区间不同时期降水量特征值

区间	面积 (km²)	统计年限	年数	统计参数			不同频率年降水量(mm)			
				年均值 (mm)	C_v	C_s/C_v	20%	50%	75%	95%
飞岭—润城	4 590	1954~1959	6	685	0.15	2	770	680	613	524
		1960~1969	10	668	0.23	2	793	656	558	436
		1970~1979	10	602	0.20	2	698	594	519	422
		1980~1989	10	569	0.13	2	632	566	516	450
		1990~1999	10	559	0.20	2	649	552	481	391
		1954~2000	47	611	0.20	2	709	603	526	427
润城—五龙口	1 972	1954~1959	6	736	0.21	2	860	726	629	505
		1960~1969	10	714	0.22	2	839	703	605	481
		1970~1979	10	644	0.14	2	717	640	583	507
		1980~1989	10	622	0.16	2	702	617	554	471
		1990~1999	10	592	0.22	2	699	582	498	393
		1954~2000	47	655	0.20	2	761	647	564	459
飞岭—五龙口	6 562	1954~1959	6	706	0.16	2	801	700	625	528
		1960~1969	10	684	0.21	2	803	674	580	462
		1970~1979	10	615	0.17	2	700	609	542	455
		1980~1989	10	586	0.13	2	651	583	532	464
		1990~1999	10	570	0.20	2	664	562	489	395
		1954~2000	47	626	0.19	2	723	618	542	444

飞岭—润城、润城—五龙口和飞岭—五龙口不同时期降雨量比较见表8.12、图8.4和图8.5。由表8.12和图8.5可以看出,1990~1999年与1980~1989、1970~1979、1960~1969、1954~1959年相比,飞岭—润城区间降雨量减少百分比分别为1.76%、7.14%、16.3%、18.4%,润城—五龙口区间降雨量减少百分比分别为4.82%、8.07%、17.1%、19.6%,飞岭—五龙口区间降雨量减少百分比分别为2.73%、7.32%、16.7%、19.3%。由图8.4和图8.5可以看出,各个年代降雨量呈现递减趋势。

表8.12 三个区间90年代降雨量比其他年代减少的百分比

区间	类型	1954~1959	1960~1969	1970~1979	1980~1989	1990~1999
飞岭—润城	均值 (mm)	685	668	602	569	559
润城—五龙口		736	714	644	622	592
飞岭—五龙口		706	684	615	586	570
飞岭—润城	减少百分比 (%)	18.4	16.3	7.14	1.76	
润城—五龙口		19.6	17.1	8.07	4.82	
飞岭—五龙口		19.3	16.7	7.32	2.73	

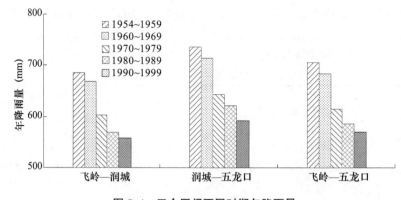

图 8.4　三个区间不同时期年降雨量

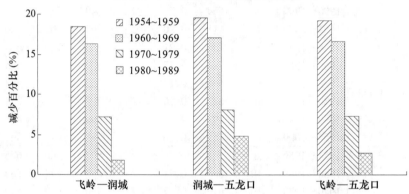

图 8.5　三个区间 90 年代降雨量比其他年代减少的百分比

8.3.3　年内变化

降水量的年内分配极不均匀,主要集中在 6～9 月。飞岭—五龙口区间 6～9 月降水量占年降水量的 67.6%。其中,飞岭—润城区间占 68.0%,润城—五龙口区间占 67.2%。具体见表 8.13。这里需要说明的是,飞岭—润城区间各年降水量是区间 21 个站算术平均而得,润城—五龙口区间各年降水量是区间 11 个站算术平均而得,而飞岭—五龙口区间各年降水量是采用飞岭—润城和润城—五龙口两区间降水量和区间面积加权平均而得。

表 8.13　三个区间不同时期 6～9 月降水量占年降水量的百分比　　　　（%）

区间	时期(年)					
	1954～1959	1960～1969	1970～1979	1980～1989	1990～1999	1954～2000
飞岭—润城	70.0	68.5	70.2	69.1	62.8	68.0
润城—五龙口	69.0	67.6	68.9	67.6	63.1	67.2
飞岭—五龙口	69.2	68.0	69.8	68.5	62.9	67.6

7～8 月出现的暴雨次数较多,约占总次数的 85%,其中较大降水又主要集中在 7 月中旬至 8 月中旬,最大暴雨中心的日雨量可达 300mm 以上。

8.4 蒸发

润城站具有1955~2000年(其中1968~1981年缺测)共32年蒸发量观测资料,逐年蒸发量过程线见图8.6。蒸发量观测采用E601和20mm口径蒸发器进行观测。

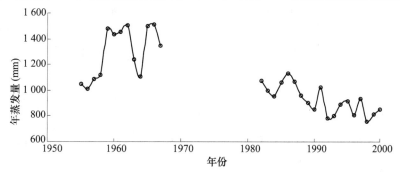

图8.6 润城1955~2000年逐年蒸发量过程线

据润城站蒸发量资料统计,多年平均蒸发量为1 080mm,年内最大蒸发量一般出现在5~7月,占年蒸发量的39.5%左右。其中20世纪50~60年代多年平均蒸发量为1 297mm,5~7月占41.3%;80~90年代多年平均蒸发量为926mm,5~7月占37.7%。年最大蒸发量为1966年1 509mm,年最小蒸发量为1998年756mm(见表8.14)。

表8.14 润城站多年蒸发量统计

项目	时期	蒸发量(mm)	时间	占全年(%)
多年平均	1955~1967	1 297		
	1981~2000	926		
	1955~2000	1 080		
5~7月多年平均	1955~1967	536		41.3
	1981~2000	350		37.7
	1955~2000	425		39.5
7~10月多年平均 (汛期)	1955~1967	509		39.2
	1981~2000	352		38.0
	1955~2000	416		38.6
12月~翌年2月多年平均 (冬季)	1955~1967	274		
	1981~2000	215		
	1955~2000	238		
年最大	1955~1967	1 509	1966年	
	1981~2000	1 132	1986年	
年最小	1955~1967	1 014	1956年	
	1981~2000	756	1998年	
月最大	1955~1967	253.5	1966年6月	
	1981~2000	171.3	1987年4月	
月最小	1955~1967	12.1	1957年1月	
	1981~2000	13.1	2000年1月	

8.5　径流

　　沁河径流主要为大气降水补给,河川水资源量相对丰富,但地区分布不均。飞岭以上产流较少,五龙口、武陟多年平均径流量分别为 9.92 亿 m^3、8.77 亿 m^3。飞岭、润城分别为 2.30 亿 m^3、6.43 亿 m^3,分别占五龙口多年平均的 23.2%、64.8% 左右。

　　飞岭—五龙口区间 1954～2000 年多年平均年径流量约 7.97 亿 m^3(含兴利渠、广惠渠),其中,飞岭—润城区间约 4.32 亿 m^3,润城—五龙口区间约 3.65 亿 m^3。

8.5.1　年际变化

　　飞岭—五龙口区间径流年际变化很大,最大年径流量为 1963 年的 21.6 亿 m^3,最小年径流量为 1991 年的 1.07 亿 m^3,最大是最小的 20.2 倍。

　　上游飞岭站最大年径流量与最小年径流量之比高达 20 倍以上,下游由于基流加大和大量岩溶泉水出露,水量渐趋稳定,其比值至润城站降至 11 倍,五龙口站仅为 4 倍左右。

8.5.1.1　实测年径流量

　　根据飞岭—五龙口区间各水文站历年实测径流资料,统计不同系列实测年径流量,结果见表 8.15。三个区间 1986 年前后多年平均径流量及减少百分比见图 8.7 和图 8.8。

表 8.15　三个区间 1986 年前后实测多年平均年径流量

区间	集水面积 （km^2）	实测系列	径流量 （亿 m^3）	1986 年前后径流量变化	
				减少量 （亿 m^3）	减少百分比 （%）
飞岭—润城	4 590	1954～1986	5.45	4.43	81.2
		1987～2000	1.02		
润城—五龙口	1 972	1954～1986	3.88	0.77	19.8
		1987～2000	3.11		
飞岭—五龙口	9 245	1954～1986	9.33	5.19	55.7
		1987～2000	4.14		

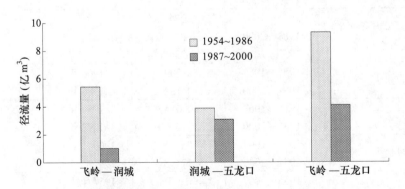

图 8.7　三个区间 1954～1986 年和 1987～2000 年多年平均径流量

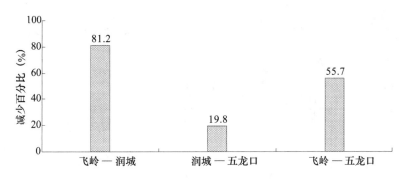

图 8.8　三个区间 1986 年前后径流量减少百分比

由表 8.15、图 8.7 和图 8.8 可以看出,三个区间 1987~2000 年系列实测径流量的突出特点表现为:一是减少的幅度较大;二是近十几年来持续偏枯。飞岭—润城区间 1954~1986 年多年平均径流量为 5.45 亿 m³,1987~2000 年系列多年平均径流量为 1.02 亿 m³,减少 4.43 亿 m³,减少百分比为 81.2%;润城—五龙口区间 1954~1986 年多年平均径流量为 3.88 亿 m³,1987~2000 年系列多年平均径流量为 3.11 亿 m³,减少 0.77 亿 m³,减少百分比为 19.8%;飞岭—五龙口区间 1954~1986 年多年平均径流量为 9.33 亿 m³,1987~2000 年系列多年平均径流量为 4.14 亿 m³,减少 5.19 亿 m³,减少百分比为 55.7%。

8.5.1.2　天然年径流量

润城、五龙口和武陟天然年径流量模比系数差积曲线分别见图 8.9、图 8.11 和图 8.13。润城、五龙口和武陟天然年径流量均值及过程线分别见图 8.10、图 8.12 和图 8.14。由图 8.9~图 8.14 可以看出,20 世纪 50 年代和 60 年代前期为丰水期,60 年代后期和 70 年代为平水期,80 年代和 90 年代为枯水期。另外,由图 8.13 和图 8.14 可以明显看出武陟水文站存在 1922~1932 年连续 11 年的枯水段,这与黄河上、中、下游均存在 1922~1932 年的连续 11 年枯水段相符。

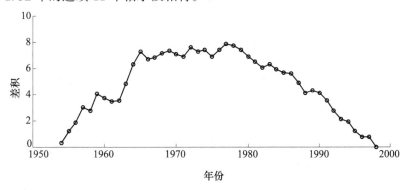

图 8.9　润城 1954~1998 年天然年径流量模比系数差积曲线

8.5.2　年代变化

表 8.16 给出了飞岭—润城、润城—五龙口和飞岭—五龙口区间不同时期的径流量特征值。由该表可以看出,飞岭—润城区间 50、60 年代平均径流量在 7 亿 m³ 以上,70、80 年代有所下降,约为 2 亿 m³,90 年代减少为 1 亿 m³,多年均值为 4.13 亿 m³;润城—五龙口区间 50、60 年代平均径流量在 4 亿 m³ 以上,70、80 年代有所下降,约为 2.6 亿 m³,90

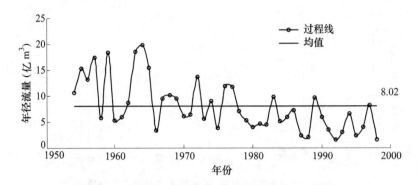

图 8.10　润城 1954～1998 年天然年径流量均值及过程线

图 8.11　五龙口 1954～1998 年天然年径流量模比系数差积曲线

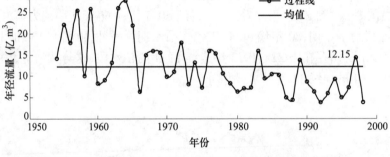

图 8.12　五龙口 1954～1998 年天然年径流量均值及过程线

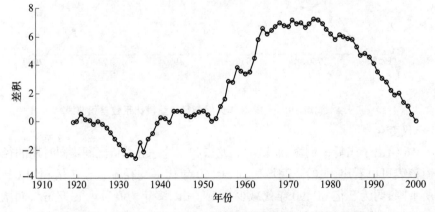

图 8.13　武陟 1919～2000 年天然年径流量模比系数差积曲线

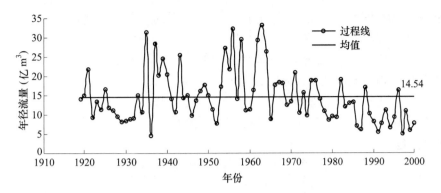

图 8.14　武陟 1919~2000 年天然年径流量均值及过程线

年代为 3 亿 m³,多年均值为 3.65 亿 m³;飞岭—五龙口区间 50、60 年代平均径流量在 11
亿 m³ 以上,70、80 年代有所下降,约为 5.8 亿 m³,90 年代减少为 4 亿 m³,多年均值为
7.78 亿 m³。

表 8.16　三个区间不同时期径流量特征值

区间	面积 (km²)	统计年限	年数	统计参数			不同频率年径流量(亿 m³)			
				年均值 (亿 m³)	C_v	C_s/C_v	20%	50%	75%	95%
飞岭—润城	4 590	1954~1959	6	9.25	0.40	2	12.1	8.77	6.60	4.16
		1960~1969	10	7.28	0.48	2	10.0	6.72	4.71	2.61
		1970~1979	10	3.58	0.69	2	5.33	3.03	1.76	0.68
		1980~1989	10	1.95	0.95	2	3.11	1.41	0.63	0.13
		1990~1999	10	0.97	1.20	2	1.60	0.56	0.18	0.02
		1954~2000	47	4.13	0.94	2	6.58	3.00	1.34	0.28
润城—五龙口	1972	1954~1959	6	5.63	0.31	2	7.00	5.46	4.39	3.13
		1960~1969	10	4.19	0.40	2	5.49	3.97	2.98	1.88
		1970~1979	10	2.66	0.44	2	3.57	2.49	1.80	1.06
		1980~1989	10	3.48	0.41	2	4.60	3.28	2.44	1.50
		1990~1999	10	3.11	0.49	2	4.27	2.86	1.99	1.09
		1954~2000	47	3.65	0.46	2	4.94	3.39	2.42	1.38
飞岭—五龙口	6 562	1954~1959	6	14.9	0.36	2	19.1	14.3	11.0	7.31
		1960~1969	10	11.5	0.45	2	15.5	10.7	7.75	4.53
		1970~1979	10	6.24	0.46	2	8.46	5.80	4.12	2.35
		1980~1989	10	5.43	0.53	2	7.61	4.92	3.30	1.68
		1990~1999	10	4.08	0.64	2	5.96	3.54	2.17	0.92
		1954~2000	47	7.78	0.67	2	11.5	6.64	3.93	1.56

飞岭—润城、润城—五龙口和飞岭—五龙口不同时期径流量比较见表 8.17 和图 8.15、图 8.16。由表 8.17 和图 8.16 可以看出,飞岭—润城区间 20 世纪 90 年代年均径流量较其他年代减少百分比依次分别为 50.3%、72.9%、86.7%、89.5%,润城—五龙口区间 90 年代年均径流量减少百分比分别为 10.6%、−16.9%、25.8%、44.8%,飞岭—五龙口区间 90 年代年均径流量减小百分比分别为 24.9%、34.6%、64.5%、72.6%。由图 8.15 和图 8.16 可以看出,除润城—五龙口区间 20 世纪 70 年代以外,其他各个年代径流量呈现递减趋势。

表 8.17　三个区间 90 年代径流量比其他年代减少的百分比

区间	类型	1954~1959	1960~1969	1970~1979	1980~1989	1990~1999
飞岭—润城	均值（亿 m³）	9.25	7.28	3.58	1.95	0.97
润城—五龙口		5.63	4.19	2.66	3.48	3.11
飞岭—五龙口		14.9	11.5	6.24	5.43	4.08
飞岭—润城	减少百分比（%）	89.5	86.7	72.9	50.3	
润城—五龙口		44.8	25.8	−16.9	10.6	
飞岭—五龙口		72.6	64.5	34.6	24.9	

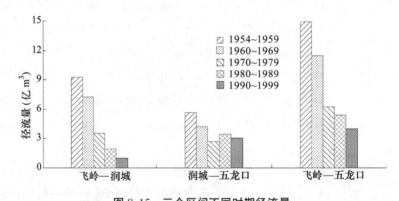

图 8.15　三个区间不同时期径流量

图 8.16　三个区间 90 年代径流量比其他年代减少的百分比

飞岭—五龙口区间径流量与历年相比逐渐减小的原因主要是,近年来人类活动影响加大,致使流域产流特性发生变化,对该区间年径流量的影响也随之加大。此外,从各区间平均流量模数和径流系数(见表8.18)比较也可以看出,润城—五龙口区间产流条件要好于飞岭—润城区间。

表 8.18　三个区间概况

区间	面积(km²)	径流量(亿 m³)	径流模数 (dm³/(s·km²))	径流系数
飞岭—润城	4 590	4.13	2.98	0.14
润城—五龙口	1 972	3.65	5.87	0.28
飞岭—五龙口	6 562	7.78	3.76	0.18

8.5.3　年内分布

飞岭、润城和五龙口站 1954～2000 年系列各月多年平均径流量见表8.19。由表8.19可以看出,三站10月份的多年平均径流量均比6月份的值大,所以本文取7～10月份的径流量之和为汛期径流量。飞岭、润城和五龙口 1954～2000 年逐年汛期水量占年水量百分比及百分比均值分别见图8.17、图8.18和图8.19,由图可以看出,飞岭、润城和五龙口站汛期径流量占全年径流量百分比的多年均值分别为64.5%、64.9%和60.1%。三站最大月径流量均在8月,最小月径流量均在2月。

表 8.19　飞岭、润城和五龙口站 1954～2000 年系列各月多年平均径流量

站名	1月	2月	3月	4月	5月	6月	7月	8月	9月	10月	11月	12月
飞岭	0.06	0.06	0.07	0.08	0.10	0.10	0.34	0.61	0.39	0.26	0.14	0.09
润城	0.19	0.17	0.20	0.22	0.27	0.31	0.95	1.71	1.03	0.74	0.40	0.25
五龙口	0.37	0.33	0.37	0.37	0.41	0.45	1.32	2.45	1.48	1.13	0.75	0.48

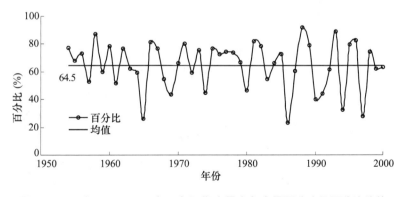

图 8.17　飞岭 1954～2000 年逐年汛期水量占年水量百分比及百分比均值

8.5.4　径流系数及其变化

飞岭—五龙口区间 1954～2000 年多年平均径流系数为 0.18,其中,飞岭—润城区间径流系数为 0.14,润城—五龙口区间径流系数为 0.28。

飞岭—润城、润城—五龙口和飞岭—五龙口区间 1954～2000 年逐年径流系数过程线

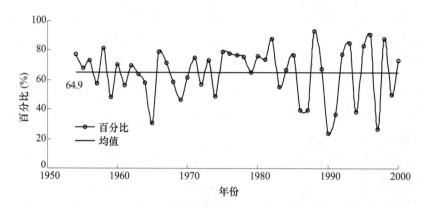

图 8.18　润城 1954～2000 年逐年汛期水量占年水量百分比及百分比均值

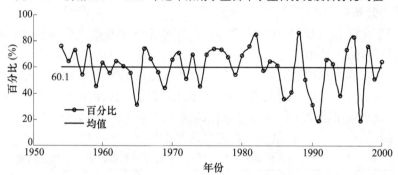

图 8.19　五龙口 1954～2000 年逐年汛期水量占年水量百分比及百分比均值

分别见图 8.20、图 8.21 和图 8.22,由图中可以看出,飞岭—五龙口区间径流系数呈逐年减小趋势,飞岭—润城区间径流系数明显减小,而润城—五龙口区间径流系数减小的幅度较小。

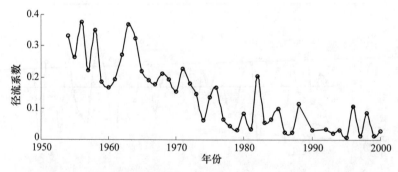

图 8.20　飞岭—润城区间 1954～2000 年逐年径流系数过程线

8.5.5　年月尺度的降雨径流关系

8.5.5.1　年降雨径流关系

飞岭—润城、润城—五龙口和飞岭—五龙口区间 1954～2000 年降雨径流过程线分别见图 8.23、图 8.24 和图 8.25,由图可以看出,三个区间降雨量减小幅度较小,而径流量减小幅度较大。这与 1986 年前后降雨和径流变化的结论(分别见表 8.10 和表 8.15)是一致的。

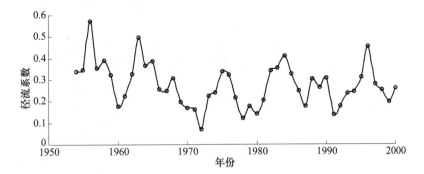

图 8.21　润城—五龙口区间 1954～2000 年逐年径流系数过程线

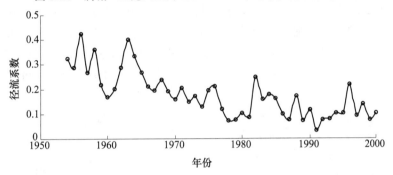

图 8.22　飞岭—五龙口区间 1954～2000 年逐年径流系数过程线

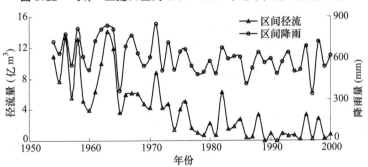

图 8.23　飞岭—润城区间 1954～2000 年降雨径流过程线

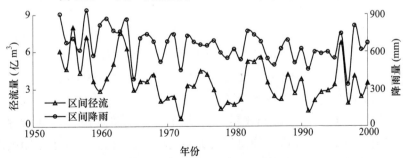

图 8.24　润城—五龙口城区间 1954～2000 年降雨径流过程线

飞岭—润城、润城—五龙口和飞岭—五龙口区间年降雨径流相关系数分别为 0.777、

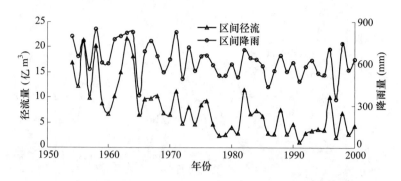

图 8.25　飞岭－五龙口区间 1954～2000 年降雨径流过程线

0.685 和 0.822。飞岭—润城、润城—五龙口和飞岭—五龙口区间 1954～2000 年年降雨径流关系分别见图 8.26、图 8.27 和图 8.28,由图可以看出,飞岭—润城、飞岭—五龙口区间径流基本呈现随年代递减的趋势,而润城—五龙口区间径流随年代递减趋势不明显,相同降雨条件下,80、90 年代产流比 70 年代还要大。这与上述径流系数的区间变化基本相同。

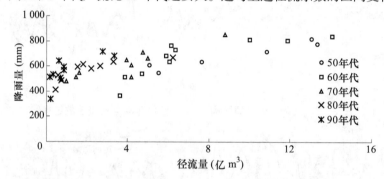

图 8.26　飞岭—润城区间 1954～2000 年年降雨径流关系

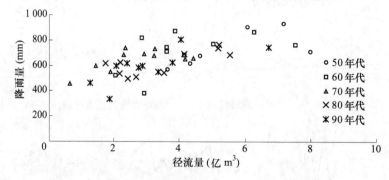

图 8.27　润城—五龙口区间 1954～2000 年年降雨径流关系

8.5.5.2　汛期降雨径流关系

　　飞岭—润城、润城—五龙口和飞岭—五龙口区间汛期降雨径流相关系数分别为 0.811、0.792 和 0.862。与年降雨径流相关关系比较,汛期相关均好于年相关,即汛期径流量的大小主要取决于降雨量的大小,而非汛期径流除受降雨影响外,还受地下径流、岩溶泉水等影响。

　　飞岭—润城、润城—五龙口和飞岭—五龙口区间 1954～2000 年汛期降雨径流关系分

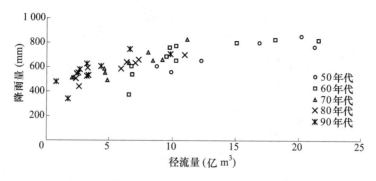

图 8.28　飞岭—五龙口区间 1954~2000 年年降雨径流关系

别见图 8.29、图 8.30 和图 8.31。

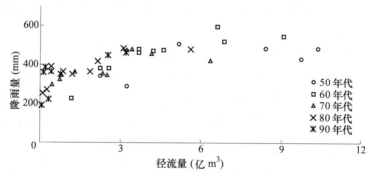

图 8.29　飞岭—润城区间 1954~2000 年汛期降雨径流关系

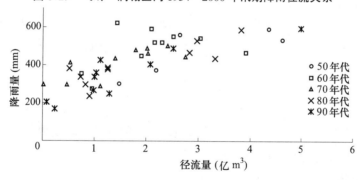

图 8.30　润城—五龙口区间 1954~2000 年汛期降雨径流关系

由图 8.29~图 8.31 可以看出,飞岭—润城、飞岭—五龙口区间汛期径流基本呈现随年代递减的趋势,而润城—五龙口区间则不明显,相同降雨条件下,80、90 年代产流比 70 年代还要大。这与上述区间径流系数、区间年降雨径流关系变化基本相同。

8.5.6　径流变化的驱动力因子

沁河流域历年来径流的变化趋势,尤其是近 20 年来的变化趋势,同黄河流域的径流变化趋势是一致的:降雨量减少幅度较小,而径流量减少幅度很大,其主要原因可能是受到降水量(特别是汛期降水量)的持续偏少,以及不同程度的人类活动影响。

8.5.6.1　气候变化

自 20 世纪 80、90 年代以来,沁河流域进入了相对的枯水年份,降水量呈递减趋势。

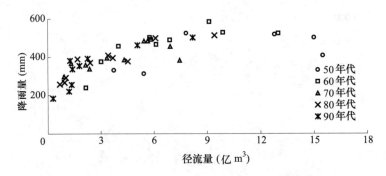

图 8.31　飞岭—五龙口区间 1954～2000 年汛期降雨径流关系

尤其是 90 年代以来,沁河流域飞岭—五龙口区间多年平均降水量仅为 570mm,为各年代的最低。且年降水量的减少主要是汛期降水量的明显减少,致使径流量也相应减少,

8.5.6.2　人类活动

人类活动主要是指水资源开发利用、水保及小流域综合治理等。目前沁河五龙口以上干支流实测径流均受到不同程度的人类活动的影响,尤其自 1985 年以来水保工程、煤炭开采、灌区引水、水库调蓄等引水量均呈逐年增加趋势。人类活动使流域的下垫面条件产生了变化,径流系数减小,产流能力降低。但由于沁河流域大多为小型供水工程,一般来说,中常降水条件下,水利水保工程减水作用对径流的影响较大;而当大暴雨时,工程拦蓄能力有限,对产流的影响则相对减弱。

8.5.6.3　其他因素

由于沁河流域大多为小型供水工程,又缺乏较为准确的监测资料,此外还存在下游流域外引水等,沁河用水量统计偏小的可能,直接影响流域径流量的变化。

8.6　泥沙

沁河流域植被条件相对较好,水土流失较少。年内泥沙主要集中于汛期,汛期输沙量占到全年的 90% 以上,且年际变化较大。

8.6.1　飞岭站泥沙

飞岭站多年平均输沙量为 131.3 万 t,实测年最大输沙量为 432 万 t(1966 年),最小年输沙量为 0.4 万 t(1997 年)。多年平均含沙量为 4.8kg/m³,汛期平均含沙量为 8.82kg/m³。

8.6.2　润城站泥沙

润城站多年平均输沙量为 478.4 万 t,实测年最大输沙量为 1 580 万 t(1980 年),最小年输沙量为 11.3 万 t(1990 年)。多年平均含沙量为 5.87kg/m³;汛期平均含沙量为 9.9kg/m³。

8.6.3　武陟站泥沙

武陟站多年平均输沙量为 541 万 t,汛期多年平均输沙量为 489 万 t,实测年最大输沙量为 3 130 万 t(1954 年),最小年输沙量为零(1991、1997 年)。多年平均含沙量为6.10kg/m³,汛期平均含沙量为 7.82kg/m³。武陟站历年年平均输沙量与汛期输沙量比较见图 8.32。

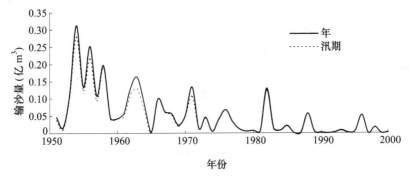

图 8.32 武陟站历年年平均输沙量与汛期输沙量比较

8.7 暴雨洪水

沁河流域暴雨的地区分布一般是由北向南递增,且基本上是由流域周围的山地向河谷递减。沁河流域洪水均由暴雨形成,暴雨量级一般不大,持续时间不长,笼罩面积也不大。

沁河洪水在地区分布上主要来源于飞岭以下,而且上下游遭遇的机会不多,在有历史文献记载的 139 次洪水中,上下游同时有记载的只占 26%,上游无记载、下游有记载的占64.7%。沁河洪水的年际变化较大,根据润城站实测 1954～2000 年系列中历年最大洪峰流量、3 日洪量资料统计分析,实测最大年份 1982 年为 2 720m³/s,最小年份 1997 年为8.01m³/s,相差 338 倍;3 日洪量最大年份 1971 年为 2.13 亿 m³,最小年份 1997 年为0.018 8 亿 m³,相差 112 倍。

8.7.1 暴雨

由《山西省暴雨洪水图集》查得,多年平均 24h 点雨量飞岭为 78mm,润城为 80mm,五龙口为 91mm。最大 3 日暴雨量中游与浊漳河分水岭的王村站为 201.4mm,流域中部的端氏站为 138.7mm。总的来看,暴雨发生的机遇,下游比上游多,暴雨的量级下游比上游大。较大暴雨的面积一般为 1 万～3 万 km²。

沁河流域暴雨中心常发生在沁河中游的润城一带。据 1954～2000 年统计,润城水文站断面以上,最大 3 日面雨量为 200mm(1982 年 7 月 30 日～8 月 1 日),最大 3 日点雨量为 546.7mm(西万站 1982 年 7 月 30 日～8 月 1 日),最大 24h 点雨量为 255.7mm(董封站1982 年 8 月 1 日),暴雨持续时间一般小于 24h,超过 3 天的比较罕见。据各站实测资料统计,1 日雨量约占 3 日雨量的 60%,24h 雨量约占 3 日雨量的 75%。

8.7.2 洪水的时间分布

1954～2000 年,沁河五龙口共发生 1 000m³/s 以上洪水 24 场,800m³/s 以上洪水 31场,500m³/s 以上洪水 53 场。各年代各级洪水出现次数见表 8.20。

表 8.20 各年代各级洪水出现次数

时段	1 000m³/s 以上		800m³/s 以上		500m³/s 以上	
	洪水场次	百分比(%)	洪水场次	百分比(%)	洪水场次	百分比(%)
1954~1960	11	45.8	11	33.3	17	30.9
1961~1970	8	33.3	10	30.3	18	32.7
1971~1980	1	4.2	4	12.1	7	12.7
1981~1990	1	4.2	3	9.1	4	7.3
1991~2000	3	12.5	3	9.1	7	12.7
合计	24		31		53	

经对润城站 1954~2000 年 47 年的实测资料统计分析,最大洪峰发生在 7、8 月份的概率为 82.1%,发生在 9 月份的概率为 8.3%。最大洪峰大多发生在 7、8 月份,而最大 3 日洪量大多发生在 8 月份。涨洪时间最早为 4 月下旬,最晚为 10 月下旬。

8.7.3 典型洪水

8.7.3.1 1954 年 8 月洪水

本次洪水发生于 8 月初,洪水来源于沁河及其支流丹河,其中沁河润城站洪峰流量 1 420m³/s,五龙口站洪峰流量 2 520m³/s,武陟站洪峰流量 3 050m³/s;丹河山路平站洪峰流量 1 180m³/s。

本次洪水相应的暴雨是由南北向切变线形成,雨区呈南北向带状分布。暴雨中心附近润城站最大日雨量为 94mm,沁河 2 日面平均雨量为 108.7mm,最大 1 日面平均雨量为 59.8mm。

本次洪水总历时约 70h,涨洪历时 15h,峰形相对较瘦。

8.7.3.2 1958 年 7 月洪水

本次洪水发生于 7 月中旬,洪水主要来源于沁河中游地区,尤其以润城—五龙口区间,其中沁河飞岭站洪峰流量 58.2m³/s,润城站洪峰流量 402m³/s,五龙口站洪峰流量 1 000m³/s;丹河山路平站洪峰流量 228m³/s。沁河武陟站洪峰流量 1 050m³/s,峰现时间 17 日 20 时。

本次洪水相应的暴雨是南北向切变线为主形成,雨区呈南北带状分布。沁河流域本次暴雨持续时间较长,7 月 14~18 日最大 1 日、5 日面平均雨量分别为 31.2mm、94.3mm。暴雨中心中村、五龙口最大 2 日雨量分别为 200.5mm、229.1mm。

本次洪水总历时 150h,涨洪历时 30h。洪水陡涨缓落,峰形较胖。

8.7.3.3 1982 年 7 月洪水

本次洪水出现于 7 月底至 8 月初,洪水主要来源于沁河中下游地区。由于暴雨的时空分布不均匀,沁河先后出现两次洪峰,其中最大的一次沁河飞岭站洪峰流量 306m³/s,润城站洪峰流量 2 670m³/s,五龙口站洪峰流量 4 240m³/s;丹河山路平站洪峰流量 404m³/s。沁河武陟站洪峰流量 4 130m³/s,超过沁河设防标准,为沁河 1895 年以来最大洪水。

本次洪水是由南北向切变线的暴雨所形成,雨区呈南北向带状分布。沁河流域这次暴雨的特点是历时长,5 日面平均雨量为 215mm,面雨量大于 50mm 的天数达 3 天。7 月 29 日～8 月 2 日沁河流域最大日雨量为 7 月 30 日西万站 244.9mm,5 日最大降雨量洞底站为 468.3mm,交口站 434.4mm,山路平站为 450mm。

洪水从起涨到落平,历时约 240h,洪水总量 6.41 亿 m^3。武陟站洪水过程由双峰组成,第一个峰出现在 8 月 2 日 5 时,洪峰流量 2 570m^3/s;第二个峰出现在 8 月 2 日 19 时,洪峰流量 4 130m^3/s。洪水起涨至第一个洪峰,时间仅 15h,至第二个洪峰涨洪历时为 29h,总体来讲,洪水属陡涨缓落型。

8.7.3.4 1996 年 8 月洪水

本次洪水出现于 7 月底 8 月中旬,洪水主要来源于沁河中下游地区,由于暴雨的时空分布不均匀,沁河先后出现 3 次洪峰,其中最大的一次,润城站洪峰流量 1 010m^3/s,五龙口站洪峰流量 1 230m^3/s;沁河武陟站 5 日 22 时 36 分洪峰流量 1 420m^3/s,为 1982 年以来的最大洪水。

本次洪水是由南北向切变线的暴雨所形成。暴雨过程属典型的台风倒槽、切变型暴雨。8 月 2～4 日期间,主要的影响系统是地面冷锋、台风倒槽和偏南风急流。暴雨期间沁河 3 日平均降雨量达 79mm,8 月 3 日暴雨中心沁河武陟站日雨量为 114mm。

洪水从起涨至落平约 140h,涨洪历时约 54h。次洪水量 3.93 亿 m^3。

8.7.4 洪水频率分析成果

对沁河润城站历史洪水经调查考证,采用 1895 年和 1943 年两场,1895 年洪水为近百年来最大的一次,其调查期为 110 年,1943 年洪水排第 2 位。详见表 8.21。

表 8.21 历史洪水成果

站名	年份	历史洪水		
		洪峰(m^3/s)	24h 洪量(亿 m^3)	3 日洪量(亿 m^3)
润城	1895	5 030～5 500	2.44～2.66	4.57～4.99
	1943	3 850～4 350	1.88～2.11	3.53～3.96

按润城站 1954～2000 年 47 年系列进行频率分析,线型采用 P－Ⅲ型适线,频率适线见图 8.33。加入历史洪水后的频率适线见图 8.34。从图 8.33 和图 8.34 中可以看出,洪峰流量为 1 000m^3/s 的洪水出现的概率均为 22%～23%,即约 5 年一遇。

8.7.5 洪水历时、涨洪历时

沁河洪水分布主要受夏季暴雨影响,沁河下游润城、五龙口一带岩溶地下水丰富,且为三花(三门峡—花园口)间暴雨中心之一。沁河洪水主要来自五龙口以上,并以润城—五龙口区间单位面积洪水较大。由于该区间暴雨历时短、强度大、时空分布不均匀、暴雨中心雨量突出,故该区间洪水基本为陡涨陡落,峰高量小,历时短,一次洪峰持续时间多在 3～5 天。

8.7.6 峰量关系

润城站历年洪峰、洪量系列成果见表 8.22。润城站洪峰流量与 24h 洪量关系见

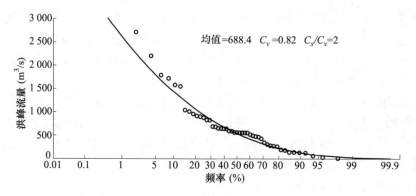

图 8.33 润城站 1954～2000 年系列洪水频率适线

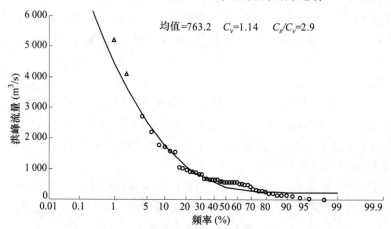

图 8.34 润城站 1954～2000 年系列(有特大值)频率适线

图 8.35,其相关关系为 $y = 0.163x + 129.49$,相关系数为 0.886 4;润城站洪峰流量与 3 日洪量关系见图 8.36,其相关关系为 $y = 0.080\ 3x + 147.49$,相关系数为 0.834 7。

表 8.22 润城站历年洪峰、洪量系列成果

年份	洪峰流量 (m^3/s)	W_{24h} 洪量 (万 m^3)	$W_{3日}$ 洪量 (万 m^3)	年份	洪峰流量 (m^3/s)	W_{24h} 洪量 (万 m^3)	$W_{3日}$ 洪量 (万 m^3)
1954	2 200	9 380	16 420	1968	958	3 283	6 190
1955	915	2 274	5 810	1969	313	1 557	3 310
1956	693	5 599	14 700	1970	568	1 994	2 900
1957	686	3 238	6 210	1971	1 790	12 098	21 260
1958	1 550	11 448	21 400	1972	560	2 523	4 640
1959	643	2 504	3 510	1973	557	3 350	7 450
1960	480	2 583	4 550	1974	285	1 004	2 020
1961	647	2 450	6 250	1975	561	3 378	6 440
1962	1 040	8 100	16 950	1976	555	4 603	11 570
1963	828	5 849	13 070	1977	433	2 003	3 288
1964	523	2 812	6 200	1978	830	1 282	3 290
1965	184	742	1 400	1979	263	1 110	2 040
1966	1 720	8 394	12 470	1980	598	3 730	6 490
1967	900	3 138	7 180	1981	470	1 872	2 602

年份	洪峰流量 (m^3/s)	W_{24h} 洪量 (万 m^3)	$W_{3日}$ 洪量 (万 m^3)	年份	洪峰流量 (m^3/s)	W_{24h} 洪量 (万 m^3)	$W_{3日}$ 洪量 (万 m^3)
1982	2 710	10 177	20 300	1992	592	3 241	4 980
1983	650	1 860	2 860	1993	1 580	6 819	10 460
1984	196	515	1 250	1994	142	625	1 590
1985	496	4 157	10 480	1995	563	939	2 060
1986	143	580	730	1996	1 010	6 038	13 720
1987	275	838	1 550	1997	8	67	188
1988	881	6 419	13 120	1998	652	2 992	6 005
1989	349	2 403	3 950	1999	138	172	661
1990	64	338	1 270	2000	127	556	1 493
1991	31.3	133	250				

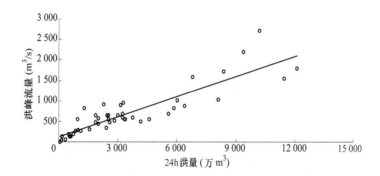

图 8.35　润城站洪峰流量与 24h 洪量关系

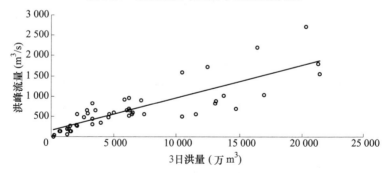

图 8.36　润城站历年洪峰流量与 3 日洪量关系

8.8　次洪产汇流机制分析

8.8.1　次洪降雨径流关系

选取 1954～2000 年飞岭、润城和五龙口站各 14 场洪水分析次洪降雨径流关系。选取次洪的标准是:五龙口站各年最大一场且洪峰流量大于或接近 1 000 m^3/s 的洪水。然后,计算次洪径流量和径流深,有关结果见表 8.23 和表 8.24。飞岭—润城、润城—五龙口和飞岭—五龙口的次洪降雨径流关系分别见图 8.37、图 8.38 和图 8.39,由图可得,三个区间的次洪降雨径流相关关系分别为 $y=2.494\,9x+38.886$、$y=2.376\,1x+28.153$ 和 $y=3.342\,1x+13.442$,相关系数分别为 0.779、0.858 和 0.916。

表 8.23　飞岭—润城、润城—五龙口、飞岭—五龙口区间次洪降雨量与径流深

区间	年份	区间面积（km²）	降雨量（mm）	径流深（mm）	径流系数
飞岭—润城	1958	4 590	75.39	25.22	0.33
	1958	4 590	122.02	40.42	0.33
	1961	4 590	63.63	8.05	0.13
	1962	4 590	78.28	18.29	0.23
	1962	4 590	184.55	26.99	0.15
	1964	4 590	81.62	28.73	0.35
	1968	4 590	80.23	11.90	0.15
	1970	4 590	46.56	4.61	0.10
	1971	4 590	69.63	11.64	0.17
	1971	4 590	149.42	66.06	0.44
	1973	4 590	32.53	5.93	0.18
	1982	4 590	248.81	52.69	0.21
	1983	4 590	58.62	6.07	0.10
	1988	4 590	67.91	20.00	0.29
润城—五龙口	1958	1 972	62.17	19.22	0.31
	1958	1 972	64.33	9.63	0.15
	1961	1 972	92.61	21.24	0.23
	1962	1 972	83.95	26.77	0.32
	1962	1 972	122.83	71.60	0.58
	1964	1 972	136.2	52.28	0.38
	1968	1 972	114.21	22.96	0.20
	1970	1 972	143.47	30.31	0.21
	1971	1 972	52.61	30.97	0.59
	1971	1 972	66.18	0.15	0.00
	1973	1 972	65.52	32.25	0.49
	1982	1 972	347.02	105.83	0.30
	1983	1 972	85.3	23.68	0.28
	1988	1 972	61.59	17.65	0.29

区间	年份	区间面积 （km²）	降雨量 （mm）	径流深 （mm）	径流系数
飞岭—五龙口	1958	6 562	72.74	23.42	0.32
	1958	6 562	111.16	31.17	0.28
	1961	6 562	75.02	12.01	0.16
	1962	6 562	79.49	20.84	0.26
	1962	6 562	167.38	40.40	0.24
	1964	6 562	101.6	35.80	0.35
	1968	6 562	92.62	15.22	0.16
	1970	6 562	72.5	12.33	0.17
	1971	6 562	63.76	17.45	0.27
	1971	6 562	122.23	46.25	0.38
	1973	6 562	44.21	13.84	0.31
	1982	6 562	282.11	68.66	0.24
	1983	6 562	66.96	11.36	0.17
	1988	6 562	66.45	19.29	0.29

表 8.24　飞岭—润城、润城—五龙口、飞岭—五龙口区间次洪洪峰流量与径流量

区间	年份	区间面积 （km²）	径流量 （亿 m³）	洪峰流量 （m³/s）	峰现时间 （年－月－日 T 时:分）	传播时间(h) （润城—五龙口区间）
飞岭以上	1958	4 590	0.577 4			
	1958	4 590	0.748 8			
	1961	4 590	0.111 4			
	1962	4 590	0.561 5			
	1962	4 590	1.016			
	1964	4 590	0.345 5			
	1968	4 590	0.036 2			
	1970	4 590	0.080 7			
	1971	4 590	0.284 9			
	1971	4 590	1.047			
	1973	4 590	0.032 5			
	1982	4 590	0.458 5			
	1983	4 590	0.090 5			
	1988	4 590	1.238			

区间	年份	区间面积 （km²）	径流量 （亿 m³）	洪峰流量 （m³/s）	峰现时间 （年－月－日 T 时：分）	传播时间(h) （润城—五龙口区间）
润城以上	1958	1 972	1.735	1 460	1958－08－03T00:00	5
	1958	1 972	2.604	1 550	1958－08－12T16:30	4.8
	1961	1 972	0.480 7	571	1961－08－14T03:12	－2
	1962	1 972	1.401	692	1962－08－15T01:18	12.7
	1962	1 972	2.255	1 040	1962－09－26T18:00	6
	1964	1 972	1.664	445	1964－07－27T14:30	4.5
	1968	1 972	0.582 2	958	1968－07－21T20:06	5.4
	1970	1 972	0.292 1	568	1970－07－31T13:00	17
	1971	1 972	0.819 3	913	1971－06－29T05:00	6
	1971	1 972	4.079	1 790	1971－08－21T18:00	4.2
	1973	1 972	0.304 6	298	1973－07－07T15:00	0.3
	1982	1 972	2.877	2 710	1982－08－02T08:00	1.7
	1983	1 972	0.369 2	650	1983－09－08T00:00	6
	1988	1 972	2.156	881	1988－08－15T21:00	5
五龙口以上	1958	6 562	2.114	1 480	1958－08－03T05:00	
	1958	6 562	2.794	1 520	1958－08－12T21:20	
	1961	6 562	0.899 6	1 110	1961－08－14T01:12	
	1962	6 562	1.929	955	1962－08－15T14:00	
	1962	6 562	3.667	1 170	1962－09－27T00:00	
	1964	6 562	2.695	1 040	1964－07－27T19:00	
	1968	6 562	1.035	1 310	1968－07－22T01:30	
	1970	6 562	0.889 9	1 370	1970－08－01T06:00	
	1971	6 562	1.43	972	1971－06－29T11:00	
	1971	6 562	4.082	1 720	1971－08－21T22:10	
	1973	6 562	0.940 5	1 120	1973－07－07T15:18	
	1982	6 562	4.964	4 240	1982－08－02T09:42	
	1983	6 562	0.836 1	800	1983－09－08T06:00	
	1988	6 562	2.504	880	1988－08－16T01:00	

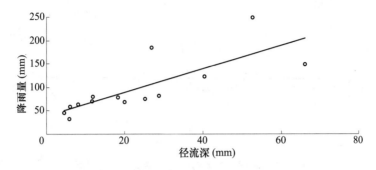

图 8.37　飞岭—润城区间次洪降雨径流关系

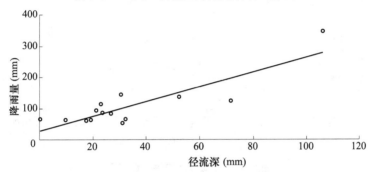

图 8.38　润城—五龙口区间次洪降雨径流关系

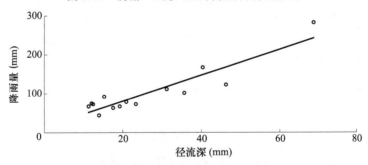

图 8.39　飞岭—五龙口区间次洪降雨径流关系

8.8.2　次洪传播时间

润城—五龙口区间次洪洪水传播时间见表 8.24。可以计算出平均传播时间为 6.13h。其中 1961 年洪峰润城滞后五龙口站 2h,原因是润城—五龙口区间后续降雨,故视为特殊点,不参加平均传播时间的计算。次洪洪峰传播时间见图 8.40。

8.8.3　次洪洪量关系

润城以上和五龙口以上次洪洪量关系见图 8.41 和图 8.42。由图 8.41 和图 8.42 可得,润城、五龙口次洪洪量相关系数分别为 0.751 和 0.899。

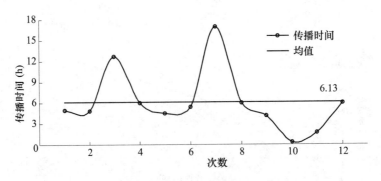

图 8.40　润城—五龙口区间次洪洪峰传播时间

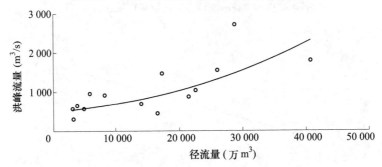

图 8.41　润城以上次洪洪量关系

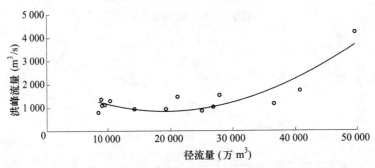

图 8.42　五龙口以上次洪洪量关系

8.9　总结归纳

由于沁河流域大部分位于太行山区,地质条件为石灰岩、砂岩及页岩组成,石灰岩溶洞发育,故沁河流域的稳定下渗率较大。当连续枯水年,且汛期降水强度较小时,径流系数明显偏小。

沁河流域飞岭—五龙口区间丰水年份的 50、60 年代平均径流系数为 0.27,平水年份的 70 年代平均径流系数为 0.15,枯水年份的 90 年代平均径流系数为 0.10。从以上不同时期径流系数的对比可知,近十几年来径流量偏枯的主要原因是年降水量特别是汛期降水量持续偏少。但要准确量化降水减少对径流减少的影响,还需今后进一步深入研究。

由于流域水利水保工程是有一定防御标准的,中常降雨条件下,拦水作用较大,但对大暴雨减水作用相对减弱。因此,如遇流域性大暴雨,仍可出现大洪水或较大洪水。

人类活动引起的环境变异,是流域产汇流特性变化的主要原因。人类活动的影响,不仅使流域下垫面条件发生了变化,流域产流能力降低,还使得产汇流特性更加复杂。

参 考 文 献

[1] 陈先德 . 黄河水利科学技术丛书——黄河水文 . 郑州:黄河水利出版社,1996
[2] 山西省人民政府办公厅.山西通志 . 北京:中华书局,1999
[3] 张志红,陈红莉,何宏谋 . 沁河流域近几十年来水资源量偏枯原因分析 . 水文,2004(1)
[4] 高治定,李文家,李海容 . 黄河流域暴雨洪水与环境变化影响研究 . 郑州:黄河水利出版社,2002

第 9 章　伊洛河流域

9.1　自然地理概况

9.1.1　流域及水系

伊洛河发源于陕西省华山南麓蓝田县境,至河南省巩县境汇入黄河,地理坐标为东经 109°42′~113°30′、北纬 33°45′~34°59′,流域面积 18 881km²,河道长 447km。流域平均宽 42km,流域形状狭长。

伊洛河两岸支流众多,源短流急,多呈对称平行排列。最大支流为伊河,位于流域南部,集水面积 6 029km²,占流域面积的 31.9%,流向与干流平行,河谷形态亦与干流相似。次大支流为涧河,位于流域北部,集水面积 1 349km²,占流域面积的 7.1%。这两条大支流都在流域下游汇入干流,与干流一起组成扇状水系。往往伊河、洛河、涧河同时发生洪水,汇流集中,形成较大的洪峰流量。洛河流域示意图见图 9.1。

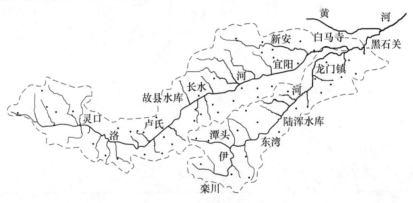

图 9.1　洛河流域示意图

9.1.2　地质地貌

伊洛河流域北靠华山、崤山,南倚伏牛山,地势西南高东北低,海拔自草链岭的 2 645m 下降到入黄河口的 101.4m,相差 2 543.6m。由于山脉的分割,形成了中山、低山、丘陵、河谷、平川和盆地等多种自然地貌和东西向管状地形。按自然地理条件,本区主要分为土石山区、黄土丘陵区和冲积平原区,分别占全区面积的 52.4%、39.7% 和 7.9%,故称"五山四岭一分川"。

土石山区主要分布在上中游地区,植被较好,并有大片森林覆盖,水源涵养条件较好。西部山高谷深,海拔 1 200~2 000m,伏牛山主峰海拔 2 211.6m,相对高度 500~700m;东部山区海拔 600~800m,但相对高度大,为 500~700m;主峰嵩山海拔 1 494m。该区特点是地面起伏大,山高坡陡,土层浅薄;河流落差大,沟壑密度一般为 3.5km/km²,沟壑切割深度一般为 2～30m。

黄土丘陵区主要分布在中游地区,植被稀少,人烟稠密,耕垦指数较高。丘陵分为石质丘陵和黄土丘陵两种,前者海拔多为 400m 左右,相对高度 100～200m,后者海拔 250～600m,相对高度 50～100m。黄土塬主要分布有两处,一是洛宁、宜阳段洛河谷地两侧,约 40km², 坡度 2°～3°;二是渑池盆地涧河两侧,约 160km², 坡度 1°～2°。黄土塬为第四系中更新世堆积黄土组成,土厚塬平,地下水量小,埋深大。

冲积平原区分布于沿河河谷盆地。伊河、洛河上游宽谷段有许多面积较小的河谷平原,宽度 1 000m 左右。洛河中游河谷逐渐展开,宽 1 000～3 000m, 最宽达 5 000m, 由二～三级堆积阶地和漫滩地组成。伊河中游河谷平原宽 1 000～3 000m, 多由二级阶地与漫滩地构成,海拔 200m 左右,受冲沟切割较弱,比高 20～30m。伊河、洛河下游两河相近、汇流短,是该流域最宽的河谷平原。洛河北岸宽 2 000～3 500m, 海拔 120～200m, 比高 20～30m;伊河南岸宽 2 000～4 000m, 海拔 120～250m, 比高 25m 左右;两河间夹河平原海拔 120m 左右,宽 3 000～5 000m。

9.1.3 气候

伊洛河流域属暖温带山地季风气候,低空盛行风向及相应的盛行气团随季节变化,造成流域内冬季寒冷干燥,夏季炎热多雨。因东西海拔相差悬殊,地形又多变化,气候具有明显的垂直变化,还因地形特点形成一些有特色的小气候区。谷地平原和附近丘陵年均气温在 12～15℃之间,山区峰顶年均气温 4℃,年均气温垂直递降率为 0.53℃/100m。年降水量大于 600mm,南部山区高达 900mm,多年平均降水量约 700mm。

9.2 人类活动

9.2.1 水利工程

伊洛河共有大中小型水库 330 座,其中大型水库 2 座,中型水库 10 座,小型水库 318 座,控制流域面积 12 920km², 占总流域面积的 68.4%, 总库容 29.81 亿 m³。

大型水库分别是伊河的陆浑水库和洛河的故县水库,分别于 1965 年、1993 年建成,两座水库均是以防洪为主,结合灌溉、发电、供水、养鱼等综合利用的大型水利枢纽工程。陆浑水库位于伊河中游,控制流域面积 3 492km², 占伊河流域面积的 57%, 总库容为 13.2 亿 m³;故县水库位于洛河中游,控制流域面积 5 370km², 占洛河流域面积的 47%, 总库容 11.75 亿 m³。

在中型水库中,伊河、洛河支流分别有 4 座和 6 座,共控制流域面积 936km², 兴利库容共 1.034 亿 m³, 这些水库多是 20 世纪 50 年代末 60 年代初修建的。在小型水库中,有小 I 型水库 88 座,小 II 型水库 230 座,控制流域面积 3 122.31km², 占流域总面积的 16.5%, 总库容为 3.006 亿 m³。

流域共有 66.7hm² 以上灌溉渠道 107 处,其中 667hm² 以上灌溉渠 31 处,设计灌溉面积 171.46 万 hm², 有效灌溉面积 77.67 万 hm²;66.7hm² 以下、667hm² 以上灌区 74 处,有效灌溉面积 13.2 万 hm²。

9.2.2　水保工程

伊洛河共有水土流失面积 11 740km²，占全流域面积的 62.7%，截至 1980 年底，已治理 5 260km²，占流失面积的 44.8%。水保工程主要是修水平梯田、造淤地坝、植树造林、种草等。由于流域分属 2 省 7 地市，水保工程没有统一完整的资料。

9.3　站网及资料情况

伊洛河现有水文站 15 处，其中伊河、洛河分别设有 7 处和 8 处水文站，站网密度分别为伊洛河 1 259km²/站、伊河 861km²/站、洛河 1 607km²/站。流域出口控制断面为黑石关站，伊河、洛河控制断面分别为龙门镇、白马寺站。

流域现有雨量站 126 处，其中伊河、洛河分别有 47 处和 79 处，由于水文站、气象站均兼雨量站，因此实有雨量站 142 处，站网密度分别为伊洛河 134km²/站、伊河 112km²/站、洛河 148km²/站。

本流域有 1 处气象站、8 处水面蒸发站。

水文站均为 20 世纪 60 年代以前设立，其中黑石关、龙门镇等四站设立于 1934、1935 年。雨量站的设立大多在 20 世纪 60、70 年代，50 年代仅有 15 处，且绝大多数是该年代中后期所建；60 年代陆续增加 48 处；70 年代增加 56 处，主要集中在该年代后期，仅 1977、1978 年就增加 29 处；80 年代仅增加 5 处。见表 9.1。

表 9.1　伊洛河站网统计

流域	面积（km²）	水文站（处）	站网密度（km²/站）	雨量站（处）	站网密度（km²/站）	气象站（处）	蒸发站（处）
伊洛河	18 881	15	1 259	126＋15＋1	134	1	8
伊河	6 029	7	861	47＋7	112	0	4
洛河	12 852	8	1 607	79＋8＋1	146	1	4

注：1. 表中数据根据 1990 年《黄河流域水文资料》第 6 册统计。

2. 雨量站一栏中，第一、二、三项数据分别为雨量站、水文站、气象站数。

3. 实际气象站有 4 处，但黄河水文年鉴仅收录一处。

本研究选用的降雨、径流资料系列为 1951～2000 年，水面蒸发资料为 1952～2000 年，气象资料为 1951～2000 年。降雨分析选取了大多数雨量站（包括水文站），采用资料为逐日降雨、时段降雨摘录，由于雨量站的设站时间相差很大，资料时间不一致，因此首先采用几种方法对较短系列雨量站的资料进行插补，并将插补前、后面平均雨量计算结果进行对比，发现两者差别很小，以年降雨计算为例，伊洛河历年面平均降雨量两者相差不足 10mm，因而对系列较短的雨量资料没有进行插补。为了利用尽可能多的雨量站资料，参加分析计算的雨量站数随年代逐渐增加，1977 年以后的雨量站数基本为全部雨量站。径流分析选取龙门镇、白马寺、黑石关为代表站，资料为历年月年流量统计成果。次洪分析选取东湾、卢氏、栾川、黑石关为代表站，资料为洪水要素摘录成果。蒸发分析选取陆浑、卢氏、长水、黑石关水面蒸发观测资料，陆浑站系列较长（1952～2000 年，其中 1952～1959

年用嵩县站替代),其余三站则分别与陆浑站建立相关关系,插补展延资料。气候分析采用栾川、卢氏气象站资料。

9.4 降雨

9.4.1 降雨年际变化

伊洛河黑石关以上区域多年平均降雨量为 694.5mm,年最大降雨量为 1964 年的 1 134.5mm,最小降雨量为 1997 年的 415.8mm,两者比值为 2.7,表明降雨年际变化较大。

为了研究降雨年际变化,这里选用年最大与最小降雨量的比值系数 α、变差系数 C_v、降雨系列均值与年最大降雨的比值系数 η 三种指标来说明降雨年际变化。比值系数 α 反映了流域历年降雨两个极端值的倍数关系,显示了降雨年际变化的程度,α 越大,表明降雨年际变化越大;变差系数 C_v 可表示不同均值系列的降雨离散程度,C_v 越接近 1,表明降雨年际变化越大,C_v 越接近 0,降雨年际变化越小;系数 η 也是反映降雨年际变化的程度,η 越接近 1,表示降雨年际变化越小。

据统计,年降雨量 α 为 2.7,C_v 为 0.20,η 为 0.61,表明了降雨年际变化幅度较大。逐月降雨量年际变化幅度较年降雨大,汛期逐月降雨年际变化小于非汛期逐月,呈现以 7、8 月份为最小(相对),其前、后月份依次递增的趋势,如 7、8 月份 C_v 值为 0.45~0.50,而 1、2、12 月份都在 0.86 以上,即降雨量越少的月份年际变化较降雨量越多的月份大。

伊河龙门镇以上和洛河白马寺以上降雨年际变化程度基本相同,见表 9.2、图 9.2~图 9.4。

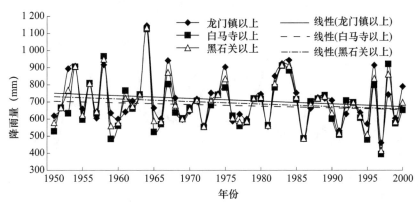

图 9.2 伊洛河历年降雨变化(年)

从流域降雨距平累积曲线(见图 9.5)来看,降雨变化周期一般在 10 年左右,且年降雨丰枯或枯丰交替转折往往是突变的(见图 9.2),即相邻年份降雨相差较大,如 1958 年降雨量为 949.0mm,而与之相邻的 1957 年和 1959 年降雨量分别为 643.9mm、559.5mm,分别较 1958 年偏少 32% 和 41%;1964 年降雨量为 1 134.5mm,而相邻年份的降雨量分别为 742.3mm、590.0mm,分别较 1964 年偏少 35% 和 48%;又如 1996 年降雨量为 829.3mm,分别是相邻年份降雨量的 1.6 倍和 1.8 倍。

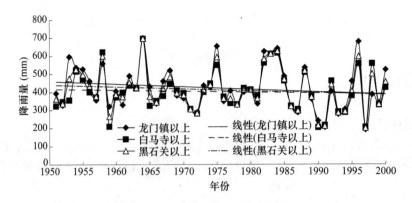

图9.3 伊洛河历年降雨变化(汛期)

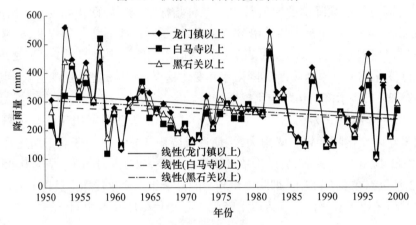

图9.4 伊洛河历年降雨变化(7~8月)

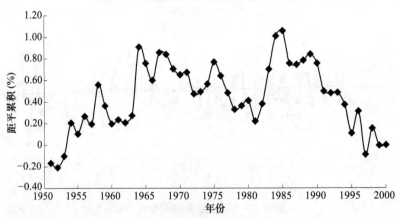

图9.5 伊洛河历年降雨距平累积

9.4.2 降雨年代变化

伊洛河 20 世纪 50～90 年代年降雨量分别为 725.4mm、718.1mm、670.8mm、727.4mm、635.9mm,其中 50、60、80 年代降雨基本处于同一水平,较多年均值偏多 4% 左右;70、90 年代降雨分别较多年均值偏少约 4%、9%;80 年代最大,90 年代最小,两者相差约 92mm。

各年代汛期降雨量变化趋势基本同年降雨,各年代降雨分别为 430.2mm、435.6mm、390.4mm、459.2mm、349.9mm。其中,以 80 年代 459.2mm 最大,90 年代 349.9mm 最小,与多年均值相比,前者偏多 11%,后者则偏少 15%;50、60 年代降雨相近,较多年均值偏多 5%;70 年代较多年均值偏少约 6%。

而 7~8 月降雨量以 50 年代 335.3mm 为最大,较多年均值偏多 24%;90 年代 232.2mm 最小,较多年均值偏少 14%;其他年代与多年均值相比,60、70 年代分别偏少 4%、10%,80 年代偏多 6%。

各年代非汛期降雨变化不大,年代最大值与最小值相差约 28mm。

可以看出,降雨年代变化较大主要表现在汛期,且又以降雨集中的 7~8 月份最大,各年代非汛期及年降雨变化并不大。见表 9.3、表 9.4、图 9.6。

表 9.2 伊洛河降雨年际变化参数统计

流域	参数	1月	2月	3月	4月	5月	6月	7月	8月	9月	10月	11月	12月	全年	汛期	非汛期
伊洛河	C_v	0.90	0.86	0.58	0.54	0.68	0.60	0.45	0.50	0.69	0.66	0.77	1.03	0.20	0.27	0.28
	α	(42.7/0)	567.2	206.3	11.9	18.4	22.7	6.7	12.8	35.1	32.8	92.8	(36.3/0)	2.7	3.5	4.4
	η	0.22	0.29	0.41	0.41	0.33	0.35	0.47	0.44	0.31	0.34	0.32	0.24	0.61	0.59	0.62
伊河	C_v	0.89	0.87	0.60	0.58	0.65	0.61	0.48	0.52	0.71	0.71	0.79	1.05	0.19	0.29	0.28
	α	(43.7/0)	688.7	342.7	12.9	15.9	33.5	6.8	9.6	46.4	1.9	131.0	(37.0/0)	2.5	3.6	4.4
	η	0.23	0.28	0.37	0.39	0.38	0.37	0.43	0.44	0.31	0.76	0.31	0.25	0.62	0.61	0.6
洛河	C_v	0.92	0.87	0.55	0.53	0.70	0.62	0.44	0.52	0.69	0.68	0.78	1.06	0.21	0.28	0.29
	α	(42.1/0)	507.9	138.6	14.1	23.1	19.4	7.4	16.7	36.3	26.3	143.0	(36.0/0)	2.9	3.4	4.3
	η	0.22	0.29	0.45	0.43	0.30	0.32	0.45	0.41	0.32	0.34	0.33	0.23	0.60	0.58	0.64

注:括号内"/"前后数据分别为最大降雨量、最小降雨量;汛期指 7~10 月。

表 9.3 伊洛河降雨年代变化统计 （单位:mm）

时段	1月	2月	3月	4月	5月	6月	7月	8月	9月	10月	11月	12月	全年	汛期	7~8月	非汛期
1951~1959年	10.0	14.2	29.9	39.6	64.8	85.6	173.1	162.1	50.8	44.2	38.6	12.3	725.4	430.2	335.3	295.1
1960~1969年	8.5	13.1	33.5	63.7	62.4	60.6	140.7	117.8	115.2	61.9	35.7	5.0	718.1	435.6	258.5	282.5
1970~1979年	9.0	16.9	26.1	60.5	58.1	70.5	147.4	96.8	92.8	53.5	27.9	11.5	670.8	390.4	244.2	280.5
1980~1989年	10.3	12.7	32.2	31.9	80.4	72.9	159.4	127.1	101.3	71.5	17.9	9.8	727.4	459.2	286.5	268.2
1990~1999年	8.5	15.2	41.4	48.7	64.6	74.0	121.8	110.4	65.2	52.4	28.2	5.5	635.9	349.9	232.2	286.1
1951~2000年	9.4	14.3	32.1	48.5	65.2	73.8	147.9	122.6	85.9	57.3	29.3	8.7	695.0	413.6	270.5	281.4

表9.4　伊洛河各年代降雨量距平统计　　　　　　　（单位:mm）

时段	1月	2月	3月	4月	5月	6月	7月	8月	9月	10月	11月	12月	全年	汛期	7~8月	非汛期
1951~1959年	6.9	−0.5	−6.8	−18.4	−0.7	16.0	17.1	32.2	−40.9	−22.8	31.8	41.7	4.1	4.0	23.7	4.1
1960~1969年	−9.5	−8.6	4.3	31.4	−4.3	−17.8	−4.8	−4.0	34.1	8.0	21.8	−42.1	3.4	5.3	−4.7	0.6
1970~1979年	−4.2	18.4	−18.7	24.7	−10.9	−4.5	−0.3	−21.1	8.0	−6.7	−4.8	31.6	−3.4	−5.6	−8.7	−0.2
1980~1989年	9.2	−11.0	0.4	−34.3	23.4	−1.2	7.8	3.7	17.9	24.7	−38.9	12.9	4.7	11.0	5.7	−4.5
1990~1999年	−9.7	6.3	29.0	0.3	−0.8	0.3	−17.6	−9.9	−24.1	−8.5	−3.7	−37.2	−8.4	−15.4	−14.3	1.8

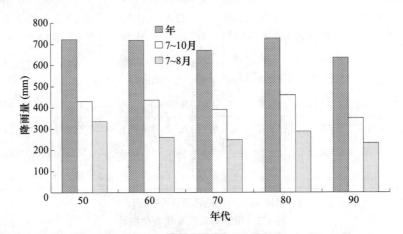

图9.6　伊洛河降雨年代变化

9.4.3　降雨年内分布及变化

伊洛河降雨年内分布不均,降雨主要集中在汛期(7~10月),汛期降雨占全年降雨的60%左右,个别年份达70%~80%,而个别年份不足40%,如1990年仅34%;汛期降雨又主要集中在7~8月份,7~8月降雨占汛期降雨的60%左右,有些年份在70%左右,个别年份在80%以上,但也有些年份在40%~50%。

历年汛期、非汛期降雨占年降雨比例增减交替,总的趋势是汛期有所减少,而非汛期有所增加,见图9.7。汛期各月中,7、8月份降雨占年降雨比例呈减少趋势,9、10月份则呈增加趋势,但变化幅度不大,见图9.8。

各年代汛期降雨占年降雨的比例除90年代略有减小外,其余各年代相差不大,在60%左右;7~8月份降雨占汛期降雨的比例,50年代为76.3%,其余各年代较50年代减小10%~16%,但各年代相差不大,见表9.5。

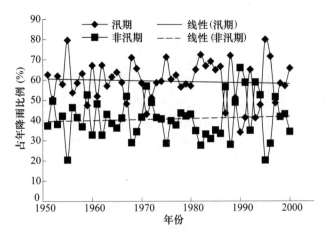

图9.7　伊洛河历年汛期、非汛期降雨占年降雨比例

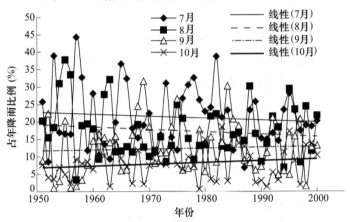

图9.8　伊洛河历年汛期各月降雨占年降雨比例

表9.5　伊洛河各年代降雨年内分布统计

时段	非汛期降雨占年降雨比例（%）	汛期降雨占年降雨比例（%）	7~8月降雨占年降雨比例（%）	7~8月降雨占汛期降雨比例（%）
1951~1959	40.5	59.5	45.6	76.3
1960~1969	38.8	61.2	36.9	60.3
1970~1979	42.1	57.9	36.7	63.4
1980~1989	37.1	62.9	39.2	62.2
1990~1999	45.6	54.4	35.8	66.0

9.5 蒸发

蒸发分为水面蒸发和陆面蒸发,前者是指供水充足条件下的蒸发,也即蒸发能力,可直接从蒸发皿观测资料得到;后者反映的是流域实际蒸散发,由于本区及相邻区域均没有直接观测资料,因此只有依据气象资料间接得到或利用水量平衡方程获得。本节将主要以蒸发皿观测资料并辅以间接所得流域实际蒸散发量来讨论该流域的蒸发情况。

9.5.1 水面蒸发

9.5.1.1 年际变化

流域蒸发皿蒸发量年际变化较大,年最大蒸发量为 1962 年的 1 573.1mm,最小为 1989 年的 741.0mm,两者比值为 2.1;汛期最大值为 1959 年的 680.2mm,最小为 1988 年的 249.4mm,两者比值为 2.7;非汛期蒸发量最大(1962 年)与最小(1991 年)比值约为 2.4。

由图 9.9 可知,蒸发量年际变化随年代增加略呈减小趋势,如 20 世纪 60 年代的 1962 年和 1964 年,年蒸发量分别为 1 573.1mm 和 1 040.7mm,比值为 1.5;而 90 年代的 1995 年和 1993 年蒸发量分别为 954.6mm 和 744.3mm,其比值为 1.3。汛期、非汛期蒸发量年际变化基本与年相同。年、汛期、非汛期蒸发量变差系数多年均值分别为 0.21、0.24、0.21。

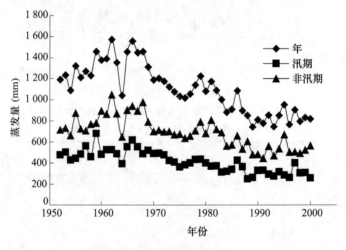

图 9.9　伊洛河蒸发量变化(蒸发皿)

9.5.1.2 年代变化

据统计,各年代全年、汛期、非汛期蒸发量都是以 20 世纪 60 年代最大,90 年代最小,60 年代之后各年代以 10%～20%的幅度递减,见表 9.6、图 9.10。首先看年蒸发量,各年代年均分别为 1 250.3mm、1 396.6mm、1 123.5mm、971.2mm、828.9mm,50、60 年代分别较多年均值偏多 13.4%和 26.7%;70 年代接近历年均值;80、90 年代较多年均值分别偏少 11.9%和 24.8%。汛期蒸发量,50、60 年代相近,分别较多年均值偏多 21.9%、24.3%;80、90 年代分别较多年均值偏少 17.3%、24.8%。非汛期蒸发量基本同年,不再赘述。

表 9.6　伊洛河各年代蒸发皿年均蒸发量统计

时段	全年		汛期		非汛期	
	蒸发量（mm）	距平（%）	蒸发量（mm）	距平（%）	蒸发量（mm）	距平（%）
1951～1959	1 250.3	13.4	504.2	21.9	745.1	8.1
1960～1969	1 396.6	26.7	514.1	24.3	883.1	28.1
1970～1979	1 123.5	1.9	430.3	4.1	693.1	0.6
1980～1989	971.2	−11.9	341.9	−17.3	629.9	−8.6
1990～1999	828.9	−24.8	310.9	−24.8	518.0	−24.8
1951～2000	1 102.5		413.5		689.1	

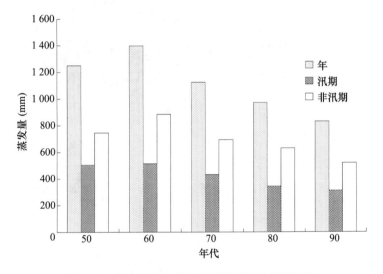

图 9.10　伊洛河各年代年均蒸发量变化(蒸发皿)

9.5.1.3　年内分布

水面蒸发量的年内分配,随气温、湿度和风速等要素的影响而变化。月蒸发量最大值出现在 6 月份,其次为 5、7 月份,5、6、7 月蒸发量分别为 141.7mm、160.3mm、135.6mm,分别占全年蒸发量的 13%、15%、12%;8 月份蒸发量也较大,约占年蒸发量的 11%;5～8 月蒸发量约占年蒸发量的 51%。年蒸发量最小值出现在 12 月～次年 1 月,各月蒸发量约占年蒸发量的 4%。汛期和非汛期蒸发量分别占年蒸发的 40% 和 60% 左右。

蒸发量年内分布随时间变化:50 年代至 80 年代初,6 月份蒸发量多在 15%～20%,之后减为 10%～15%;汛期蒸发量占年蒸发量的比例略呈减少趋势,非汛期略呈增加趋势,但总起来说,除 6 月份外,历年各月蒸发量占年蒸发量的比例变化并不大,见图 9.11～图 9.13。

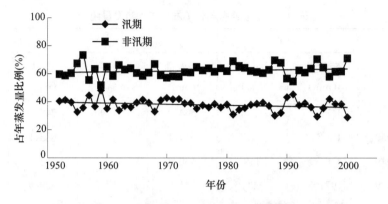

图 9.11 伊洛河历年汛期、非汛期蒸发量占年蒸发量比例(蒸发皿)

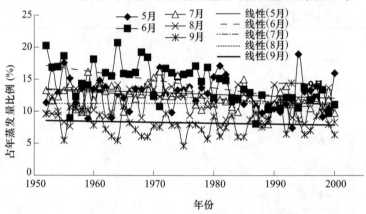

图 9.12 伊洛河历年 5~9 月各月蒸发量占年蒸发量比例(蒸发皿)

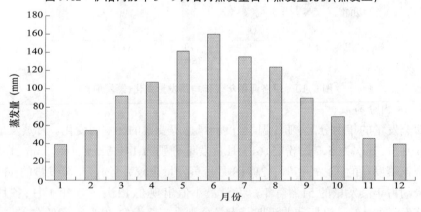

图 9.13 蒸发皿蒸发量年内分布

9.5.2 陆面蒸发

9.5.2.1 高桥公式法

高桥浩一郎根据一定的物理考虑和气象观测结果,提供了如下陆面实际蒸散发计算公式:

$$E = \cfrac{3\ 100P}{3\ 100 + 1.8P^2 \exp\left(-\cfrac{34.4T}{235 + T}\right)}$$

(9.1)

式中:E 为月陆面实际蒸发量,mm;P 为月平均降水量,mm;T 为月平均气温,℃。

根据卢氏、栾川、洛阳气象站资料,利用高桥公式计算的流域陆面蒸发量多年均值为455.9mm,蒸发量年最大值为 1958 年的 529.8mm,最小值为 1969 年的 383.3mm,比值为1.4;20 世纪 50～90 各年代蒸发量分别为 455.2mm、453.8mm、455.2mm、465.4mm、443.8mm。可以看出,由高桥公式计算的陆面蒸发量历年变化不大,且略呈逐年递减趋势。

9.5.2.2 水量平衡法

假定流域多年土壤蓄水变量近似为零,则由水量平衡方程得:

$$E_{T_a} = P - R$$

(9.2)

式中:E_{T_a} 为流域实际蒸散量;P 为流域平均降水量;R 为径流量。

这里 R 采用天然径流量(各种耗水已包含在人类活动影响中),根据式(9.2)计算的多年蒸散发量均值为 531.0mm,年最大、最小蒸发量分别为 682.2mm、309.3mm,比值为2.2;20 世纪 50～90 年代平均蒸散发量分别为 499.4mm、525.4mm、555.0mm、550.6mm、522.7mm,历年蒸发量呈递增趋势。

两种方法计算的历年及各年代蒸发量分别见图 9.14、图 9.15。

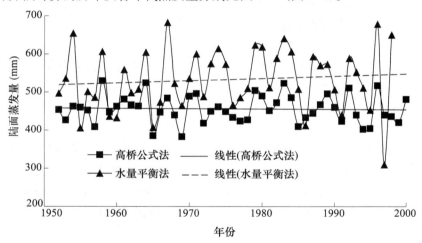

图 9.14 两种方法计算的历年陆面蒸发量比较

比较高桥公式法和水量平衡法计算的陆面蒸发量,除个别年份外,前者均较后者偏小,某些年份相差 100mm 之多,最大相差 213mm,各年代平均相差 60～90mm。到底以哪种方法为准? 一般认为,采用水量平衡法计算的陆面蒸发量较为准确,这是因为这里的降雨资料采用的是流域面平均雨量(几乎全部雨量站),径流量采用流域控制断面黑石关站实测资料及还原资料;而采用高桥公式计算的蒸发量,仅根据三个气象站的气温和降雨资料推求,由于气温数值相对较小,因此该算式中起主导作用的是降雨(降雨与蒸发的相关系数在 0.7 以上),显然对于 1.8 万 km^2 的区域,仅这三个站的降雨是不能代表流域面平均雨量的。

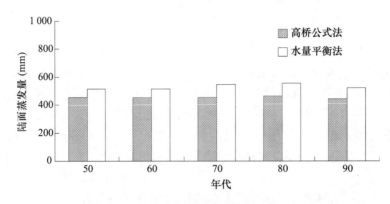

图 9.15 各年代陆面蒸发量比较

另外,根据邱新法等研究成果,实际蒸散量与可能蒸散量之间存在互补相关,其互补关系可表示为:

$$E_{T_a} + E_p = 2E_{p,w} \tag{9.3}$$

式中:E_{T_a} 为实际蒸散量;E_p 为可能蒸散量;$E_{p,w}$ 为蒸发面充分湿润的情况下,实际蒸散量与可能蒸散量相等时的蒸散量。

式(9.3)表明,可能蒸散量增大,实际蒸散量则减少;可能蒸散量减小,实际蒸散量则增大。蒸发皿蒸发可视为水面蒸发,也就是可能蒸散量;陆面蒸发也就是实际蒸散量。该流域蒸发皿观测蒸发量历年呈递减趋势,也就意味实际蒸散量呈递增趋势,这与水量平衡方程所计算的流域历年实际蒸散量变化趋势基本相符。

因此,无论是蒸发皿观测还是水量平衡,都表明了流域实际蒸散量逐年呈递增趋势。

9.6 径流

流域控制断面黑石关站多年平均径流量为 27.92 亿 m³,其中,伊河龙门镇以上、洛河白马寺以上径流量分别为 8.25 亿 m³、17.60 亿 m³,分别占黑石关径流量的 29.5%、63.1%;龙门镇、白马寺至黑石关区间径流量 2.07 亿 m³,约占黑石关径流量的 7.4%。各分区径流量所占比例与面积所占比例相当。因此,面积最大的洛河白马寺以上是该流域径流的主要来源区。

流域多年平均流量模数为 4.77dm³/(s·km²),1958、1964 年平均流量模数分别为 12.6dm³/(s·km²)、16.3dm³/(s·km²)。伊洛河径流特征值见表 9.7。

表 9.7 伊洛河径流特征值

站或区间	控制面积 (km²)	面积所占比例 (%)	年径流量 (亿 m³)	径流所占比例 (%)	径流模数 (dm³/(s·km²))
伊河龙门镇	5 318	28.6	8.25	29.5	4.92
洛河白马寺	11 891	64.1	17.60	63.1	4.69
龙门镇、白马寺至黑石关	1 354	7.3	2.07	7.4	4.85
伊洛河黑石关	18 563	100	27.92	100	4.77

9.6.1 年际变化

黑石关站历年最大径流量为 95.4 亿 m³(1964 年),最小径流量为 5.55 亿 m³(1995 年),两者相差 89.85 亿 m³,比值为 17.2,可见径流量年际变化之大。径流年际变化随年代增加有所减少,如最大与最小年径流量比值,50 年代为 5.5,90 年代为 4.1。

采用与上述分析降雨年际变化同样方法进行参数统计,5～10 月各月最大与最小径流量比值系数 α 为 51.9～135.4,η 为 0.13～0.21,C_v 均接近 1。结果显示各月径流量年际变化很大,尤其是 6、7、8 月份。其他各月径流量年际变化也较大,但较 5～10 月各月要小,见图 9.16。

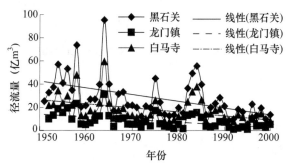

图 9.16 伊洛河主要站历年径流量变化

9.6.2 年代变化

黑石关站 20 世纪 50～90 年代各年代年径流量分别为 41.73 亿 m³、35.48 亿 m³、20.14 亿 m³、29.84 亿 m³、14.55 亿 m³,其中 50 年代最大,较多年均值偏多 49%;90 年代最小,分别较多年均值和 50 年代偏少 48% 和 65%;60、70、80 年代分别较 50 年代偏少 15%、51%、28%。除 80 年代略多于多年均值外,各年代径流量逐渐减少。龙门镇、白马寺各年代径流量变化大致同黑石关,见图 9.17～图 9.19。

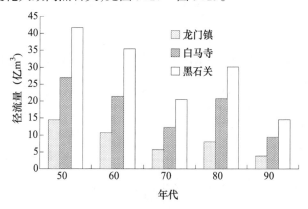

图 9.17 伊洛河各年代径流量变化(年)

各年代汛期径流量以 20 世纪 50 年代的 27.18 亿 m³ 为最大,90 年代的 6.49 亿 m³ 为最小,50 年代较多年均值偏多 65%,90 年代分别较多年均值、50 年代偏少 61%、76%。7、8 月径流量年代变化更为显著,分别由 50 年代较多年均值偏多 113%、120%,变为 90

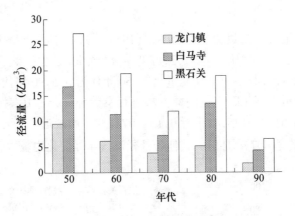

图9.18 伊洛河各年代径流量变化(汛期)

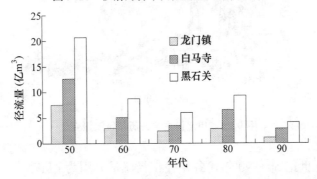

图9.19 伊洛河各年代径流量变化(7~8月)

年代较多年均值偏少57%左右。

从各月径流量来看,70、90年代均较多年均值偏少,见表9.8~表9.10。

表9.8 黑石关站各年代径流量统计

年代	径流量(亿 m³)				距平(%)				径流模数 (dm³/(s·km²))
	年	汛期	7~8月	非汛期	年	汛期	7~8月	非汛期	
50	41.73	27.18	20.69	14.55	48.6	65.3	116.5	25.1	7.01
60	35.48	19.37	8.75	16.11	26.4	17.8	−8.4	38.4	5.96
70	20.14	11.66	6.03	8.48	−28.3	−29.1	−37.0	−27.1	3.38
80	29.84	18.58	9.33	11.26	6.3	13.0	−2.4	−3.2	5.01
90	14.55	6.49	4.12	8.06	−48.2	−60.5	−56.9	−30.7	2.44
平均	28.08	16.44	9.56	11.63					4.72

表 9.9　龙门镇站各年代径流量统计

| 年代 | 径流量(亿 m³) | | | | 距平(%) | | | | 径流模数 (dm³/(s·km²)) |
	年	汛期	7～8 月	非汛期	年	汛期	7～8 月	非汛期	
50	13.65	9.54	7.53	4.12	64.3	82.5	127.5	33.2	8.64
60	10.69	6.21	2.98	4.47	28.6	18.8	−10.1	44.6	6.38
70	5.71	3.82	2.47	1.89	−31.2	−26.8	−25.3	−39.0	3.41
80	8.00	5.20	2.90	2.80	−3.7	0.4	−12.4	−9.4	4.77
90	3.88	1.79	1.10	2.09	−53.3	−65.8	−66.9	−32.4	2.31
平均	8.31	5.22	3.31	3.09					4.92

表 9.10　白马寺站各年代径流量统计

| 年代 | 径流量(亿 m³) | | | | 距平(%) | | | | 径流模数 (dm³/(s·km²)) |
	年	汛期	7～8 月	非汛期	年	汛期	7～8 月	非汛期	
50	26.95	18.00	12.61	8.95	53.1	71.9	129.4	23.2	7.19
60	21.38	11.34	5.09	10.04	21.5	8.3	−14.7	38.0	5.70
70	12.30	7.28	3.49	5.02	−30.1	−30.5	−41.6	−30.9	3.28
80	20.73	13.49	6.56	7.23	17.8	28.9	9.8	0.5	5.53
90	9.41	4.30	2.87	5.11	−46.5	−58.9	−51.9	−29.7	2.51
平均	17.60	10.47	5.97	7.27					4.69

9.6.3　年内分布

从径流年内分配来看,汛期径流量一般占年径流量的 50%～60%,最大可达 80% (1982 年),最小只有 14%(1997 年);非汛期径流量一般占年径流量的 40% 左右,最大可达 86%(1997 年)。

汛期各月径流量占年径流量比例分别为 15%、17%、12%、11%,但历年变化较大,如 7、8 月份某些年份高达 30%～50%,而有些年份不足 5%;7、8 月份径流量占年径流量比例呈减少趋势,其减少幅度 7 月大于 8 月,9 月、10 月份变化不明显。汛期径流量占年径流量比例,50～80 年代为 55%～60%,90 年代减为 43%;7～8 月径流量占年径流量的比例,50 年代为 45%,其余各年代只有 25%～31%,其中以 90 年代最小。

非汛期各月径流量占年径流量的 4%～8%,从历年变化来看,略呈增加趋势。见图 9.20～图 9.22、表 9.11～表 9.13。

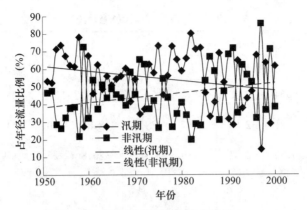

图 9.20　黑石关站径流年内分布图之一

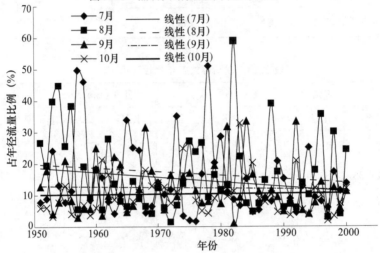

图 9.21　黑石关站径流年内分布图之二

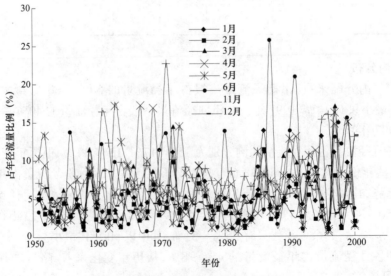

图 9.22　黑石关站径流年内分布图之三

表 9.11 黑石关站径流量年际变化参数统计

流域	参数	1月	2月	3月	4月	5月	6月	7月	8月	9月	10月	11月	12月	全年	汛期
伊洛河	C_v	0.48	0.54	0.58	0.76	1.07	1.02	1.27	1.09	1.08	1.14	0.74	0.69	0.62	0.78
	α	11.14	12.20	14.41	42.00	87.75	95.92	94.07	135.42	51.86	67.57	24.56	26.00	17.18	30.95
	η	0.38	0.40	0.40	0.27	0.15	0.21	0.13	0.20	0.19	0.19	0.22	0.23	0.29	0.28

天然径流量[1]也呈递减趋势,但减幅略小于实测径流量。50～80 年代各年代天然径流量与实测径流量的差值分别为 1.18 亿 m³、2.23 亿 m³、3.15 亿 m³、2.92 亿 m³,表明了工农业及生活用水呈增长趋势。

表 9.12 黑石关站逐月各年代径流量统计　　　　　　（单位:亿 m³）

年代	1月	2月	3月	4月	5月	6月	7月	8月	9月	10月	11月	12月
50	1.478	1.313	1.593	1.829	2.136	2.041	9.312	11.381	3.857	2.631	2.318	1.840
60	1.324	1.036	1.440	2.408	3.288	1.503	5.029	3.724	5.795	4.826	3.083	2.025
70	0.919	0.809	0.854	1.078	1.290	0.867	2.758	3.268	2.620	3.010	1.771	0.896
80	1.185	0.990	1.241	1.115	1.389	1.967	3.427	5.899	4.546	4.704	2.046	1.332
90	0.805	0.596	1.077	1.010	1.230	1.382	1.861	2.256	1.399	0.976	1.137	0.824
50～90	1.135	0.941	1.234	1.481	1.861	1.542	4.379	5.181	3.639	3.242	2.066	1.374

表 9.13 黑石关站逐月各年代径流量距平统计　　　　　　（%）

年代	1月	2月	3月	4月	5月	6月	7月	8月	9月	10月	11月	12月
50	30.2	39.5	29.1	23.5	14.8	32.4	112.7	119.7	6.0	−18.8	12.2	33.9
60	16.6	10.1	16.7	62.6	76.7	−2.5	14.8	−28.1	59.2	48.9	49.2	47.4
70	−19.0	−14.0	−30.8	−27.2	−30.7	−43.8	−37.0	−36.9	−28.0	−7.1	−14.3	−34.8
80	4.4	5.2	0.6	−24.7	−25.4	27.6	−21.7	13.8	24.9	45.1	−1.0	−3.0
90	−29.1	−36.7	−12.7	−31.8	−33.9	−10.4	−57.5	−56.5	−61.5	−69.9	−45.0	−40.0

9.6.4 径流系数及其变化

9.6.4.1 年月径流系数及其变化

黑石关站年径流系数最大可达 0.45(1964 年),而最小仅 0.06(1995 年),多年均值为 0.21;汛期径流系数最大为 0.52(1958 年),最小为 0.05(1995 年),多年均值为 0.19;非汛期多年均值为 0.23,汛期各月多年均值分别为 0.14、0.20、0.31、0.39。见图 9.23。

---

[1] 王玉明、李东等,1950～1998 年黄河水文基本资料审查评价及天然径流量计算,黄河水利委员会水文局,2001 年。

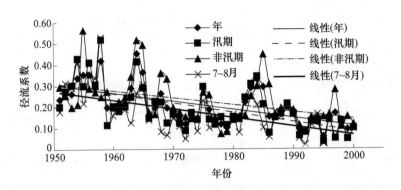

图 9.23 黑石关站历年径流系数变化

由图 9.23 可以看出,黑石关历年径流系数呈递减变化,且变化幅度较大,年、汛期、7~8 月径流系数由 50 年代的 0.3 左右减为 90 年代的 0.1 左右。

龙门镇、白马寺径流系数及变化与黑石关基本相同,见表 9.14。

表 9.14　伊洛河各年代径流系数统计

年代	年			汛期			7~8 月		
	龙门镇	白马寺	黑石关	龙门镇	白马寺	黑石关	龙门镇	白马寺	黑石关
50	0.35	0.31	0.30	0.37	0.33	0.32	0.36	0.32	0.30
60	0.25	0.25	0.25	0.24	0.21	0.23	0.20	0.17	0.18
70	0.15	0.15	0.16	0.16	0.15	0.16	0.16	0.12	0.13
80	0.19	0.23	0.21	0.18	0.23	0.20	0.15	0.18	0.16
90	0.11	0.13	0.12	0.09	0.10	0.10	0.08	0.10	0.09
平均	0.20	0.21	0.21	0.20	0.20	0.20	0.19	0.17	0.17

9.6.4.2　次洪降雨径流系数及变化

考虑到该流域面积较大,不同区间下垫面条件差异较大。因此,对于次洪,选取伊河上游的东湾站及龙门镇、白马寺、黑石关等站数十场洪水进行分析。

东湾站选取了 43 场洪水(1960~1997 年),径流系数最大达 0.62(洪号 680918),最小 0.10(洪号 950725),平均径流系数 0.35;近一半洪水径流系数在 0.40 以上,20% 的洪水径流系数在 0.50 以上,少数场次洪水径流系数小于 0.20。20 世纪 60 年代平均径流系数为 0.43,其他年代为 0.30~0.33。

龙门镇站选取了 33 场洪水(1960~1996 年),径流系数最大为 0.59,最小为 0.06,平均为 0.22;其中有 4 场洪水径流系数在 0.45 以上,均出现在 70、80 年代;60~90 年代各年代平均径流系数分别为 0.17、0.29、0.26、0.21。

白马寺站选取了 47 场洪水(1960~1996 年),径流系数最大为 0.53,最小为 0.06,平均为 0.24;其中有 4 场洪水径流系数在 0.42 以上,出现在 60、80 年代;约 1/3 场次洪水径流系数在 0.3 以上;60~90 年代各年代平均径流系数分别为 0.28、0.14、0.27、0.20。

黑石关站选取了 56 场洪水(1954~1996 年),径流系数最大为 0.59(洪号 580717),

最小为 0.07,平均为 0.23;其中有 4 场洪水径流系数在 0.41 以上,分别出现在 50、60、80 年代;多数洪水径流系数在 0.1~0.3 之间;50~90 年代各年代平均径流系数分别为 0.30、0.23、0.21、0.22、0.14,见图 9.24~图 9.27。

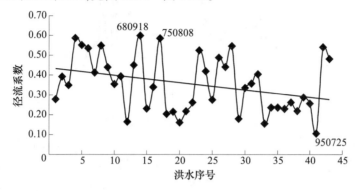

图 9.24 东湾次洪径流系数

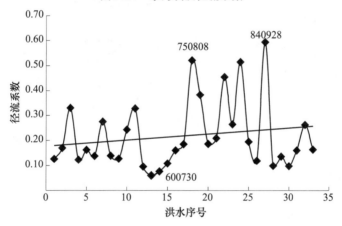

图 9.25 龙门镇次洪径流系数

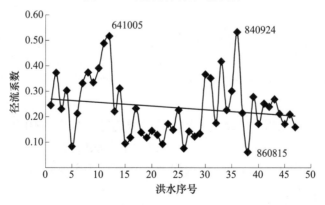

图 9.26 白马寺次洪径流系数

由图 9.24~图 9.27 和表 9.15 可以看出,东湾站平均径流系数较其他三站大 0.11~0.13,且除 60 年代外,其他各年代径流系数变化不大。这主要是由于东湾站位于 伊河的上游,集水面积 2 623km² ,占伊河流域面积的 44%,该区为石林山区,产流条件好

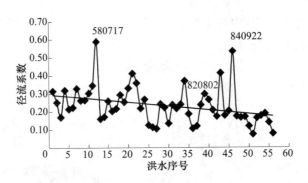

图 9.27　黑石关次洪径流系数

于其他区间;再者,该区位于陆浑水库的上游,且伊河中小水库主要建在中下游,基本不受其蓄水影响。而其他三站分别为伊河、洛河和伊洛河的出口控制站,流域面积较大,且区内下垫面条件差异很大,产流受多种因素影响。另外,对洛河上游卢氏站 43 次洪水统计(集水面积 4 623km²),平均次洪径流系数为 0.36,与东湾站极为接近,表明这两个区间产流情况与区间所处位置及下垫面条件相符。

表 9.15　各年代平均次洪径流系数

年代	东湾	龙门镇	白马寺	黑石关
50				0.30
60	0.43	0.17	0.28	0.23
70	0.30	0.29	0.14	0.21
80	0.33	0.26	0.27	0.22
90	0.31	0.21	0.20	0.14
平均	0.35	0.22	0.24	0.23

龙门镇与白马寺相比,60 年代平均次洪径流系数小 0.11,70 年代大 0.15,其他年代相差不大。这主要是受暴雨空间分布影响,60 年代的几场较大洪水暴雨中心多在洛河,如 1964 年的连续几场洪水;70 年代的几场较大洪水暴雨中心多位于伊河,如"75·8"洪水等。

除龙门镇以外,各站历年次洪径流系数呈递减趋势。东湾站 60 年代较 70～90 年代平均大 0.1 左右,主要是 1973 年以来该流域进行了大规模的植树造林,截流增大。黑石关站由 50 年代的平均 0.3 减为 90 年代的平均 0.14,1973 年前、后分为两个时段,1973 年以前一般为 0.2～0.4,最大达 0.59;1973 年以后一般为 0.1～0.3,但强连阴雨产生的洪水仍可达 0.4 以上,如 1983 年 10 月和 1984 年 9 月两场洪水径流系数分别为 0.41 和 0.53。

9.6.5　年月尺度的降雨径流关系及径流的驱动力因子

通过建立年、月及各种时段降雨与径流关系,可以看出该流域年、汛期及汛期各月降雨径流相关程度较高,相关系数均在 0.8 左右(见表 9.16);而非汛期及非汛期各月相关程度较低,相关系数为 0.4～0.5。表明降雨与径流的相关程度汛期高于非汛期,即汛期径流的大小主要取决于降雨量的大小,而非汛期径流除受降雨影响外,还受地下径流、水库补水、蒸发等影响。

表 9.16　流域主要站年月尺度的降雨径流相关系数

年代	龙门镇			白马寺			黑石关		
	年	汛期	7～8 月	年	汛期	7～8 月	年	汛期	7～8 月
50	0.77	0.85	0.81	0.95	0.95	0.92	0.93	0.94	0.89
60	0.88	0.94	0.74	0.85	0.86	0.62	0.87	0.95	0.71
70	0.76	0.90	0.84	0.68	0.92	0.80	0.72	0.92	0.76
80	0.88	0.90	0.86	0.87	0.95	0.94	0.89	0.94	0.91
90	0.70	0.76	0.71	0.77	0.85	0.74	0.69	0.76	0.69
50～90	0.79	0.79	0.78	0.77	0.79	0.80	0.79	0.81	0.79

此外,降雨径流关系还因年代不同而有所变化,如黑石关年降雨与径流关系,50～90年代各年代相关系数依次为 0.93、0.87、0.72、0.89、0.69,其中 50 年代最大,90 年代最小,表明 50 年代人类活动相对较少,该时期可认为是天然状况,降雨量基本决定了径流量的大小,而 60 年代以后,人类活动逐渐增多,对径流的干预加大,降雨对径流的影响相对减弱,且降雨量越小,降雨之外的其他因子对径流量影响比重越大,这就是 70、90 年代降雨径流相关程度低的原因所在。

图 9.28～图 9.30 为黑石关年、汛期、7～8 月降雨径流相关图,图中显示降雨径流相关点群随年代逐渐向左偏离(70、80 年代相近)。表明了相同降雨条件下,不同时期径流量是不同的,即径流量随年代增加而减小,且随着雨量的增加,径流量的差别愈加显著。如汛期降雨径流关系图中,80 年代与 50 年代年雨量相近,两者径流量却相差 30% 左右。非汛期降雨与径流关系没有明显的偏离。

综上分析表明,伊洛河径流的主要驱动力因子是降雨。从长系列来看,降雨可控制径流的 80% 左右,除降雨以外的其他因子控制径流的 20% 左右;分年代来看,各年代降雨控制径流的程度有所不同,50、60、80 年代在 90% 左右,而 70、90 年代在 70% 左右;从年内各时期来看,汛期降雨控制径流的程度大于非汛期,除 90 年代外,汛期降雨可控制径流的 90%～95%。这说明降雨对径流的控制作用与雨量的多寡有关,如当降雨较多时,其对径流的控制占主导作用,而当降雨较少时,除降雨以外的因子对径流的作用加大。

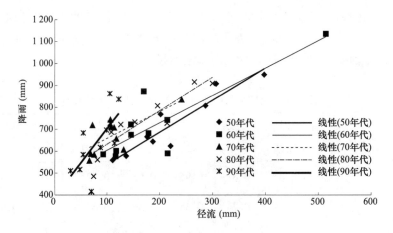

图 9.28　黑石关年降雨径流关系

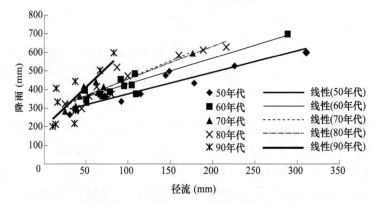

图 9.29　黑石关汛期降雨径流关系

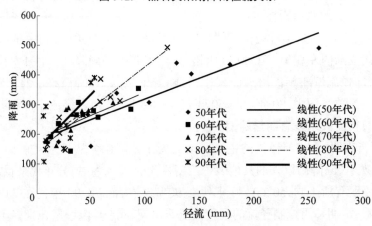

图 9.30　黑石关 7~8 月降雨径流关系

9.6.6　径流变化及成因分析

9.6.6.1　径流变化

该流域径流量的变化趋势与降雨变化趋势大致相同。以径流和降雨来说,都是以 50 年代为最大,90 年代为最小;50、60、80 年代都较多年均值偏多,70、90 年代都较多年均值偏少;历年径流、降雨量过程均呈下降趋势。由此说明,径流与降雨的变化具有同步性。

降雨、径流变化虽同步,但程度却不同。历年降雨、径流都呈递减趋势,但其变幅相差很大。各年代降雨量距平为 -8% ~4%,即较多年均值偏多或偏少的程度很小;径流量的变化幅度却很大,年均径流量从 50 年代偏多 49% 到 90 年代偏少 48%。再如,60、80 年代降雨与 50 年代相差无几,但径流量却分别比 50 年代减少 15%、29%;70、90 年代与 50 年代相比,降雨分别减少 8%、13%,径流却分别减少 57%、76%。可见,径流变化的程度远较降雨大。见图 9.31、图 9.32。

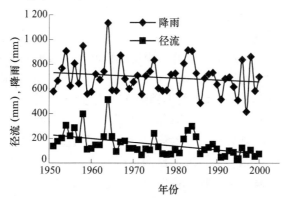

图 9.31　伊洛河历年降雨、径流变化

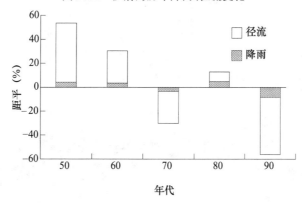

图 9.32　伊洛河历年降雨、径流距平

暴雨洪水关系也发生了很大的变化,同样的降雨条件,随着年代的增加,洪水量级也发生了显著的变化。如选取 1958 年 7 月、1982 年 8 月、1996 年 8 月(分别简称"58·7"、"82·8"、"96·8")三场洪水进行对比(见表 9·17),"82·8"洪水最大 5 日面平均雨量为 259.1mm,为"58·7"的 1.7 倍,但洪量较"58·7"偏少 13%,洪峰相差 5 340m³/s;"96·8"降雨量与"58·7"相近,但其洪量和洪峰仅为"58·7"的 21%,相差较大。显然,相同降雨条件下,次洪量、洪峰流量伴随着年代大幅减少。

表 9.17 黑石关站典型洪水特征值

年份	峰现时间 (月-日T时:分)	洪峰流量 (m³/s)	总径 流量 (亿m³)	净洪量 (亿m³)	径流深 (mm)	降雨量 (mm)	前期影响 雨量 (mm)	径流系数
1958	07-17T13:36	9 450	18.95	16.59	89.37	151.0	38.1	0.59
1982	08-02T00:00	4 110	14.53	14.33	77.19	259.1	21.9	0.30
1996	08-04T09:00	1 980	3.797	3.430	18.24	146.5	26.6	0.14

注:1.前期影响雨量为反映流域土壤湿度的指标,取20天。
2.净洪量表示扣除基流之后的洪量。

为了便于比较雨量、径流量和洪峰流量的变化,这里采用雨模比、径模比、洪模比,即将各次洪水的面平均雨量、径流深、洪峰流量各除以其相应最大值的百分数。这样处理的作用是:将三个不同的物理量化算成统一的坐标并可进行比较的无因次数据。如果三个不同的物理量随着时间的推移,都未发生趋势性变化,则化算后的无因次数据过程图形应该在区间[0,100]之间,作大致均匀、等幅的随机振荡。

从图9.33可以看出,随着时间的推移,三种模比都呈振荡变幅,雨模比略有上升的趋势,径模比没有明显的衰减趋势,但洪模比的振幅却有明显的衰减趋势。表9.18列出了各年代三种物理量的平均百分模比。可以看出,在三种平均模比中,洪模比的衰减最为显著,其次是径模比,雨模比略有增加。

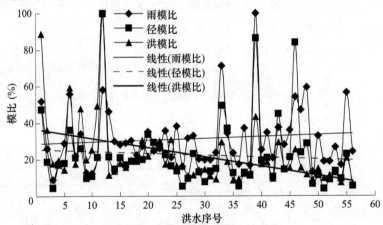

图 9.33 伊洛河次洪模比变化

表 9.18 伊洛河各年代平均模比

年代	平均雨模比 (%)	平均径模比 (%)	平均洪模比 (%)
50	29.2	27.6	41.4
60	29.2	19.2	19.2
70	30.0	20.1	14.5
80	35.8	24.9	16.7
90	32.7	12.6	11.8

上述分析表明,年月尺度降水虽有减少趋势,但减幅不明显,而相应的径流量却明显减少;相同降雨条件下,洪峰流量减少的幅度大于径流量。产流变化的原因主要是人类活动和气候变化影响。

9.6.6.2 成因分析

1)人类活动影响

人类活动主要是指水资源开发利用、水保及小流域综合治理等。20世纪50年代人类活动少,这一时期可认为是天然状态,径流量的大小主要取决于降水量。50年代以后,开展了大规模的水利水保工程建设及流域综合治理,截至1992年,共修建各型水库330座,其中大型2座,中型10座,小型318座,总库容29.81亿 m³,控制流域面积的68.4%;另外,封山育林、坡耕地改梯田、退耕还林、灌溉面积扩大等。以天然径流量与实测径流量之差作为流域耗水量,50~90年代各年代平均耗水量分别为1.28亿 m³、2.23亿 m³、3.18亿 m³、2.92亿 m³、6.11亿 m³,耗水量呈增加趋势,特别是90年代耗水量达到最大,约占天然径流量的30%,见图9.34。

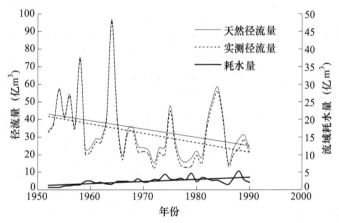

图9.34 黑石关实测、天然径流量变化趋势

人类活动使流域的产流能力降低。一般来说,中常降水条件下,水利水保工程减水作用对径流的影响较大;而遇大暴雨或连阴雨时,水库拦蓄能力有限,对产流的影响则相对减弱,这就是同样修建工程之后,70、90年代降雨径流相关程度降低而80年代又有所增加的原因所在。水库拦洪能力虽然有限,但对洪峰的削减作用却不容忽视。

2)气候变化影响

黄河中上游地区50、60年代以暖湿为主,气温高,降水多;70~80年代以冷干为主,气温低,降水少;90年代气温逐渐升高,降水呈逐渐减少的趋势,气候正在向温暖干旱的方向发展。据伊洛河卢氏、栾川气象资料统计,多年平均气温分别为12.5℃、12.1℃;90年代分别为12.7℃、12.3℃,均较多年均值升高0.2℃。气候变化直接导致蒸散发变化,即气温升高,则使蒸散发加大。由流域水量平衡方程可知,当降雨量一定时,蒸散发量增大,径流量则减小。

因此,伊洛河径流量的减少,除受人类活动影响之外,很大程度上是受气候干暖变化的影响。

9.7 暴雨

受南北向切变线加低涡或台风间接的影响,流域暴雨较频繁。影响该区暴雨的天气系统主要有西风带系统、副热带系统、热带系统,其中尤以西太平洋副热带高压的进退、维持和强度变化同暴雨关系最为密切,它直接影响暴雨带走向、位置、范围和强度等。当西风带低值系统与热带、副热带低值系统相遇时,暴雨尤为强烈。如1982年7月29日~8月2日特大暴雨过程,就是在经向环流条件下,由西风带冷性切变与热带低值系统如台风、倒槽、东风带扰动等叠加作用的结果。

暴雨具有一定的季节和年际变化规律。暴雨最早可出现在4月下旬,最晚出现于10月上旬,约70%的暴雨出现在7月中旬至8月中旬。大面积日暴雨的年际变化大,年平均暴雨日数1~2日,最多年份可达3~6日。1958年是大面积日暴雨出现次数最多的一年,达7个之多,但有些年份一个也没有,如60年代后期、90年代等。50~60年代暴雨偏多,70~90年代暴雨明显偏少。

由于该区地形复杂,暴雨分布极不均匀,暴雨中心常发生在以下几个地带:伊洛河上游洛南、栾川一带;伊河中游陆浑至龙门镇区间的嵩县、石坝镇一带;洛河中游长水至白马寺区间的宜阳、新安一带。如1982年7月29日~8月2日暴雨过程,暴雨中心石坝镇站最大24h降雨量高达734.3mm,最大5日降雨920.3mm,而伊洛河最大5日面平均雨量264.3mm,点雨量是面平均雨量的3.5倍,是相邻站雨量的2~3倍。据统计,暴雨最大24h点雨量的变差系数达0.5~0.6。

本区不同时段点暴雨实测最大记录见表9.19。可以看出本区3h、6h、12h、24h和1日、3日、5日、7日暴雨极值均出现在1982年7月29日~8月2日的暴雨过程中。

表9.19 伊洛河点暴雨极值统计

历时	降水量 (mm)	时间 (年-月-日)	地点
3h	278.4	1982-07-30	伊河禹山
6h	446.9	1982-07-30	伊河禹山
12h	652.5	1982-07-30	伊河石坝镇
24h	734.3	1982-07-30	伊河石坝镇
1日	528.7	1982-07-29	伊河陆浑
3日	860.4	1982-07-29~31	伊河石坝镇
5日	904.8	1982-07-29~08-02	伊河石坝镇
7日	920.3	1982-07-29~08-04	伊河石坝镇

9.8 洪水

9.8.1 洪水的时间分布

伊洛河洪水主要是由暴雨形成的,因此其时间分布与暴雨一致。洪水最早可出现在 5 月,最晚出现在 10 月,洪水主要集中在 7、8 月份。据统计,大于 3 000m³/s 的洪水出现在 7、8 月份的占 90% 左右,特大洪水都发生在 7 月中旬至 8 月中旬间。

随着暴雨出现时间的变化,洪水出现的时间也相应变化,50~60 年代 5、6 月份时有洪水出现,如 1964 年,而 70、90 年代 5、6 月份小洪水都极少出现。洪峰流量、洪量及出现频次随年代均大幅度减少,尤以 90 年代为甚。

9.8.2 典型洪水

据黑石关站 1951~2000 年实测资料统计,洪峰流量大于 4 000m³/s 的洪水共有 6 场,洪峰流量分别为 8 420m³/s、5 620m³/s、4 540m³/s、4 670m³/s、9 450m³/s、4 110m³/s,其中前面 5 场发生于 50 年代,最后 1 场发生于 80 年代。

1996 年黑石关站曾出现了洪峰流量为 1 980m³/s 的洪水,虽然与上述几场洪水不属同一量级,但却是 1983 年之后所出现的最大洪水,且雨量与"58·7"相差不大,故该场洪水也作为典型洪水。典型洪水分述如下。

9.8.2.1 1954 年 8 月洪水

该场洪水发生于 8 月初,黑石关实测洪峰流量 8 420m³/s,是该站有实测记录以来的第二大洪水。洪水来自于伊河、洛河,其中伊河龙门镇洪峰流量为 5 470m³/s,洛河洛阳站(当年洛河控制断面)洪峰流量为 5 940m³/s。

洪水相应的暴雨是由南北向切变线形成的,雨区呈南北向带状分布。暴雨中心附近新安站最大日雨量 113.6mm。伊洛河面平均雨量为 134.6mm,最大 1 日面雨量为 69.4mm。

洪水总历时为 76h,涨洪历时 24h,洪峰相对较瘦,次洪总量为 8.099 亿 m³,其中基流 0.24 亿 m³,径流系数 0.31。

9.8.2.2 1958 年 7 月洪水

该场洪水发生于 7 月中旬,黑石关实测洪峰流量 9 450m³/s,为该站有实测记录以来的最大洪水。洪水来自于伊河、洛河的中下游,其中伊河龙门镇洪峰流量为 6 850m³/s,洛河白马寺站洪峰流量为 7 230m³/s。

洪水相应的暴雨由南北向切变线为主形成,雨区呈南北带状分布。暴雨中心新安站最大日雨量为 160.2mm(调查暴雨中心在新安县的仁村,最大日雨量为 650mm),最大 5 日点雨量为 324.8mm。伊洛河最大 1 日、5 日面平均雨量分别为 76.6mm、151.0mm。

洪水总历时 146h,涨洪历时 24h。洪水陡涨缓落,峰形较胖,洪水总量 18.95 亿 m³,扣除基流之后为 16.69 亿 m³,径流系数为 0.59。

9.8.2.3 1982 年 7 月洪水

该场洪水出现于 7 月底至 8 月初,黑石关实测洪峰流量 4 110m³/s,居该站有实测记录以来第六位,为 60 年代以来最大洪水。洪水来自于伊河、洛河的中下游,其中伊河龙门镇洪峰流量为 5 500m³/s,洛河白马寺站洪峰流量为 5 300m³/s。

该场洪水也是由南北向切变线的暴雨所形成的,雨区也呈南北向带状分布。暴雨中心在伊河中游的石㧍镇,最大日雨量为 734.3mm。最大 1 日、5 日面平均雨量分别为 98.9mm、259.1mm。这次暴雨的特点是历时长,面雨量大于 50mm 的天数达 4 天。

洪水从起涨到落平,历时约 224h(9.5 天),洪水总量 14.53 亿 m³,径流系数为 0.3。黑石关洪水过程由双峰组成,第一个峰出现在 7 月 31 日 4 时,洪峰流量 3 760m³/s;第二个峰出现在 8 月 2 日 0 时,洪峰流量 4 110m³/s。从洪水起涨至第一个洪峰,时间仅 11h,第二个洪峰涨洪历时 24h。总起来讲,洪水属陡涨缓落型。

9.8.2.4 1996 年洪水

该场洪水出现于 8 月初,黑石关站洪峰流量 1 980m³/s。龙门镇、白马寺洪峰流量分别为 991m³/s 和 1 980m³/s。

洪水是由南北向切变线的暴雨所形成的。暴雨中心位于洛河中游的华山、张舞一带及伊河的石㧍镇一带,其中华山最大日雨量为 194mm,最大 1 日面雨量为 63.0mm,最大 5 日面雨量为 146.5mm。

洪水从起涨到落平约 100h,涨洪历时约 30h,洪水总量 3.797 亿 m³,径流系数 0.14。

9.8.3 洪水频率分析

根据本区洪水特性,采用经验频率分析法,对黑石关站洪水进行频率分析,其中经验频率公式采用数学期望公式,均值和变差系数 C_v 用矩法计算,偏态系数 C_s 用适线法确定。

由于历史调查洪水均未大于 1958 年实测最大洪水,故资料系列为 1934~1937、1950~2000 年历年实测最大流量,多年均值为 2 030m³/s。这里采用 P-Ⅲ型经验频率曲线,目估和优化适线法相结合。分析成果如表 9.20 所示。

表 9.20 黑石关站洪水频率分析成果

$\overline{Q}$	C_v	C_s/C_v	$P=0.01\%$	$P=0.1\%$	$P=0.5\%$	$P=1.0\%$	$P=2.0\%$	$P=5.0\%$
2 030	1.45	2.50	36 000	25 000	17 500	14 500	11 500	8 000

由表 9.20 可知,黑石关站千年一遇设计洪水洪峰流量为 20 500m³/s,百年一遇设计洪峰流量为 12 600m³/s,实测最大洪峰流量 9 450m³/s 的洪水频率为 1.79%,设计洪峰流量均值 $\overline{Q}$ 为 2 030m³/s,C_v、C_s/C_v 分别为 1.24、2.30。

9.8.4 洪水特性

从洪水形状来看,该流域峰型有三种类型,一类陡涨陡落,一类陡涨缓落,还有一类平缓涨落,一般以第二种类型居多。从洪峰数量上来看,有单峰、复式峰,一般以单峰洪水居多,但双峰也较多,有时甚至出现有两个显峰和一个或几个隐峰的洪水。见图 9.35~0图 9.40。

9.8.4.1 洪水历时

据统计,黑石关洪水总历时平均为 3~5 天,大洪水 5~7 天,连续洪水可达 10 天以上。涨洪历时 20~24h,最短只有 4h,最长可达 60h,大洪水涨洪历时为 24h,9、10 月洪水

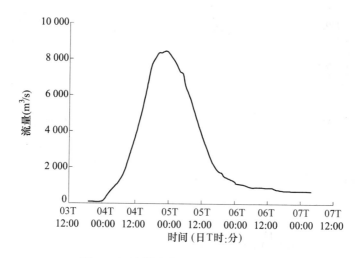

图 9.35　陡涨陡落型洪水("54·8"洪水)

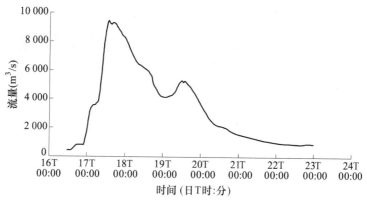

图 9.36　陡涨缓落型洪水("58·7"洪水)

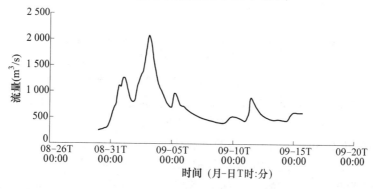

图 9.37　缓涨缓落(多峰)型洪水("64·9"洪水)

涨洪历时相对长些。其他站基本与黑石关相同。

9.8.4.2　峰量关系

　　东湾、龙门镇、白马寺、黑石关站洪峰流量与洪量均具有较好的相关关系,即洪量随洪峰流量增大而增大。各站 Q_m—R 关系,除个别点偏离点群较远外,点群基本呈一带状分布,相关系数分别为 0.87、0.78、0.77、0.69,东湾峰量相关程度明显高于其他三站,龙门

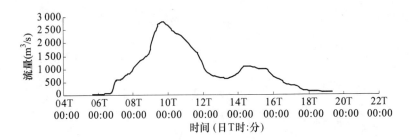

图 9.38　缓涨缓落型洪水（"75·8"洪水）

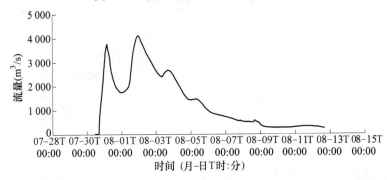

图 9.39　陡涨缓落（双峰）型洪水（"82·8"洪水）

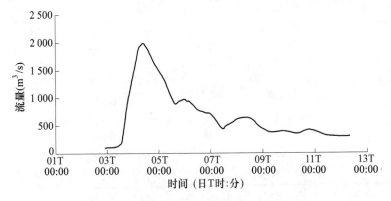

图 9.40　陡涨缓落型洪水（"96·8"洪水）

镇和白马寺相近,黑石关最低。经对偏离较远的点据分析,向左方偏的,多是连续洪水所致,如 1984 年 9 月 22 日～10 月 8 日连阴雨所形成的洪水,黑石关洪峰流量 2 400m³/s,而洪量却达 16.70 亿 m³;而向右方偏的,则是陡涨陡落型洪水,如 1954 年 8 月初洪峰流量为 8 400 m³/s 的洪水,洪量仅 8.10 亿 m³,洪水历时不到 2 天半。可以看出,偏离较远的点主要是陡涨陡落或缓涨缓落型洪水。若将个别点剔除,则 $Q_m \sim R$ 相关系数加大,也就是相关程度更高,四站相关系数分别增至 0.92、0.91、0.90、0.88。各站的 $Q_m \sim R$ 关系分别由下面方程给出:

$$W_东 = 0.098\ 8Q_{m东} + 18.90 \tag{9.4}$$

$$W_龙 = 0.152\ 5Q_{m龙} + 34.03 \tag{9.5}$$

$$W_白 = 0.199Q_{m白} + 11.48 \tag{9.6}$$

$$W_{黑} = 0.146\,6Q_{m黑} + 151.14 \tag{9.7}$$

式中：$W_{东}$、$W_{龙}$、$W_{白}$、$W_{黑}$ 分别为东湾、龙门镇、白马寺、黑石关站洪量，$\times 10^6\,\mathrm{m}^3$；$Q_{m东}$、$Q_{m龙}$、$Q_{m白}$、$Q_{m黑}$ 分别为四站洪峰流量，m^3/s。

9.8.4.3　峰型系数

峰型系数是反映洪水形态的一种指标，考虑到本区洪水特性，采用洪峰流量与涨水段平均流量比值 η 作为峰型系数。这里只统计了黑石关站，其 η 值为 1.21～2.88，平均为 1.85。

9.9　产流机制分析

所谓产流，是指流域中各种径流成分的生成过程，其实质是水分在下垫面垂直运行中，在各种因素综合作用下的发展过程，也是流域下垫面对降雨的再分配过程。不同的下垫面条件具有不同的产流机制，不同的产流机制又影响着整个产流过程的发展，呈现不同的径流特征。

9.9.1　次洪径流组成

探讨本流域的产流机制，首先要对洪水组成进行分析，也就是要对次洪径流成分进行划分。就径流的来源来看，流域出口断面的流量过程是由地面径流、壤中流、浅层和深层地下径流组成的。一般把地面径流和壤中流合并为直接径流，通常仍称为地面径流。深层地下径流非本次降雨形成的，需从流量过程线中分割去。所以地下径流一般指本次降雨形成的浅层地下径流。深层地下径流比较稳定，流量也较小，是河川的基本流量，所以又称为基流，分割的方法一般取历年最枯流量的平均值或本年汛前最枯流量用水平线分割。

不同的水源，其退水规律是不一样的。由于地面径流和壤中流合并为直接径流，且深层地下径流已用水平线分割去，所以径流的划分只需划分直接径流和地下径流。划分水源的关键点是要找到退水曲线上壤中流终止即地下径流的始退点，简便的方法是斜线分割法，如图9.41 所示。从起涨点 A 到直接径流终止点 B 之间连一直线，AB 以上为直接径流，以下和基流以上部分即为地下径流。B 点用流域退水曲线来确定，使退水曲线 CBD 的尾部与流量过程线退水段尾部重合，分离点即为 B 点。也可用

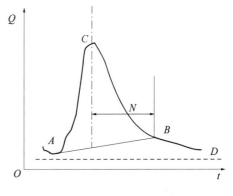

图9.41　地下径流分割示意

经验公式确定出洪峰出现时刻至直接径流终止点的时距 N（日数），即可定出 B 点。经验公式如下：

$$N = 0.84F^{0.2} \tag{9.8}$$

式中：F 为流域面积，km^2。

表9.21 给出了用式(9.8)得出的 N 值。从各断面实测流量过程线来看，N 值显然偏大。因此，实际划分水源时，主要是采用斜线分割并参照 N 值来确定直接径流终止点的。

表 9.21 伊洛河主要站 N 值

站名	控制面积 （km^2）	N	
		(d)	(h)
东湾	2 623	4.06	97.3
龙门镇	5 318	4.67	112.1
白马寺	11 891	5.49	131.7
黑石关	18 563	6.00	144.0

由于本流域洪水常首尾相接，因此在划分水源之前首先将由前面的降雨形成的洪水退水部分和基流割除，然后再按上述方法进行直接径流和地下径流分割。

这里只统计了东湾和黑石关站，两站直接径流分别占次洪径流总量的 65.9%、80.2%，地下径流分别占次洪径流总量的 34.1%、19.8%。

至于壤中流可用产流模型参数来确定。由新安江三水源模型可知，分水源计算参数地下水与壤中流之和为一常数，即：

$$K_g + K_l = 0.7 \qquad (9.9)$$

式中：K_g、K_l 为表层自由水蓄水库对地下水与壤中流的出流系数，其和代表出流的快慢，其比代表地下水与壤中流的比。

Hoybye 等在伊河流域模型适应性分析中采用新安江三水源模型得出结果：潭头以上区间 K_g、K_l 分别为 0.5、0.2，潭头—东湾区间分别为 0.6、0.1，陆浑—龙门镇区间分别为 0.2、0.5。

潭头以上与潭头—东湾区间参数略有差异，面积分别为 1 695km^2、928km^2，相差很大，因此根据面积加权，得出东湾以上平均 K_g、K_l 分别为 0.58、0.12，K_g/K_l 为 4.8。于是，可求出东湾站壤中流占次洪径流总量的 7.1%。黑石关可借用陆浑—龙门镇 K_g、K_l 值，近似得出壤中流约占次洪径流总量的 49.5%。由此，东湾、黑石关次洪径流组成如表 9.22 所示。

表 9.22 东湾、黑石关次洪径流组成

控制站	占次洪径流比例（%）		
	地表径流	壤中流	地下径流
东湾	58.8	7.1	34.1
黑石关	30.7	49.5	19.8

郝芳华等分析研究了洛河上游卢氏以上（流域面积 4 623km^2）产流特性，给出结果：地下水蓄水常数 K 为 69h，次洪径流系数平均值为 0.36（东湾为 0.35），直接径流占次洪径流量的 74.7%。

可见,流域的上游地区,如伊河东湾以上和洛河卢氏以上地区同属石林山区,植被良好,土壤下渗率大,次洪径流主要以地表径流和地下径流为主,壤中流所占比例较小;而流域中下游地区,植被覆盖率较上游地区差,土壤下渗率相对较小,在各种水源成分中,壤中流所占比例最大,地表径流次之,地下径流最小。当然,上述结果是多次洪水的平均情况,就各次洪水而言,水源组成因产流模式不同也会有很大的差异。

9.9.2 产流现象及产流模式

由前面的降雨、径流及洪水特性可知,该流域为半湿润地区,流域面积大,既有石林山区,又有黄土丘陵和冲积平原区,下垫面因素如包气带厚薄、土壤性质、植被、降雨开始时的土壤含水量等各地差异较大,再加上降雨量、降雨强度及时空分布也不一致,因此该流域的产流机制较为复杂。

流域典型的流量过程线为陡涨缓落型,是由单峰降雨形成的单峰流量过程(见图9.36、图9.40),由大面积上产生的饱和坡面流形成,地面径流过程覆盖在壤中流及地下径流过程之上,成为单峰形。地下水径流补给较丰富,导致退水过程线拖得很长,落洪长达3天以上。

缓涨缓落型洪水过程是由长历时、低强度的降雨形成的(见图9.37、图9.38),由大面积的壤中流和地下径流形成,当包气带蓄满时,方产生饱和地面径流。由于壤中流汇流较地面径流慢,同时又有大量的地下水补给,因此洪水的起涨较慢,而退水又拖得很长,长达5天以上甚至更长。

陡涨陡落型洪水是由高强度暴雨形成的(见图9.35),只产生超渗地面径流,汇流快,整个洪水过程仅有3天左右。连续多峰型洪水则是由连阴雨形成的(见图9.37),有大面积的饱和地面径流,壤中流、地下径流丰富,退水历时长达数十天。

该流域的产流机制并非固定不变,而是随着降雨强度和降雨历时发生转化。该地区短历时、高强度暴雨将形成以超渗地面径流为主的洪水过程线,而长历时、低强度暴雨将形成以壤中流和地下径流为主的洪水过程线。

可以得出,该流域的产流方式为"超渗产流"和"蓄满产流"两种模式,即:汛初或久旱不雨时,遇高强度暴雨则会产生超渗地面径流,此时产流方式是"超渗产流";前期土壤湿润或多雨季节,遇降雨则以"蓄满产流"方式产流。

9.9.3 次洪降雨径流驱动力因子

通过建立东湾等四站历年次洪降雨与径流关系,可看出其相关关系较好,如东湾站次洪 $P—R$ 关系图,点据基本集中在一条线上,相关系数为0.93;若考虑前期雨量(P_a),相关系数为0.92,较前者还略有减小(见图9.42、图9.43)。表明东湾以上区间,雨量大小是决定产流的主要因素,前期土湿状态对产流影响不大,且次洪降雨径流关系基本不受年代变化的影响,无须划分时期来考虑,降雨径流关系可用如下回归方程表示:

$$R = 0.555P - 15.45 \qquad (9.10)$$

式中:R 为径流深,mm;P 为面平均雨量,mm。

再如黑石关站,历年次洪 $P—R$ 关系点群呈带状分布,相关系数为0.77;考虑前期影响雨量,相关系数为0.76;如果按年代分别建立 $P—R$ 关系,50～90年代各年代相关系数分别为0.82、0.32、0.92、0.83、0.93,比原来增加0.05～0.16(60年代除外)。表明对

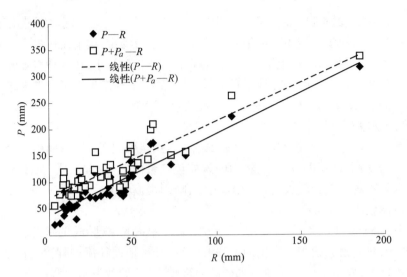

图 9.42　东湾次洪 P—R 相关

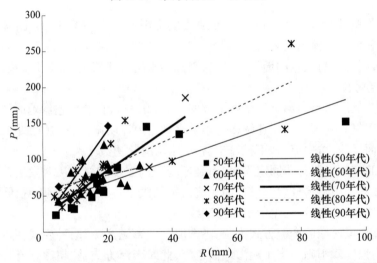

图 9.43　黑石关次洪 P—R 相关

于伊洛河整个流域来说,次洪降雨径流相关程度也较高,径流量的大小主要取决于降雨,见图 9.43。龙门镇、白马寺站次洪 P—R 相关系数分别为 0.89、0.83,降雨径流相关程度高于黑石关。比较上述四站次洪 P—R 相关系数,东湾、龙门镇、白马寺、黑石关依次减小,即降雨径流相关程度随着区间面积的增加而减小。

　　由此可知,次洪降雨径流的主要驱动力因子是降雨。从多年来看,在伊河东湾以上地区,降雨可控制径流的 93%,而除降雨以外的其他因子仅控制径流的 7%,且降雨对径流的控制作用基本不受年代变化的影响;在龙门镇、白马寺以上地区降雨可控制径流的89%、83%;黑石关以上地区,降雨可控制径流的 77%,降雨对径流的控制作用随年代的不同而不同。当面雨量在 100mm 以上时,可形成较大洪水。

　　由图 9.43 还可看出,黑石关站次洪 P—R 关系随年代而变化,即点据逐渐向左偏离,表明同等降雨条件下,产流随年代有减小的趋势,特别是雨量在 100mm 以上时,变化比较明显。

9.10　结论

由上面的分析,可得出如下结论:

(1)伊洛河多年降雨、水面蒸发、径流均有逐年减小的趋势。

(2)年径流可由年降雨表述的程度由20世纪50年代的93%下降为90年代的69%,平均值为78%。

(3)相同降雨所产生的径流逐年减少的趋势较明显,年、次洪径流系数逐年减小的趋势较明显。

(4)降雨是次洪降雨径流的主要驱动力因子,控制径流的作用为80%左右;而在流域的上游,降雨可控制径流的90%以上。产生较大洪水的降雨阈值为100mm。

(5)该区具有"蓄满"产流和"超渗"产流的特征,汛初尖瘦洪水的出现表明超渗产流方式的存在。

(6)人类活动影响逐年增大。

参 考 文 献

[1] 吴致尧,任德存,等.黄河流域综述.郑州:河南人民出版社,1998

[2] 洛河志编纂组.洛河志.北京:中国科技出版社,1995

[3] Vijay P S. 水文系统:流域模拟.赵卫民,戴东,王玲,等译.郑州:黄河水利出版社,2000

[4] 史辅成,易元俊,等.黄河流域暴雨与洪水.郑州:黄河水利出版社,1997

[5] 庄一鸰,林三益.水文预报.北京:水利电力出版社,1989

[6] 刘昌明,郑红星.黄河流域水循环要素变化趋势分析.自然资源学报,2003,18(2)

[7] 詹道江,叶守泽,等.工程水文学(第3版).北京:中国水利水电出版社,2000

[8] 赵人俊.降雨径流流域模型中的水源划分问题.水文,1981(3):20~24

[9] 郝芳华,杨桂莲,等.黄河小花间石山林区产汇流特征分析.地理学报,2004(2)

[10] 崔家俊,蔡琳,等.黄河防洪防凌决策支持系统研究与开发.郑州:黄河水利出版社,1998

[11] Peter, Hoybye, et al. Flood Forcasting and Warning in the Yellow River Xiaolangdi to Huayuankou. FinalReport,2004(9)